IEUAN WYN
JONES

O'R CYRION I'R CANOL

IEUAN WYN JONES

JONES

O'R CYRION I'R CANOL

Hoffwn ddiolch i Derec Owen o Lanfairpwll a John Wynne
Jones gynt o Fiwmares ond rŵan o Abertawe am eu caniatâd i
ddefnyddio llawer o'r lluniau sydd yn y gyfrol hon. Mae'r ddau yn
ffotograffwyr brwd ac mae gennyf stôr o luniau'r ddau sy'n cofnodi
cymaint o hanes gwleidyddol Ynys Môn a Chymru. Diolch hefyd
i Wasg y Lolfa am eu hanogaeth i ysgrifennu'r gyfrol, ac i Lefi,
Marged a Robat am lywio'r cyfan mor ardderchog.

Argraffiad cyntaf: 2021

Derbyniwyd caniatâd i gyhoeddi lluniau yn y gyfrol hon.
Ond, yn achos rhai lluniau, er ymchwilio, ni chanfuwyd pwy
sydd berchen yr hawlfraint. Cysylltwch os am drafod.

Dymuna'r cyhoeddwyr gydnabod cymorth ariannol
Cyngor Llyfrau Cymru

Llun y clawr blaen: John Wynne Jones
Cynllun y clawr: Y Lolfa

Rhif Llyfr Rhyngwladol: 978 1 80099 104 0

Cyhoeddwyd, rhwymwyd ac argraffwyd yng Nghymru gan
Y Lolfa Cyf., Talybont, Ceredigion SY24 5HE
gwefan www.ylolfa.com
e-bost ylolfa@ylolfa.com
ffôn 01970 832 304
ffacs 832 782

PENNOD 1

Dechrau'r Daith

NI FÛM DAN bwysau gan fy rhieni i ddilyn gyrfa benodol er bod sicrhau addysg dda i'w plant yn uchelgais ganddynt. Yr oedd fy nhad, John, yn wyth ar hugain oed yn mynd i Goleg y Bedyddwyr Bangor – y Coleg Gwyn – i ddilyn cwrs ar gyfer y weinidogaeth. Gadawodd yr ysgol yn bedair ar ddeg oed gan ddilyn ei dad i weithio yn chwarel y Penrhyn. Yr oedd yn grefftwr medrus, yn hollti darnau o lechi yn gelfydd ac yn adeiladu waliau cerrig ar hyd ei oes. Ond yr oedd yn awyddus i wella ei hun yn addysgol, ac nid syndod iddo fynd i'r weinidogaeth o gofio ei fagwraeth ar aelwyd hynod grefyddol.

Yn wahanol i'm tad, cafodd fy mam addysg mewn ysgol ramadeg a hynny yn Llangefni. Llwyddodd yn ei harholiad ôl-11 a bu'n ddigon ffodus i ennill ysgoloriaeth. Gan fod amgylchiadau ariannol y teulu yn hynod o gyfyng – collasant eu cartref a swydd fy nhaid yn dilyn effaith cwymp y farchnad stoc ar ei gyflogwr yn yr 1930au – ni fyddai wedi gallu mynd hebddi. Ei huchelgais oedd dilyn cwrs nyrsio a chymhwysodd yn hen ysbyty Môn ac Arfon ym Mangor. Yn dilyn hynny, cymhwysodd fel bydwraig a dilyn rhan o'r cwrs yng Nghaerdydd. Gwnaeth ei gorau i ddilyn pob rhan o'r cyrsiau yng Nghymru, ond bu'n rhaid iddi fynd i Lerpwl ar gyfer cyfnod olaf ei chwrs bydwreigiaeth.

Fe'm ganwyd innau a'm brawd Rhisiart Arwel yn ystod cyfnod gweinidogaeth fy nhad yn Ninbych. Yn 1956 derbyniodd alwad i weinidogaethu yng Ngarnswllt. Yno cefais y cyfle cyntaf i gymryd rhan yn gyhoeddus gan mai'r capel oedd canolbwynt gweithgareddau diwylliannol y pentref yn ogystal â bod yn lle o addoliad. Cynhelid eisteddfodau, cyngherddau, dramâu a chantatau yn flynyddol a holl blant y pentre'n cymryd rhan. Nid oedd ball ar y gweithgarwch a'r cyfan drwy gyfrwng y Gymraeg. Yr oedd naws hynod o Seisnig yn yr ysgol gynradd yn Ninbych, ond yr oedd yr addysg yn ysgol gynradd Garnswllt yn naturiol Gymraeg ac fe ddysgem ddarnau o farddoniaeth Gymraeg ar ein cof. Yr oedd un o'r athrawon, Gerallt Richards, yn gerddor medrus ac yn aml byddem yn canu i'w gyfeiliant. Yr oedd Gerallt yn ysmygwr trwm ac weithiau gadawai'r dosbarth am sigarét. Unwaith cofiaf y brifathrawes Miss Davies yn dod i'n dosbarth a'i gwynt yn ei dwrn gan holi 'Ble mae Mr Richards?' Nid oeddem ni fel plant am ei fradychu, felly ysgwyd pen oedd yr ymateb heb yngan gair. Ond yr oeddwn innau ar bigau, gan y gwelwn fwg sigarét Gerallt yn codi wrth un o ffenestri'r dosbarth! Ond drwy lwc, ni welodd Miss Davies y dystiolaeth.

Llwyddais innau yn yr arholiad ôl-11 a mynd i ysgol Ramadeg Pontardawe, un o dri o blant Garnswllt a lwyddodd y flwyddyn honno. Teimlwn yn hynod o chwithig gan na lwyddodd rhai o'm ffrindiau a hwythau yn mynd i'r ysgol uwchradd fodern ym Mhontarddulais. System a rannai blant oedd honno a fabwysiadwyd yn Neddf Addysg 1944, a chanran uchel o blant yn colli cyfle. Yr oedd naws eithaf Seisnig i'r addysg ym Mhontardawe, ond yr oedd safon y dysgu yn uchel. Yr oeddwn wrth fy modd yn nosbarth Cymraeg Eic Davies, athro eithaf anghonfensiynol ond tra effeithiol, ac fe'i cofiaf yn gwisgo bathodyn Plaid Cymru er gwaethaf gwrthwynebiad y prifathro chwyrn. A byddwn yn gwrando'n ddi-ffael ar raglenni radio lle byddai Eic yn trafod rygbi ac yn bathu termau Cymraeg am safleoedd y chwaraewyr. Er mai pêl-droed oedd y gamp a ddilynai pobl gogledd Cymru yn y cyfnod hwnnw, taniwyd fy niddordeb yn y bêl hirgron yn ystod fy nghyfnod ym Mhontardawe gan chwarae mewnwr yng ngemau'r ysgol. Cefais brawf gan dîm bechgyn Cwm Tawe, ond ni chefais gyfle i chwarae i'r tîm gan ein bod fel teulu ar fin gadael yn ôl am y gogledd. Rygbi yw fy hoff gamp hyd heddiw a byddaf yn dilyn ffawd y Dreigiau a Chymru. Pam y Dreigiau, meddech chi? Yn ystod fy mhlentyndod, Bryn Meredith, bachwr Casnewydd, oedd capten Cymru, a chofiaf fynd i'w weld yn chwarae mewn gêm yn erbyn Abertawe ar faes San Helen. O hynny 'mlaen y fo oedd fy hoff chwaraewr, ac yn sgil hynny yr oeddwn yn dilyn Casnewydd ac yna'r Dreigiau. Mae gennyf docyn tymor i Rodney Parade ers rhai blynyddoedd a byddaf yn mynd i'w gweld o bryd i'w gilydd yng nghwmni fy nghyfeillion Jonathan Clarke a Chris Priest.

Yr oedd treulio cyfran helaeth o'm blynyddoedd ffurfiannol yng Ngarnswllt yn hynod o bwysig yn fy natblygiad fel person ac yn wir fel gwleidydd. Mewn pentrefi glofaol clos yr oedd y gymdeithas yn un hollol agored, a phawb bron yn byw drwy'i gilydd gan fynd i gartrefi'r naill a'r llall. Yr oedd tŷ'r gweinidog yn gyrchfan i lawer, a'r pentrefwyr yn dod acw am sgwrs neu air o gyngor. Gan nad oedd meddyg yn y pentref, gweithredai ein cegin fel adran mân ddamweiniau ar brydiau gyda fy mam yn trin briwiau a gosod plaster neu rwymyn a rhoi gair o gyngor ar sut i drin y briw o hynny 'mlaen. Gan fod fy nhad yn berson hynod o gymdeithasol, ac wedi ei fagu mewn ardal debyg ym Methesda, bu'n hynod o boblogaidd yn y cylch. O'r cyfnod hwnnw, gwelwn Gymru fel cenedl gyfan, heb ddim o'r mân gecru y clywn amdano o bryd i'w gilydd rhwng y de a'r gogledd. Clywaf hynny gan rai hyd heddiw, er bod sefydlu S4C wedi dod â thafodieithoedd gwahanol rannau o Gymru yn fwy cyfarwydd.

Gan fod iechyd ei rieni yn mynd yn fwy bregus, teimlai fy nhad fel eu mab hynaf y dylai ddychwelyd i'r gogledd fel y gallai ofalu amdanynt. O ganlyniad derbyniodd alwad i Gorwen a oedd bryd hynny yn yr hen Sir Feirionnydd ac yn rhan o gylch Edeirnion. Wedi bron i saith mlynedd hynod o hapus, dychwelodd y teulu i'r gogledd yn ystod gaeaf caled 1963 mewn Ford Prefect Deluxe, sef ein car cyntaf. Yr oedd Corwen bryd hynny yn eithaf Seisnig, a chanran gymharol fechan a siaradai Gymraeg fel iaith gyntaf. Cefais hi'n anodd setlo yn ysgol Ramadeg Tŷ Tan Domen y Bala. Digon cymysg oedd safon yr addysg yno, a bod yn garedig, ac a hithau'n ysgol i fechgyn yn unig, collwn gwmni'r merched yn y dosbarth. Ni welaf rinwedd mewn ysgolion un rhyw, gan fod cyd-gymdeithasu yn gynnar yn bwysig fel rhan o ffurfio cymeriad. Ymhen pymtheg mis, diolch i'r drefn, sefydlwyd trefn gyfun, a chrëwyd Ysgol y Berwyn yn ysgol gymysg yn 1965. Yr oeddwn yn llawer hapusach yno.

Ers cyfnod fy mhlentyndod bu gennyf ddiddordeb mawr mewn achosion llys. Ar y daith i'r ysgol ramadeg ym Mhontardawe o bentref Garnswllt byddai'n rhaid i'r plant newid bws yn Rhydaman. Ger yr orsaf fysiau roedd siop bapur newydd, ac yno y byddwn yn prynu un o'r papurau a'i ddarllen yn awchus ar y daith o tua ugain munud i'r ysgol. Yr achosion llys a frithai'r papur a âi â 'mryd gan amlaf, er y byddai'r dudalen gefn a'r straeon am bêl-droed a rygbi yn mynd â'm sylw yn ogystal. Roedd gan fy nhad ddiddordeb mewn achosion llys hefyd ac roedd ei straeon am orchestion bargyfreithwyr enwog y cyfnod yn fy nghyfareddu.

Erbyn i mi gyrraedd pedair ar ddeg oed, roeddwn yn sicr mai dilyn gyrfa yn y gyfraith oeddwn i am ei wneud. Cofiaf fynd i lyfrgell Ysgol y Berwyn yn y Bala a dod o hyd i lyfr ar yrfaoedd. O'i ddarllen, cadarnhawyd fy mwriad gan y byddai gradd yn y gyfraith yn agor pob math o bosibiliadau. Ceisiodd ambell un fy mherswadio y dylwn ddilyn fy nhad i'r weinidogaeth. Un a wnaeth ei orau i'm perswadio oedd Lewis Valentine, arwr mawr fy nhad a gweinidog bryd hynny efo'r Bedyddwyr yn Rhosllannerchrugog. Roedd gwrthod ymateb i ymbiliau Lewis Valentine yn beth mawr i'w wneud ac yntau yn un o arweinwyr cyntaf Plaid Cymru yn ogystal â bod yn weinidog a llenor o fri. Nid anghofiaf y siom ar ei wyneb wrth i mi ddweud wrtho mai gyrfa yn y gyfraith a ddymunwn. O fynd i'r weinidogaeth byddwn wedi dilyn traddodiad teuluol gan fod fy nhad a'i dri brawd, Robert Coetmor, William ac Arthur, yn weinidogion efo'r Bedyddwyr a brawd yng nghyfraith iddo, Hugh Williams, yn weinidog efo'r Methodistiaid Calfinaidd. Clywais stori y byddai ei fam a fy nain Elisabeth Jones, un o blant diwygiad 1904-6, yn gweddïo'n gyhoeddus gan fynd i'r sêt fawr a phenlinio wrth draed y pulpud i wneud hynny.

A dweud y gwir, ni fûm i erioed yn ystyried mynd i'r weinidogaeth lawn amser. Bûm yn gapelwr selog erioed gan gymryd rhan yng ngwasanaethau'r capel o bryd i'w gilydd. Cofiaf weddïo'n gyhoeddus o'r frest am y tro cyntaf yn y capel yng Nghorwen. Aeth hi'n ffliwt arna' i ar ôl ychydig frawddegau. Fe'm hachubwyd gan un o'r diaconiaid a ddechreuodd adrodd Gweddi'r Arglwydd a'r gynulleidfa'n ymuno! Yn hytrach na rhoi clec i'm hunanhyder, bu'r ymyriad caredig yn gymorth i fwrw ati'r ail waith mewn dim o dro a hynny'n llwyddiannus. Bûm yn pregethu rhyw ychydig, yn arbennig pan gollodd fy nhad ei iechyd yn 1973, a chymryd gofal o'r gwasanaethau yng nghapeli'r ofalaeth. Ar ôl priodi a dechrau teulu ychydig o bregethu a wneuthum ar wahân i helpu pan fyddai cennad yn torri cyhoeddiad ac angen rhywun i lenwi i mewn ar fyr rybudd.

Yr oedd diddordebau fy mrawd Rhisiart Arwel yn hollol wahanol i mi. Yr oedd, ac y mae, yn gerddor hynod o ddawnus. Cafodd wersi piano yn blentyn ifanc, ac yn ddiweddarach wersi gitâr glasurol cyn dilyn cwrs yng Ngholeg Cerdd y Gogledd ym Manceinion. Yn blentyn ysgol, ffurfiai bartïon cerdd a grwpiau canu ysgafn. Bu traddodiad cerddorol y Bala ac ardal Penllyn o gymorth mawr iddo. Ffurfiodd grŵp a enillodd gystadleuaeth y gân ysgafn neu gân bop yn yr Eisteddfod Genedlaethol, ond buan y trodd ei olygon i'r byd clasurol. Gan mor anodd oedd cynnal bywoliaeth fel cerddor proffesiynol yng Nghymru, treuliodd y rhan fwyaf o'i yrfa ym myd y cyfryngau, yn bennaf i HTV ac yna fel golygydd i Radio Cymru. Wedi ymddeol o'r byd hwnnw, dychwelodd i'w briod faes, gan gynnal cyngherddau ac am y tro cyntaf recordio cryno-ddisgiau o ddarnau clasurol yn bennaf ar y gitâr.

Gan fod fy nhad yn hanu o Fethesda, yno y treuliem ein gwyliau haf gydol fis Awst bob blwyddyn. Prynodd dyddyn bychan efo pedair erw o dir yng nghysgod y Carneddau. Yr oedd cae ar dir comin gerllaw'r tyddyn lle deuai bechgyn Gerlan i chwarae pêl-droed. Wedi dewis dau dîm byddem yn chwarae yno am oriau. Yr oedd chwaer fy nhad, Catherine, yn byw drws nesaf a byddai Arwel a minnau yn treulio llawer o'n hamser yng nghwmni ein cefndryd John, Mary a Hedd.

Byddem fel teulu yn mynd ambell i ddiwrnod i Gaernarfon, Porthmadog a Phwllheli ac yn mynd i Ynys Môn i ymweld â dwy chwaer fy mam. Byddai Caradog

Prichard, ei wraig Mati a'i ferch Mari yn dod i aros mewn bwthyn cyfagos a chofiaf dreulio noson gyfareddol yn eu cwmni dros bryd o fwyd yn trafod llenyddiaeth a chyflwr y genedl. Yn y cyfnod hwn deuthum i sylweddoli cariad angerddol fy nhad at fro ei febyd, rhywbeth nad oeddwn i yn ei ddeall yn iawn gan ein bod fel teulu wedi symud cymaint yn ystod fy mhlentyndod. Ond gwelais yr un angerdd yn Eirian ymhen blynyddoedd a'i chariad at ei bro yn Nyffryn Clwyd. Pe baech yn gofyn i fy nhad neu Eirian o ble roeddent yn dod, byddai'r ateb yn hawdd. I mi, byddai'r ateb yn fwy cymhleth o lawer. Mae gennyf gysylltiadau teuluol cryf ag Ynys Môn, ac yma y treuliais bellach dros hanner fy oes. Ond ni allaf anghofio Dyffryn Clwyd, Cwm Tawe na Bro Edeirnion chwaith. Mae rhyw wead o'r cyfan ynof. Ar ôl imi dderbyn canlyniad arholiadau'r Lefel O aeth mam a minnau i weld y prifathro yn Ysgol y Berwyn a chael gair o gyngor ganddo ar ba bynciau i'w dilyn yn y chweched dosbarth. Cymerai'n hollol ganiataol mai dilyn gyrfa fel athro y byddwn yn ei wneud. Doedd dim dadlau i fod yn ei dyb ef. Deliais fy nhir a mynnu mai dilyn gyrfa fel cyfreithiwr oedd fy nymuniad. Mae'n ddigon posib wrth gwrs y credai'r prifathro y byddai dilyn cwrs yn y gyfraith yn rhywbeth tu hwnt i'm gallu. Ond o edrych yn ôl, roedd y dwyn perswâd ar fwyafrif llethol pobl ifanc y chweched wedi llwyddo gan fod tua 90% ohonynt wedi cymhwyso fel athrawon.

Yn anffodus ni fu fy nghanlyniadau Lefel A yn ddigon da i mi ddilyn cwrs y gyfraith mewn prifysgol yng Nghymru. Roedd canlyniadau'r mwyafrif ohonom yn ddigon symol y flwyddyn honno, ac yn sicr nid oeddent yn adlewyrchu galluoedd y myfyrwyr. Fodd bynnag, llwyddais i gael lle mewn coleg yn Lerpwl i ddilyn cwrs gradd LLB allanol Prifysgol Llundain. Er bod tua naw deg ohonom yn dechrau'r cwrs a hynny mewn tri dosbarth, tua chwe deg ohonom lwyddodd i gyrraedd yr ail flwyddyn a thua thri deg ohonom yn gweld diwedd y cwrs a'r drydedd flwyddyn yn 1970.

Nid oedd neuaddau myfyrwyr yn rhan o wasanaeth y coleg yn Lerpwl ac o ganlyniad treuliais y tair blynedd mewn 'digs'. Roedd y cyntaf yn Pitville Avenue, Allerton, nepell o le'r oedd dwy chwaer i 'nhad yn byw yn ardal Mossley Hill a bûm yn ymweld â nhw o bryd i'w gilydd. Roedd y wraig a ofalai am dri ohonom mewn tŷ pâr gweddol fach wedi mabwysiadau rheolau llym ynglŷn ag ymddygiad, a'i llais cryf yn ddigon i ddychryn y myfyriwr mwyaf anhydrin! Ond roedd y bwyd yn dda, ac am hynny câi faddeuant. Fodd bynnag, dyna'r tro cyntaf i mi ddod ar draws hiliaeth ar ei ffurf fwyaf cignoeth. Roedd y landledi'n gwrthwynebu'r ffaith fod cymaint o bobl ddu yn byw yn y ddinas, a heb fod yn fyr o ddatgan safbwyntiau hiliol, gan gymryd yn ganiataol y byddem ni fel myfyrwyr gwyn ein croen yn cytuno. Er bod y tri ohonom yn hynod anghyfforddus, tawedog oeddem gan ein bod yn westeion yn y cartref, rhywbeth rwy'n teimlo'n hynod o euog amdano hyd heddiw.

Roedd Tony, y bachgen a rannai ystafell â mi, yn dilyn cwrs fel cyfrifydd. Daethom yn gyfeillion a bûm yn ei gartre yn Rhiwabon fwy nag unwaith. Ni ddychwelodd i Lerpwl wedi'r flwyddyn gyntaf ac o'r herwydd collwyd cysylltiad ag o. Dau gyfaill arall oedd Richard Kilburn o swydd Efrog a Dafydd Jones, mab ficer Llanfairpwll, oedd ill dau yn dilyn yr un cwrs â mi ac yn lojio mewn tai yn yr un ardal. Cefais yr argraff nad y gyfraith oedd yn mynd â bryd Richard ac ni ddychwelodd wedi'r ail flwyddyn. Ni ddaeth Dafydd yn ôl wedi'r flwyddyn gyntaf. Gan fod cymaint o fynd a dod ymhlith y myfyrwyr, mi roedd hi'n anodd gwneud ffrindiau parhaol. Yn ystod yr ail a'r drydedd flwyddyn symudais fy stondin i dŷ yn ardal Smithdown Road lle cefais fwy o ryddid i fynd a dod gan mai brecwast yn unig a gynigid a ninnau yn rhydd am weddill y diwrnod. Roedd y wraig a gadwai'r tŷ yn weddw ac yn hynod o ddiwylliedig, er bod ganddi hithau rai o'r daliadau hiliol a brofais ym Mhitville Avenue.

O safbwynt y cwrs, ni allwn ond canmol y darlithwyr, ar wahân i hwnnw a'n dysgai ar Tort. Cymeriad stiff iawn, hynod o hen ffasiwn a dim llawer o hiwmor ganddo. Yn ystod y flwyddyn gyntaf bu llawer o brotestio gan y myfyrwyr yn ymwneud â rhyfel Fietnam a hawliau myfyrwyr. Bûm yn cymryd rhan mewn rhai o'r 'eisteddiadau i mewn' oedd yn gymaint rhan o brotestiadau'r cyfnod. Ond oherwydd nad oedd yr un *esprit de corps* yn perthyn i fyfyrwyr mewn coleg lle roeddent ar wasgar ar hyd y ddinas, braidd yn fyrhoedlog a bratiog oedd y protestio. Roedd trefn y protestiadau a drefnai Cymdeithas yr Iaith yn llawer mwy proffesiynol i'm tyb i, a mynychwn y rheini o bryd i'w gilydd. Fodd bynnag, gan mai dilyn cwrs yn y gyfraith a wnaethwn, penderfynais yn fuan na fyddwn yn torri'r gyfraith ac mai dilyn y llwybr cyfansoddiadol y byddwn i hyrwyddo achos Cymru. Credwn fod lle i bawb yn y frwydr dros Gymru ac y gallwn hyrwyddo achos y Gymraeg ym myd y gyfraith.

Treuliais dair blynedd yn Lerpwl cyn cwblhau gradd anrhydedd a hynny'n gwireddu fy uchelgais gynnar. Mae gennyf atgofion cynnes iawn am y cyfnod ac rwy'n ddiolchgar i'r coleg am roi cyfle i mi sicrhau gyrfa ym myd y gyfraith. Gwyddwn y byddai'n rhaid gwneud dewis rhwng cefnogi Lerpwl neu Everton ar y cae pêl-droed. Dewisais Lerpwl a threulio amser gwych yn cefnogi'r tîm drwy fynd i'r Kop yn Anfield droeon. Y ddau dîm, ar wahân i Everton, yr oedd yn rhaid eu curo oedd Leeds a Manchester United a Lerpwl oedd y tîm gorau yn Lloegr yn y cyfnod hwnnw.

Bryd hynny, roedd yn rhaid dod o hyd i gwmni o gyfreithwyr er mwyn dilyn cwrs ymarferol o erthyglau am ddwy flynedd. Nid oedd gan fy nheulu na neb o'm cydnabod unrhyw gysylltiad efo cyfreithwyr, gan mai osgoi mynd atynt oedd y mwyafrif! Felly, ysgrifennais at chwech o gwmnïau lleol gan ofyn iddynt a fyddent yn barod i'm derbyn. Cefais ateb negyddol gan y mwyafrif, ond cefais lythyr caredig gan un ohonynt, sef cwmni William Jones a Talog Davies yn Rhuthun. Gofynnwyd i mi fynd i'w gweld am gyfweliad. Euthum yno efo'm tad a chael cyfweliad digon anffurfiol efo'r prif bartner Talog Davies a oedd hefyd yn Grwner Sir Ddinbych. Er ei fod yn fab i gyn-weinidog yn y Capel Mawr yn Ninbych, nid oedd ganddo fawr o afael ar y Gymraeg. Roedd ei ysgrifenyddes, Joan, yn ferch o Gorwen a hithau wedi rhoi ychydig o'm cefndir iddo mae'n siŵr. Gwyddai o'r gorau fy mod yn cefnogi Plaid Cymru. Er mai dyn y sefydliad oedd Talog yn bendifaddau, roedd rhywbeth yn hynod urddasol a graslon ynddo. Ni wnaeth erioed fy meirniadu am fy safbwyntiau gwleidyddol na cheisio fy rhwystro rhag gweithredu'n wleidyddol.

Dechreuais ar fy nghyfnod fel cyw cyfreithiwr ym mis Awst 1970. Ychydig iawn o amser a roddodd Talog i'm hyfforddi a dibynnais lawer ar John James a oedd yn Glerc Rheolaethol neu *Managing Clerk* yn y cwmni. Erbyn deall, roedd llawer o'r rhain yn gweithio i gwmnïau gwledig, pobl nad oedd modd ganddynt i gymhwyso fel cyfreithwyr ond a fyddai'n gwneud llawer o'r gwaith 'caib a rhaw' o ddydd i ddydd, yn arbennig ym meysydd trosglwyddo tai a gweinyddu stadau drwy'r broses profiant. Yn ogystal â bod yn hynod brofiadol, roedd gan John James y ddawn o drin pobl a rhyfeddwn at y ffordd y byddai'n trin cleientiaid a allai fod yn ddigon croes ac anystywallt ar brydiau. Dysgais lawer am y gyfraith a'r ffordd i drin pobl wrth ei draed. O bryd i'w gilydd, cawn fynd i'r llys i wrando ar Bryan Lewis y partner arall yn cynrychioli'r erlyniad neu ddiffinnydd mewn achosion troseddol. Roedd Bryan yn adfocad rhagorol a byddai'n holi a chroesholi'n hynod o effeithiol.

Ar y dechrau, fe'i cefais hi'n anodd dygymod ag oriau swyddfa. Teimlwn fod y drefn o weithio rhwng naw a phump a chau'r swyddfa am awr i ginio yn hynod o gaeth a minnau wedi arfer efo rhyddid bywyd coleg. Ond buan y dois i arfer efo'r drefn, a mwynhau cwmni rhadlon y staff. Ar y dechrau, roedd y mwyafrif o aelodau staff gweinyddol y cwmni yn ferched ifanc dibriod. Yn ddiweddarach, newidiodd y patrwm efo merched priod yn dod yn ôl i waith pan fyddai'r plant yn dechrau ysgol neu yn gadael cartref. Bach iawn oedd cyflog y staff, ac o fewn fawr o dro byddai'r merched ifanc yn symud i weithio i'r Cyngor Sir neu adrannau eraill yn y sector gyhoeddus lle roedd y cyflog a'r telerau pensiwn gymaint yn well.

Daeth y cyfnod erthyglau i ben ym mis Awst 1972 a nôl â mi i Lerpwl i ddilyn cwrs yr hyn a elwid bryd hynny yn *Solicitors' Finals*. Er mai cwrs chwe mis oedd hwn, roedd o'r cyfnod dwysa i mi fod yn rhan ohono cyn ac wedi hynny. Arweinid y cwrs gan ŵr a gwraig hynod o ymroddedig, Mr a Mrs Highcock, ac ystyrid cwrs Lerpwl y gorau yng Nghymru a Lloegr ar y pryd. Cofiaf i ni fel myfyrwyr ymgynnull yn neuadd y coleg ar y diwrnod cyntaf, a'r darlithydd yn dweud yn gwbl glir na fyddem yn llwyddo oni bai ein bod yn gweithio o leiaf saith deg awr yr wythnos! Gormodedd efallai ond yn rhybudd digon clir nad ar chwarae bach y cwblheid y cwrs yn llwyddiannus.

Am y chwe mis hynny bûm yn byw fel meudwy. Caem dair awr o ddarlithoedd rhwng naw a hanner dydd a hynny yn adeilad ysblennydd y Liver yn y Pier Head yn Lerpwl.

Roedd y darlithwyr yn hynod ymroddedig ac wedi'u trwytho'n llwyr yn athroniaeth y cwrs. Wedi cinio, byddwn yn treulio'r pnawn yn llyfrgell y ddinas oedd drws nesa i Oriel Gelf Walker lle awn weithiau i'r caffi am baned. Ar ôl swper, byddwn wrthi yn adolygu tan naw. Gweithiwn ychydig yn llai ar y penwythnos, ac yn ysbeidiol byddwn yn mynd i dafarn y Brookhouse lle ymgasglai'r myfyrwyr o Gymry ar nos Sadwrn. Yn ddarpar feddygon a darpar filfeddygon, neu'n rhai'n dilyn cwrs Astudiaethau Celtaidd cefais gwmni rhadlon nifer o gyd-fyfyrwyr o ogledd a chanolbarth Cymru yn benna a'r sgwrs yn troi o gwmpas gwleidyddiaeth yn amlach na pheidio. Ar fore Sul byddwn yn mynychu oedfaon yng nghapel Heathfield Road lle roedd D Ben Rees yn weinidog. Ceid cynulleidfa dda a llawer o fyfyrwyr a nyrsys yn eu plith. Yr oeddwn yn adnabod Eirian ers dyddiau Eisteddfod y Bala yn 1967. Cyfarfûm â hi ar y maes, ac fe welem ein gilydd bob hyn a hyn yn ystod y blynyddoedd dilynol weithiau mewn digwyddiadau Cymdeithas yr Iaith, neu ddawnsfeydd yn Neuadd Pwllglas ger Rhuthun, ond er yn ffrindiau da ni ddatblygodd perthynas rhyngom bryd hynny. Yn ystod fy ail flwyddyn yn y coleg, dechreuodd Eirian ei hyfforddiant fel nyrs yn Lerpwl, a dim ond pan ddychwelais i wneud fy arholiadau terfynol y daethom i weld ychydig yn fwy ar ein gilydd. Erbyn i mi gymhwyso fel cyfreithiwr, a dechrau fy ngwaith yn Rhuthun gwelwn i hi yn ystod y penwythnosau. O fewn dim yr oeddem yn gariadon, gan briodi deunaw mis yn ddiweddarach.

Yn ystod gwyliau Nadolig 1972, treuliais y cyfan o'r amser ar wahân i ddiwrnod Nadolig ei hun a diwrnod y flwyddyn newydd yn adolygu'r gwaith cwrs. Dychwelais i Lerpwl ddechrau 1973 ychydig wythnosau cyn sefyll yr arholiadau terfynol. Cofiaf i'r dyddiau pan gynhelid yr arholiadau fod yn hynod o oer a'r eira'n syrthio, a minnau'n ofni na ellid cyrraedd neuadd yr arholiad mewn pryd. Ond yn y diwedd aeth popeth yn hwylus a minnau'n disgwyl yn eiddgar am y canlyniadau. Fe'u cefais ddiwedd Ebrill 1973 a chael fy mod nid yn unig wedi llwyddo ond gwneud hynny efo anrhydedd yn yr ail ddosbarth, yr unig un i wneud ei erthyglau yng Nghymru i gyrraedd y safon honno. Ychydig dros 1% o fyfyrwyr Cymru a Lloegr lwyddodd i gael anrhydedd y flwyddyn honno a minnau'n teimlo fod yr holl waith wedi talu ar ei ganfed. Cefais lythyr hyfryd gan y coleg yn fy llongyfarch ar y llwyddiant ac er fy mod wedi cael rhagoriaeth mewn tri phwnc, ni chefais wobr y coleg o un marc. 'Piped at the post' meddai Gerald Crossland, un o'r darlithwyr. Teimlad braf oedd gwybod fy mod bellach yn gyfreithiwr cymwysedig ac edrychwn ymlaen at yrfa yn y proffesiwn.

Dechreuais fy ngyrfa fel cyfreithiwr cynorthwyol gyda chwmni Talog Davies yn Rhuthun a minnau yn cael mynd i'r llysoedd i gynrychioli cleientiaid yn ogystal â gweithredu i brynu a gwerthu tai, profi ewyllysion a delio efo achosion teuluol a thor priodas. Fel y cyfreithiwr 'newydd' ar y staff, cefais nifer fawr o gleientiaid yn dod i'm gweld a hynny yn rhannol oherwydd chwilfrydedd, mae'n siŵr! Ond mi roedd hi'n braf cael cymryd cyfrifoldeb am f'achosion f'hun. Er hynny, roedd rhai cleientiaid yn amharod i dderbyn cyngor gan ryw lencyn newydd ddarfod yn y coleg, a dywedodd Bryan Lewis y byddai'n rhaid i mi gael mwy nag un blewyn gwyn yn fy ngwallt cyn ennill parch gan rai!

Cofiaf yr achos llys cyntaf i mi fod yn rhan ohono lle roeddwn yn amddiffyn gyrrwr wedi ei gyhuddo o oddiweddyd lle'r oedd dwy linell wen ar y ffordd ger pentre Llanrhaeadr. Paratois yn fanwl ar ei gyfer gan hyd yn oed fesur hyd y llinellau toredig cyn i'r llinellau gwyn dwbl ddechrau a phrofi bod modd goddiweddyd yn ddiogel cyn eu croesi. Er yr ymdrech galed, a meddwl fy mod wedi gwneud digon, cafwyd y gyrrwr yn euog. Er mawr syndod i mi, roedd cyfreithiwr hynod o brofiadol, sef Hugh Jones o'r Rhyl wedi eistedd drwy'r achos ac fe ddaeth ataf ar ddiwedd yr achos a'm llongyfarch ar y gwaith paratoi a'r ymdrech. Ei neges syml oedd y byddai'n well ganddo amddiffyn llofrudd na gyrrwr mewn amgylchiadau tebyg! Awgrymodd yn gynnil nad oedd ynadon yn debyg o fynd yn erbyn tystiolaeth yr heddlu mewn achos fel 'na ac fe brofais hynny fwy nag unwaith wedi hynny. Mi roedd gair o ganmoliaeth gan Hugh Jones, oedd yn cael ei ystyried yn adfocad gorau'r cylch, yn hwb i'm hyder.

Yn ystod fy mlynyddoedd cynnar fel cyfreithiwr, cefais gyfle i gynrychioli'r erlyniad a'r amddiffyniad mewn achosion troseddol gerbron llysoedd yr ynadon. Yn y cyfnod cyn sefydlu Gwasanaeth Erlyn y Goron byddid yn cyflogi cwmnïau preifat i erlyn a'r cwmni yr oeddwn i'n gweithio iddo ar y rhestr o rai cymwys i weithredu. Credwn fod y profiad o weithredu ar y ddwy ochr yn gwneud rhywun yn well adfocad gan fod cyfle i weld y ddwy ochr ym mhob gornest. Er fy mod yn deall yr angen i sefydlu Gwasanaeth Erlyn cyhoeddus erbyn canol yr 1980au, yn rhannol fel gwrthbwynt i gryfhau pwerau'r heddlu, teimlwn fod rhywbeth wedi ei golli hefyd.

Ychydig iawn o ddefnydd a wneid o'r Gymraeg mewn achosion llys yn fy nghyfnod i, er bod yr hawl i ddefnyddio'r Gymraeg wedi bod yna er 1967. Newidiwyd ychydig ar y sefyllfa yn 1942 pan roddwyd hawl cyfyngedig i ddefnyddio'r iaith, ond deddf 1967 gyflwynodd yr hawl i ddefnyddio'r Gymraeg yn ddiamod. Rhaid cyfaddef, roedd safon y cyfieithu cynnar yn weddol echrydus ar wahân i rai eithriadau prin, ac ychydig o brofiad oedd gan y cyfieithwyr cynnar yn y maes. Mae cyfieithu ar y pryd yn grefft ac yn swydd broffesiynol, ond amaturiaid go iawn oedd y cyfieithwyr cynnar hynny ac roedd y broses yn hynod lafurus. Heb gefndir yn y gyfraith, roedd y derminoleg gyfreithiol yn drech na nhw. Dim ond y mwyaf penderfynol felly a fynnai siarad Cymraeg fel tystion, ac yn aml iawn dim ond achosion yn ymwneud â phrotestwyr iaith a gynhelid yn gyfan gwbl yn y Gymraeg. Bûm yn ymddangos mewn sawl achos yn ymwneud â phrotestiadau iaith, a hynny yn dystiolaeth glir fod modd cynnal achosion yn y Gymraeg heb unrhyw drafferth o gwbl.

Yn ogystal â chynnal achosion llys drwy gyfrwng y Gymraeg, ceisiwn wneud cymaint o ddefnydd ag y medrwn mewn dogfennau, megis ewyllysion a gweithredoedd tai a thir. Gan mai prin iawn oedd y defnydd mewn gwirionedd o'i gymharu â'r Saesneg a neb yn sicr sut y byddai llys yn dehongli unrhyw anghydfod a godai yn sgil ewyllys neu weithred, byddid yn cael cyfieithiad Saesneg ochr yn ochr â'r un Gymraeg. Dim ond yn ddiweddarach y daethai cyfreithwyr i fod yn ddigon hyderus i baratoi dogfen yn y Gymraeg yn unig, a dim ond lle byddai'r cyfreithwyr ar y ddwy ochr yn medru'r Gymraeg y byddai hynny'n digwydd. Bu'r llyfr ar dermau cyfraith gan Robyn Lewis yn gymorth i greu hyder yn y defnydd o'r Gymraeg.

Ymhen llai na blwyddyn fel cyfreithiwr cynorthwyol, cefais wahoddiad i fod yn bartner yn y cwmni. Bryd hynny, rhaid oedd prynu siâr a'r unig ffordd y gallwn wneud hynny oedd sicrhau benthyciad. Golygai hynny gryn straen ariannol gan fy mod ar fin priodi a heb gyfle i gynilo arian. Gobeithiwn mai dros dro byddai'r boen ariannol, ac y byddai fy siâr o'r elw fel partner yn ddigon i dalu'r ddyled maes o law. Wrth dalu am fy siâr, crëwyd pot o arian i'r partneriaid hŷn ar gyfer eu pensiwn. Bryd hynny, nid oedd cyfreithwyr yn buddsoddi mewn cynllun pensiwn, a byddai rhai ohonynt yn gweithio ymhell i'w hwythdegau.

Gwyddwn y byddai'n amhosibl i rai a ddeuai ar fy ôl fedru fforddio prynu siâr, yn bennaf oherwydd bod chwyddiant yn rhemp ar gyfnodau yn yr 1970au a'r 1980au. Yn fuan trefnwyd fod y partneriaid yn buddsoddi mewn cynllun pensiwn preifat a fi oedd yr olaf yn y cwmni i dalu am fy siâr fel partner. Roedd pedwar ohonom yn bartneriaid, sef Talog Davies a Bryan Lewis y soniais amdanynt eisoes, a Doreen Metcalfe. Saesnes sengl o ogledd Lloegr oedd Doreen, ac er ei bod yn gyfreithwraig ddigon galluog, gallai fod yn eithaf pigog ei thafod ar brydiau. Ar y cyfan fodd bynnag bu'n bartneriaeth hapus iawn, a minnau'n cael y cyfle i ehangu fy ngorwelion fel cyfreithiwr ifanc. Er nad oedd modd arbenigo mewn practis bach gwledig, sylweddolais mai ym myd cyfraith amaethyddol a chynllunio ystadau, sef effaith trethiant ar ffermydd teuluol, yr hoffwn ganolbwyntio.

Yn amlach na pheidio, roedd gwerth ffermydd teuluol yn y tir a'r stoc ac ychydig o 'arian sych' oedd wrth law. Golygai hynny y byddai'n rhaid gwneud defnydd llawn o'r hawl i ryddhad trethiannol er mwyn sicrhau nad oedd rhaid gwerthu asedau ar farwolaeth y tad neu'r fam ac y gellid trosglwyddo'r cyfan i'r genhedlaeth nesaf. Treuliwn amser gyda theuluoedd yn trafod eu hanghenion a cheisio sicrhau y gellid trosglwyddo asedau yn ddidrafferth. Weithiau byddai'n rhaid i mi gynghori yn erbyn trosglwyddo lle roedd y berthynas deuluol yn sigledig, ond ar y cyfan defnyddid trefniadau cynllunio ystadau yn llwyddiannus.

Maes arall y bûm yn canolbwyntio arno oedd trais yn y cartref. Erbyn diwedd yr 1970au roedd mudiad Cymorth i Ferched wedi dechrau codi ymwybyddiaeth o drais yn erbyn merched gan wŷr a phartneriaid. Diwygiwyd y gyfraith drwy gyflwyno Deddf Trais yn y Cartref ac Achosion Priodasol yn 1976. Caniatâi'r ddeddf honno i achwynydd gymryd gwaharddebau brys yn erbyn rhywun a ddefnyddiai drais, a sefydlwyd llochesi i amddiffyn merched a phlant a rhoi cyngor ar eu hawliau o safbwynt tenantiaeth tai a budd-daliadau. Yn y dyddiau cynnar rheini, yn aml byddai'r heddlu yn amharod i ymyrryd mewn achosion teuluol a'r unig ffordd oedd dod ag achos sifil. Unwaith roedd gwaharddeb yn ei lle, byddai'n orfodol i'r heddlu helpu i sicrhau cydymffurfiad â thelerau gorchymyn y llys. Cefais fy syfrdanu gyda nifer yr achosion a ddaeth i'm sylw. Bu Eirian yn flaenllaw yn yr ymgyrch i sefydlu lloches i ferched yn lleol ar ôl ymuno efo mudiad newydd Cymorth i Ferched yng Nghymru. Jane Hutt oedd eu prif swyddog bryd hynny. Cofiaf gyfarfod â Jane yn Eisteddfod Caerdydd yn 1978 efo Eirian ac o hynny 'mlaen bu'r ddwy yn cydweithio i sefydlu'r lloches yn y Rhyl. Gweithiodd Eirian yn wirfoddol efo'r mudiad yng Nghlwyd hyd nes i ni symud i Fôn ganol yr 1980au.

Hyd yn oed mor gynnar â diwedd yr 1970au gwelwn fod cwmnïau cyfreithiol bychain yn wynebu dyfodol eithaf heriol. Heb amheuaeth roedd y ffioedd a geid am drosglwyddo eiddo yn sybsideiddio gwasanaethau eraill. Pan newidiwyd y drefn ffioedd ar drosglwyddo eiddo drwy gael gwared â ffioedd sefydlog, ac yn ddiweddarach torri'n ôl ar gymorth cyfreithiol, rhoddodd hyn gryn bwysau ar broffidioldeb cwmnïau. Erbyn 1979, daeth cyfle i ehangu'r cwmni drwy gyfuno efo cwmni Aneurin Evans yn Ninbych. Roedd un o'r ddau bartner yno, Edgar Rees, wedi ymddeol gan adael y partner arall, Ivor Watkins, a oedd yntau'n agosáu at oed ymddeol ar ei ben ei hun ac yn wynebu dyfodol ansicr. Daethpwyd i gytundeb y byddai'r ddau gwmni yn uno, ac wrth gwrs gellid gwneud arbedion ar gostau gorbenion.

Gofynnwyd i mi symud i Ddinbych i redeg y swyddfa yno. Golygai hynny lai o waith teithio a medrwn gerdded i'r swyddfa ar Stryd y Dyffryn bob dydd. Lleolid y swyddfa mewn adeilad hynod o grand sef Y Gelli (Grove House). Fe'i hadeiladwyd yn wreiddiol yn yr 16eg ganrif a'i addasu yn yr 17eg ganrif. Er ei fod yn adeilad o bwys hanesyddol yn y dref, roedd costau ei redeg a'i gynnal yn uchel. Cawsom aeaf caled yn 1981-82, ac mi roedd hi mor oer ddechrau'r flwyddyn fel na allai system wresogi'r adeilad gadw'r staff yn ddigon cynnes i weithio. Fe'u hanfonais adref. Ymhen dwy neu dair blynedd wedi'r gaeaf hwnnw, symudwyd i swyddfeydd llai, ond llai costus yn Stryd y Bont nepell o Bwll y Grawys. Erbyn hyn, roeddwn yn gweithio fwyfwy ar gyfraith amaeth a chynllunio stadau ac ar gyfraith deuluol. Ychydig o waith llys a wnawn yn y blynyddoedd hyn, er i mi ymddangos droeon mewn achosion yn ymwneud â phrotestiadau iaith.

Yr achos rhyfeddaf i mi ymwneud ag o yn bendifaddau oedd hwnnw yn ymwneud ag Wyn Roberts, Gweinidog yn y Swyddfa Gymreig, adeg streic y glowyr. Roedd nifer o Gymry wedi penderfynu protestio yn erbyn agwedd llywodraeth Thatcher tuag at y glowyr ac wedi cloi Wyn Roberts mewn stafell lle roedd yn cynnal cymhorthfa i'w etholwyr. Mewn panig fe ffoniodd ei ysgrifenyddes swyddfa'r heddlu gan honni fod Wyn wedi'i herwgipio. Gellid dychmygu'r heddlu hwythau yn mynd i banig gan fod gweithrediadau Byddin Weriniaethol Iwerddon (IRA) yn y newyddion a hwythau wedi bygwth gweinidogion llywodraeth Mrs Thatcher. Deallais fod David Owen y Prif Gwnstabl wedi gorchymyn anfon heddlu arfog i achub Wyn, ond ar ôl cyrraedd, sylweddoli mai protestwyr di-drais a'u hwynebai. Fodd bynnag, rhaid oedd cyfiawnhau'r cyrch, arestiwyd y cyfan o'r protestwyr, ac fe'u cyhuddwyd a'u dwyn o flaen ynadon Bangor.

Yr oedd tri chyfreithiwr yn cynrychioli rhai o'r protestwyr a minnau yn eu plith, a'r gweddill o'r diffinyddion yn cynrychioli eu hunain. Gan ei fod yn achos proffil uchel, anfonwyd prif swyddog Erlyn y Goron yn y gogledd i erlyn. Bu'n rhaid i Wyn wynebu oriau o'i groesholi gan y cyfreithwyr. A dweud y gwir, ymatebodd yn ddigon cymedrol, a ninnau yn synhwyro rhywsut ei fod yn cytuno fod cynnal achos o'r fath yn gorymateb i'r amgylchiadau. Gan fod cymaint o ddiffinyddion, a phedwar cyfreithiwr, daeth hi'n amlwg y gallai'r achos rygnu ymlaen am ddyddiau os nad wythnosau wrth i bawb gyflwyno'i achos. Gwelsom fod yr ynadon yn dechrau anesmwytho, ac yn y diwedd cawsom gyfarfod efo'r erlynydd i weld os oedd modd dod i ryw fath o gyfaddawd. Cytunwyd y byddai'r erlyniad yn derbyn ple o ddieuog ar yr amod fod y protestwyr yn derbyn ymrwymiad i gadw'r heddwch. Cyflwynwyd y cynnig i'r protestwyr ac fe'u hanfonwyd i stafell i ymneilltuo a dod i benderfyniad. Cytunasant o flaen llaw y byddent yn derbyn barn y mwyafrif. Daethant yn ôl gan dderbyn y cynnig ac fe ddaeth yr achos i ben yn ddisymwth. Dyna'r unig dro i achos llys derfynu drwy bleidlais ddemocrataidd a phawb yn cytuno mai gorymateb wnaeth yr heddlu'r dwthwn hwnnw.

Erbyn 1985, a minnau wedi bod yn ymgeisydd ym Môn ddwy flynedd ynghynt, penderfynais y dylwn symud i'r ynys i fyw er mwyn gwella'r cyfle o ennill y sedd yn yr etholiad canlynol. Mi roedd hi'n benderfyniad hynod o anodd, gan fod gennym dri o blant sef Gerallt, Gwenllian ac Owain yn Ysgol Gymraeg Twm o'r Nant yn Ninbych, teulu Eirian o'n cwmpas a hithau mor hapus yn ei bro. Yn ddiweddar iawn y deuthum i lawn sylweddoli cymaint oedd Dyffryn Clwyd ac ardal Prion yn benodol yn golygu iddi. Bûm yn darllen rhai o'r dyddiaduron a ysgrifennodd yn niwedd yr 1960au a dechrau'r 1970au a hithau'n clodfori ardal ei magwraeth. Roedd rhywbeth yn ysbrydol yn ei chariad at ei bro ac a gydiai yn y synhwyrau wrth iddi ddisgrifio'r teimlad o gerdded yng Nghoed y Felin nepell o'i chartref.

Felly roedd i Eirian symud i Fôn yn aberth fwy na'r cyffredin ddywedwn i. Un addewid a roddais iddi oedd y byddwn yn symud yn ôl i Ddyffryn Clwyd wedi ymddeol. Erbyn 2013 a minnau wedi ymddeol o'r Cynulliad, gwyddai nad oedd mynd yn ôl i Ddinbych yn opsiwn mewn gwirionedd gan fod ein plant a'u teuluoedd wedi ymgartrefu ar yr ynys ac yn annhebyg o symud.

Rhaid oedd perswadio fy nghyd-bartneriaid yn y cwmni cyfreithiol mai peth synhwyrol oedd ehangu'r cwmni ymhellach ac agor swyddfa yn Llangefni. Er peth syndod i mi, bodlonwyd ar hynny ac agorwyd swyddfa yn Sgwâr Bwcle yn y dref yn ystod haf 1985. Bûm yno am ddwy flynedd yn adeiladu'r busnes. Gan ei bod yn swyddfa newydd, rhaid oedd ymdopi unwaith yn rhagor â gwaith cyffredinol er i mi gadw rhai achosion arbenigol o swyddfa Dinbych. Erbyn etholiad 1987, roedd y busnes wedi tyfu'n dda, a minnau wedi mwynhau'r her o sialens newydd.

Daeth fy ngyrfa fel cyfreithiwr i ben i bob pwrpas wedi etholiad 1987, er i mi barhau fel ymgynghorydd i'r cwmni tan 1992. Roedd ennill yr etholiad yn gwireddu breuddwyd, ond roedd elfen o dristwch wrth weld cau'r drws ar fyd y gyfraith. Er nad wyf fel arfer yn un sy'n edrych yn ôl, gan symud ymlaen i'r sialens nesa, bu byd y gyfraith yn gydymaith i mi ers y diwrnod hwnnw yn ddisgybl ysgol i mi benderfynu mai cyfreithiwr oeddwn i am fod.

Mentro i'r Byd Gwleidyddol

YR OEDD FY nhad John yn storïwr naturiol, yn ddramatig a hynod liwgar. Fel plant byddai fy mrawd a minnau yn dotio at ei straeon ac wrth ein bodd yn gwrando arno'n eu hailadrodd yn gyson. Dyna pryd y deuthum i wybod am hanes tywysogion Cymru – roedd Llywelyn Fawr yn ffefryn ganddo ac roedd hanes cyrchoedd Owain Glyndŵr yn meithrin ysbryd cenedlaetholgar. Fel rhywun a aned ym Methesda, ymfalchïai fy nhad yng nghadernid Gwynedd, a'r mynyddoedd yn darparu lloches i fyddinoedd y tywysogion. Gwyddai enwau holl fynyddoedd y Carneddau, a gwelai Garnedd Llywelyn a'r Ysgolion Duon o'i gartref yn Nant y Tŷ uwchben Gerlan. Siaradai gymaint am y mynyddoedd fel yr oeddwn yn grediniol ei fod wedi cerdded i'r copaon droeon, ond yn ôl fy mam flynyddoedd wedyn, nid aeth i gopa yr un ohonynt! Beth bynnag am hynny, rhan o ramant cyfnod fy mhlentyndod oedd clywed y rhan chwaraeodd y Carneddau yn y frwydr dros ryddid.

Gwyddwn yn gynnar mai cefnogi'r Blaid oedd fy rhieni. Credaf i 'nhad ddweud unwaith mai i'r Blaid Lafur y bwriodd ei bleidlais gyntaf a byddai hynny yn etholiad cyffredinol 1931. Doedd hynny'n fawr o syndod gan ei fod yn gweithio yn chwarel y Penrhyn a'r Blaid Lafur yn cael ei gweld fel plaid y gweithwyr a hynny yn ei achos

25

ef yn sefyll yn erbyn gormes teulu Pennant a Chastell Penrhyn. Er iddo droi i'r Blaid yn fuan, bu nifer fawr o arweinwyr y Blaid Lafur yn arwyr iddo, a neb yn fwy nag Aneurin Bevan. Felly roedd fy nhad yn sosialydd brwd yn ogystal â bod yn genedlaetholwr. Bûm yn pendroni tipyn ynglŷn ag ymlyniad fy nhad i'r Blaid, a'i harweinwyr bryd hynny yn cael eu gweld gan rai fel pobl ddysgedig ac yn academyddion a gweinidogion heb fawr o gysylltiad efo'r 'werin'. Gellir dychmygu nad oedd cefnogi'r 'blaid bach' yn boblogaidd iawn yn nhrafodaethau'r caban.

Y rheswm pennaf, mi gredaf, oedd iddo ddod dan ddylanwad Lewis Valentine a oedd yn weinidog gyda'r Bedyddwyr yn Llandudno. Addolai fy nhad a'r teulu yng nghapel y Bedyddwyr, Bethel, Caellwyngrudd neu'r 'capel bach' fel y'i gelwid ar lafar gwlad ac mae'n ddigon posib fod Lewis Valentine wedi bod yno'n cynnal gwasanaethau o bryd i'w gilydd. Roedd Lewis Valentine yn ŵr tal, gosgeiddig a charismataidd. Hawdd y gallai person cymharol ifanc fel fy nhad gael ei gyfareddu ganddo. Un o straeon dramatig fy nhad oedd hanes yr achos llys a ddilynodd llosgi'r ysgol fomio yn Llŷn yn 1936. Mae'n amlwg ei fod yn rhan o'r dyrfa a ymgasglai tu allan i'r llys yng Nghaernarfon a'r lle'n ferw gwyllt pan ddaeth y si fod y rheithgor wedi methu cytuno gan arwain at ryddhau'r tri, a Lewis Valentine yn fwy o arwr nag erioed.

I fy nhad, roedd arweinwyr cynnar y Blaid, pobl fel Valentine, Saunders Lewis a J E Daniel yn arwyr go iawn, pobl a roddai Gymru'n gyntaf a brwydro dros ddyfodol y Gymraeg fel iaith fyw yn rhan allweddol o'u cenhadaeth. Taniwyd hoffter fy nhad o lenyddiaeth, yn enwedig barddoniaeth Gymraeg gan ei athrawes yn ei ysgol gynradd ym Methesda, a byddai'n dysgu cerddi ar ei gof. Ymfalchïai fod bachgen o'r pentre, Caradog Prichard, wedi ennill tair coron o'r bron yn yr Eisteddfod Genedlaethol yn 1927, 1928 a 1929.

Yr etholiad gyntaf i mi ei chofio oedd honno ym mis Hydref 1959. Erbyn hynny roeddem fel teulu wedi symud i bentref Garnswllt ger Rhydaman. Ymgeisydd y Blaid yn etholaeth Gŵyr oedd yr ysgolhaig a'r Bedyddiwr, J Gwyn Griffiths. Cofiaf gar Rover mawr du yn aros tu allan i'n cartref yn cael ei yrru gan Eic Davies a chorn siarad arno. Ni chofiaf ddim o'r sgwrs, ond ychydig o gefnogaeth a ddisgwylid mewn pentre glofaol Llafurol ac felly doedd hi ddim syndod fod y car wedi aros tu allan i un o'r ychydig dai lle gellid disgwyl croeso twymgalon! Fel mae hi'n digwydd roedd y teulu drws nesa, Lewisiaid Trem y Ddôl hefyd yn gefnogol. Ar noson yr etholiad ei hun, cofiaf godi yn oriau mân y bore a gweld fy rhieni yn clustfeinio wrth y radio yn gwrando ar y canlyniadau. Gwyddwn nad oedd pethau'n mynd yn dda i'r Blaid gan fod y siom ar eu hwynebau yn dweud y cyfan!

Erbyn etholiad 1964, roeddem wedi symud i Gorwen. Elystan Morgan oedd ymgeisydd y Blaid a'r gobeithion yn weddol uchel. Aeth fy nhad a minnau i Neuadd y Dref i wrando ar Elystan yn siarad a thyrfa dda wedi mynd yno i wrando. Euthum hefyd i wrando ar T W Jones, yr ymgeisydd Llafur, yn siarad yn neuadd yr ysgol gynradd. Prin hanner dwsin oedd yn gwrando arno, ond dyna'r wers wleidyddol gyntaf a ddysgais, sef nad oedd y nifer a fynychai gyfarfodydd yr ymgeiswyr yn unrhyw arwydd o'u cefnogaeth ymhlith trwch yr etholwyr! Ni chofiaf ddim o sgwrs T W, ond fe'i cofiaf yn tynnu llythyr o'i boced a'i chwifio gan ddatgan ei fod yn cynnwys addewid gan Harold Wilson na fyddai'r rheilffordd rhwng Rhiwabon a'r Bermo yn cau pe byddai Llafur yn ennill yr etholiad. Fe'i caewyd dri mis wedi'r etholiad, gan gadarnhau yn fy meddwl na ellid dibynnu ar addewidion y Blaid Lafur. Siomedig oedd canlyniad etholiad 1964 i'r Blaid.

Ymunais â'r Blaid yn swyddogol yn 1964, ac mae'r cerdyn aelodaeth cyntaf gennyf o hyd. Ni chofiaf fawr am etholiad 1966. Daeth honno ar adeg pan oedd coffrau'r Blaid yn wag ac nid oedd llawer o lewyrch ar yr ymgyrchu. Newidiodd popeth wrth gwrs yn dilyn llwyddiant Gwynfor Evans yn isetholiad Caerfyrddin fis Gorffennaf y flwyddyn honno. Roeddwn yn gweithio ar fferm Carreg Afon, Carrog yn ystod gwyliau'r haf a'r wraig fferm, Crei, yn Bleidwraig bybyr. Dathlu'r fuddugoliaeth wnaethom ar ddiwrnod y canlyniad, heb fawr o waith wedi'i gyflawni! Yn ddiddorol ddigon, roedd Crei yn chwaer yng nghyfraith i Elystan Morgan. Deuai Elystan i aros gyda'i fam yng nghyfraith yn ei chartref a ffiniai â Charreg Afon yn ystod yr haf ac fe'i gwelwn o bryd i'w gilydd.

Erbyn etholiad 1970 roeddwn yn cwblhau fy arholiadau gradd, a dim ond ar ddiwrnod yr etholiad y medrwn ymgyrchu. Honno hefyd oedd yr etholiad gyntaf i mi bleidleisio ynddi a Dafydd Wigley oedd yr ymgeisydd. Cofiaf sefyll tu allan i'r orsaf bleidleisio yng Nghorwen, a sylwi fod gan y Blaid Lafur dipyn gwell trefn na ni gan ddefnyddio fflyd o geir i gario pobl i'r orsaf. 'Dydi'r Blaid ddim yn gwneud pethau fel 'na,' oedd yr ateb swta a gefais pan ofynnais pam nad oedd y Blaid yn gwneud yr un modd. Ond doeddwn i ddim yn gweld dim o'i le yn hynny, ac es ati i nôl pobl y gwyddwn eu bod yn gefnogol. Euthum i Ddolgellau'r noson honno a sefyll tu allan i Neuadd Idris i glywed y canlyniad. Daeth y Blaid yn ail yn yr etholaeth a gwneud llawer yn well drwy Gymru, er i ni golli sedd Gwynfor a hynny'n dipyn o ergyd.

Yn 1974 newidiodd pethau yn sylweddol. Erbyn hyn, cafwyd gwell trefn o lawer ar yr ymgyrchu, gyda thimoedd yn canfasio'n drwyadl. Dafydd Elis-Thomas oedd yr ymgeisydd. Gofynnwyd i mi siarad yn y cyfarfodydd cyhoeddus ledled yr etholaeth, gan fod angen cynhesu'r gynulleidfa ar gyfer ymweliad yr ymgeisydd. Fel arfer byddai tri neu bedwar cyfarfod bob nos, a'r drefn oedd fy mod i'n agor y cyfarfod ac yn gadael i fynd i'r nesaf. Gweithiai hynny'n iawn ar gyfer y ddau gyfarfod cyntaf, ond erbyn yr olaf byddai Dafydd yn cyrraedd yn hwyr a minnau yn cael fy ngorfodi i ateb nifer o gwestiynau ar bolisïau'r Blaid. Tua'r diwedd, byddwn yn gorfod ateb mewn ffordd y credwn oedd yn gydnaws â pholisi'r Blaid, gan obeithio na fyddai neb yn fy herio! Ond mi roedd y cyfan yn ymarfer da ar gyfer y dyfodol. Enillwyd y sedd, a minnau'n cael teithio efo Dafydd i Fangor lle disgwylid iddo wneud cyfweliad efo'r BBC. Ar y ffordd gartre galwyd yn nhŷ Dafydd Wigley yng nghartref ei dad yn Bontnewydd ac yntau wedi ennill Caernarfon. Mawr oedd y llawenydd o weld dau aelod ifanc a disglair yn ennill seddau i Blaid Cymru mewn etholiad cyffredinol am y tro cyntaf.

A minnau newydd ddod yn bartner yn y cwmni cyfreithiol yn Rhuthun ac wedi dyweddïo efo Eirian, trefnodd D S Wynne, un o hoelion wyth y Blaid yn etholaeth Dinbych i ddod i'm gweld yn fy swyddfa gyfreithiol. Gwynn Mathews oedd yr ymgeisydd yn etholiad y gwanwyn y flwyddyn honno, ac yntau wedi datgan na safai wedyn. Gofynnodd a fyddwn yn fodlon i f'enw fynd gerbron cyfarfod dewis gan y disgwylid ail etholiad y flwyddyn honno. Eglurais fy amheuon gan ddweud fy mod newydd ddechrau fel partner a fy mod wedi trefnu i briodi ymhen ychydig fisoedd. Ond pwysodd yn daer arnaf ac addewais drafod y cynnig efo Eirian a'm cyd-bartneriaid yn y cwmni. Gan mai Eirian oedd ysgrifennydd y Pwyllgor Etholaeth yr oedd hi yn gefnogol, ac er mawr syndod i mi roedd y partneriaid yn hapus i mi sefyll, er na chefais addewid o bleidlais gan 'run ohonynt!

Cynhaliwyd y cyfarfod dewis yn Ninbych, a dau yn y ras, sef Geraint Eckley a minnau. Enillais y bleidlais honno beth bynnag ac ymatebodd Geraint yn hynod o raslon a chefnogol. Ni chawsom lawer o amser i wneud y paratoadau ar gyfer yr etholiad, ond roedd tîm da o weithwyr yn gefn mawr. Aed ati i lunio llenyddiaeth a sloganau pwrpasol ar gyfer yr ymgyrch dan arweiniad medrus Rhodri Prys Jones. Y fwyaf cofiadwy oedd y slogan Saesneg ar ein posteri 'Let Ieuan Win'! Yn y cyfnod hwnnw, câi pleidleisiau Dinbych eu cyfrif y bore wedi'r etholiad. Euthum i'r cyfrif yn gwybod fod y ddau Ddafydd wedi cadw'u seddi ac nad oeddwn i yn debyg o ymuno â nhw yn y Senedd. Pan ddaeth y canlyniad, roeddwn wedi codi'r bleidlais i 5,754 sef y bleidlais uchaf i'r Blaid yn yr etholaeth honno. Roedd y cynnydd yn agos i 4% ac o fewn dim i gadw'r ernes a'r trothwy bryd hynny oedd 12.5%. Yr ymgeisydd Llafur yn yr etholiad oedd Paul Flynn. Ysgrifennodd ataf i ddweud mai ei ddymuniad oedd i'r ddau ohonom gwrdd eto fel aelodau mewn Senedd Gymreig.

Gwyddwn yn burion na fyddai'r Blaid yn ennill y sedd heb i newid sylweddol ddigwydd ymhlith yr etholwyr. Roedd Dinbych yn etholaeth hynod o wasgaredig, yn ymestyn o Fochdre yn y gorllewin i Lansilin yn y dwyrain. Ynddi roedd trefi glan môr megis Bae Colwyn, Llandrillo-yn-Rhos, Tywyn a Bae Cinmel, yn ogystal â phentrefi megis Glyn Ceiriog, Dinmael a Betws Gwerful Goch lle roedd y Gymraeg yn gryf. Cefais rai trefi megis Dinbych a Rhuthun yn fwy cymysg, tra roedd Llangollen yn anodd i ni. Fy hoff dref o'r cyfan oedd Llanrwst lle cefais fod y gefnogaeth i'r Blaid yn fwy agored. Yno, mwynhawn gwmni'r cymeriad rhadlon Wil Berry, a gadwai siop yn y dref. Roedd Wil yn aelod o'r Blaid ers y dyddiau cynnar a byddai ymweliad â'i siop yn hwb i'r galon. Treuliodd Lewis Valentine ddiwrnod cyfan yn canfasio efo mi yn Hen Golwyn, ei gartref ar y pryd, ac yntau yn ei wythdegau. Dyna ddiwrnod o bleser pur, a'i allu i swyno pobl ar ben y drws yn rhyfeddol. Dywedodd wrthyf nad oedd yn wleidydd wrth reddf, ac na fu erioed yn gyfforddus yn trafod manylion astrus y byd economaidd, ond roedd ei allu i drin pobl yn amlwg.

O edrych yn ôl, roedd tîm cryf o weithwyr gennym yn yr etholaeth, pobl fel Berwyn Roberts, Silyn Jones, Alun H Jones, Dewi Rhys, Owain Bebb, David Jones a rhai wedi dysgu'r Gymraeg megis Peter Spencer, Bill Wynne-Woodhouse a'r trysorydd Peter Smith. Un arall o'r ymgyrchwyr brwd oedd Brian Churchill, bachgen o'r Rhondda a ddaeth yn ddiweddarach yn ddirprwy brifathro yn Ysgol John Bright yn Llandudno. Daeth teulu Brian a ninnau yn dipyn o ffrindiau gan dreulio llawer o amser yng nghwmni ein gilydd.

Penderfynais y byddwn yn sefyll fel ymgeisydd yn Ninbych yr ail waith, gan obeithio cael mwy nag ychydig fisoedd i baratoi at yr etholiad, cryfhau'r peirianwaith a chodi'n proffil yn y wasg. Llwyddwyd i godi digon o arian i gyflogi trefnydd. Erbyn hyn, roedd y tîm wedi cryfhau a Trefor Jones yn gweithredu fel asiant i mi. Er y gwaith caled a'r brwdfrydedd ymhlith y gweithwyr, siom fu canlyniad yr etholiad ym mis Mai 1979. Fe ddaeth hi'n amlwg fod newid mawr yn y gwynt a'r Torïaid yn ennill tir dan arweiniad digyfaddawd Margaret Thatcher. Roeddwn wedi treulio noson yr etholiad yn stiwdio'r BBC ym Mangor yn ymateb i'r canlyniadau a hynny yng nghwmni'r sylwedydd gwleidyddol a'r hanesydd Cyril Parry. Roedd y ddau ohonom yn syrthio i byllau dyfnach o anobaith wrth i'r canlyniadau gyrraedd. Y pwll dyfnaf i Cyril oedd hwnnw pan gyhoeddwyd canlyniad Môn a'r Ceidwadwr ifanc o Brighton, Keith

Best, wedi cipio'r sedd. Euthum i'r cyfrif yn gwybod nad oedd pethau'n edrych yn dda, ac fe gwympodd y bleidlais i 4,915. Cynyddodd y Torïaid eu pleidlais yn sylweddol. Euthum at yr ymgeisydd llwyddiannus Geraint Morgan i'w longyfarch ac awgrymu ei fod yn falch fod y Torïaid yn ôl mewn llywodraeth. Heb wên ar ei wyneb dywedodd yn eithaf plaen nad oedd yn edrych ymlaen at gyfnod Margaret Thatcher fel Prif Weinidog. 'Gewch chi weld be mae hon am wneud,' meddai 'a fydd pethau ddim yn dda ar Gymru.' Gwyddwn mai dipyn o ryddfrydwr yn gwisgo côt y Torïaid oedd Geraint ac yn y bôn yn dipyn o Gymro.

Rhwng 1974 ac 1979, cymerais fwy o ran ym mheirianwaith cenedlaethol y Blaid. Gohiriwyd cynhadledd flynyddol 1974 tan fis Ionawr 1975 o ganlyniad i'r etholiad cyffredinol yn yr hydref. Fe'i cynhaliwyd yn Neuadd y Brenin Aberystwyth a minnau yn ymddangos am y tro cyntaf. Yng nghanol un o'r sesiynau, daeth Dafydd Williams yr Ysgrifennydd Cyffredinol ataf gan ddweud fod rhywun nas enwodd am fy enwebu i ddilyn Dafydd Wigley fel Is-gadeirydd. Ar ôl ystyried am ychydig, penderfynais nad oedd gennyf ddim i'w golli a chytunais i'm henw fynd gerbron. Er mawr syndod i mi enillais y bleidlais a dyna fi yn rhan o beirianwaith cenedlaethol y Blaid ychydig fisoedd yn unig wedi dechrau ymgyrchu o ddifri. Golygai hynny fynychu cyfarfodydd y Pwyllgor Gwaith yn fisol, gan amlaf yn Aberystwyth. Fe'm hailetholwyd yn ddiwrthwynebiad yn 1977 a gweithredais fel Is-gadeirydd am bedair blynedd. Rhaid cyfaddef na chefais y pwyllgorau cenedlaethol yn rhai ysbrydoledig, ond rhaid oedd eu cynnal mae'n debyg. Fodd bynnag deuthum i adnabod y Blaid yn well, ac yn raddol bach cefais wahoddiadau i siarad mewn cyfarfodydd ledled Cymru gan etholaethau a changhennau.

Yn fuan wedi etholiad cyffredinol 1979, fe'm gwahoddwyd

i gyflwyno f'enw fel ymgeisydd ar gyfer yr etholiadau cyntaf i Senedd Ewrop a hynny yn sedd Gogledd Cymru. Roedd nifer yn amheus o'r penderfyniad gan y gallai etholiad gwael i'r Blaid adlewyrchu'n ddrwg arnaf i. Gan nad oedd arian yn y coffrau, un cerdyn post yn unig a gynhyrchwyd fel llenyddiaeth. Er hynny llwyddwyd i sicrhau canlyniad llawer gwell na'r disgwyl, gyda charfan sylweddol yn barod i ystyried y Blaid fel opsiwn pan nad oedd ethol llywodraeth yn y fantol. Cefais dros 34,000 o bleidleisiau a bron i 20% o'r bleidlais.

Gan fod etholaeth Gogledd Cymru yn cynnwys naw etholaeth seneddol, daeth cyfle i gyfarfod aelodau'r Blaid ar draws y rhanbarth. Cynhaliwyd nifer o gyfarfodydd cyhoeddus gan gynnwys un yn Llangefni. Roeddwn eisoes wedi cyfarfod rhai o aelodau Môn yn y gynhadledd flynyddol ac wedi siarad yn yr etholaeth ar faterion yn ymwneud ag amaethyddiaeth gan ddod i adnabod arweinwyr Undeb Amaethwyr Cymru, pobl fel Glyngwyn Roberts, H R M Hughes a Bob Parry. Yn Hydref 1979 cefais alwad ffôn gan Enid Mummery a oedd yn drefnydd y Blaid yn yr etholaeth yn gofyn a fyddwn yn fodlon rhoi f'enw ymlaen fel ymgeisydd ar gyfer yr etholiad cyffredinol a ddisgwylid yn 1983 neu 1984. Rhaid cyfaddef, er fy mod yn awyddus i dderbyn yr her, yr oedd hi'n weddol gynnar yn y cylch gwleidyddol ac roeddwn am gael seibiant yn dilyn blynyddoedd o ymgyrchu di-dor.

Trefnwyd na fyddid yn dechrau'r broses tan ddechrau'r flwyddyn ganlynol. Gwyddai Eirian fod y lleuen wleidyddol wedi cydio ynof, a byddai'n rhaid ei bwydo o leiaf unwaith yn rhagor. Cynhaliwyd y gynhadledd ddewis yn y gwanwyn yn Neuadd T C Simpson a dau ohonom yn y ras, sef Eurig Wyn a minnau. Enillais y bleidlais a gwybod fod gobeithion y Blaid gymaint yn uwch ym Môn nag yn Ninbych. Ar un ystyr, yr oedd fel dod adref. Hanai fy mam o'r ynys, a rhan o deulu fy nhad hefyd. Siom fu'r canlyniad yn 1979 fel bron ym mhobman arall a minnau erbyn hyn yn wynebu gwrthwynebydd ifanc a brwdfrydig o Dori. Teimlwn y cyfrifoldeb yn pwyso arnaf, nid yn unig i wneud yn iawn am yr anfri o ethol Tori, ond am mai ym Môn oedd y gobaith gorau o gipio sedd arall.

Gallwn olrhain hanes fy nheulu ar ochr fy mam ym Môn i ganol y ddeunawfed ganrif. Yr oedd ei hen daid Edward Williams yn amaethwr yn Llanddyfnan ac fe ysgrifennai erthyglau ar seryddiaeth i'r wasg leol. Yr oedd ei ferch Mary yn cadw dyddiaduron ac ynddynt cefais flas ar yr adroddiadau o gyfarfodydd cyhoeddus adeg etholiadau cyffredinol y cyfnod. Cystadlai mewn eisteddfodau lleol drwy ysgrifennu erthyglau a chyfansoddi penillion. Ganwyd fy mam yn nhŷ capel Glasinfryn yn Llanbedrgoch, ond fe'i magwyd yn Lodge Amlwch ar stad y Parciau ym Marian Glas. Hoffai gyfansoddi straeon byrion ac enillodd wobrau mewn eisteddfodau lleol. Cofiaf iddi gael cyngor gan Kate Roberts ar strwythur un o'i straeon. Bu fy mam yn gofalu am Morris Williams, gŵr Kate, yn ystod ei salwch olaf.

Treuliais amser ym Môn yn dod i adnabod yr aelodau a synhwyro fod 'na reswm da dros ddewis rhywun o'r tu allan fel petai. Sylweddolais fod tipyn o anghydfod wedi codi wrth ddewis ymgeisydd cyn etholiad 1979 pan ddewiswyd John L Williams yn lle Dafydd Iwan. Yn amlwg roedd gan y ddau eu cefnogwyr brwd a nifer o'r rhai a gefnogai Dafydd yn parhau i gario'u clwyfau. Yn ei lyfr yng Nghyfres y Cewri mae Dafydd yn cydnabod fod rhai am gael gwared ohono fel ymgeisydd a hynny'n bennaf oherwydd ei berthynas efo Cymdeithas yr Iaith a'i awydd i barhau i ganu. Gan nad oeddwn yn rhan o'r ffrae, gallwn weithio i gymodi a llwyddwyd i wneud hynny i raddau helaeth. Sefydlwyd tîm ymgyrchu cryf ac aed ati ar ôl blwyddyn o setlo a dod i adnabod yr aelodau i ymgyrchu o ddifri. Cawsom nifer o awgrymiadau fod pethau'n mynd yn dda, a hynny'n bennaf oherwydd bod y gefnogaeth i'r Blaid Lafur yn cwympo. Ei hymgeisydd hi oedd Will Edwards a fu'n aelod Meirionnydd rhwng 1966 a 1974 ac a oedd efo cysylltiadau teuluol â'r ynys, yn enwedig yn ardal Amlwch. Gwyddwn nad oedd Will yn gefnogwr brwd i arweinyddiaeth Michael Foot a bod y rhwygiadau mewnol yn ei flino. Teimlwn fod ei wleidyddiaeth yn agosach i'r criw adawodd Llafur a sefydlu'r SDP.

Yn y cyfamser, fe'm hetholwyd yn Gadeirydd y Blaid yn y gynhadledd flynyddol yn 1980 ac etholwyd Dafydd Wigley fel Llywydd i ddilyn Gwynfor Evans yn 1981. Y flwyddyn honno hefyd cynhaliwyd y gynhadledd yng Nghaerfyrddin ac ynddi gwnaed yr ymrwymiaeth i sosialaeth am y tro cyntaf. Bu peth trafod ar y bwriad ym Môn cyn y gynhadledd honno a synnais at barodrwydd trwch yr aelodau i'w anwesu. Ni welent ef fel rhwystr i ddenu cefnogaeth oddi wrth draddodiad rhyddfrydol yr ynys, ac yr oeddent yn iawn.

Gyda'r ymgyrch yn dechrau poethi ddiwedd 1982 a dechrau 1983, ymddiswyddodd Will fel ymgeisydd Llafur gan ddweud ei fod yn anhapus efo polisi ei blaid ar Ewrop, a dewiswyd cyfreithiwr arall o Wrecsam, Tudor Williams, yn ei le. Pan alwyd yr etholiad, roedd ein peirianwaith yn barod at y gwaith a dwysawyd yr ymgyrch ganfasio. Gwelwyd yn fuan fod y gefnogaeth yn cynyddu'n sylweddol. Ar y dechrau, nid oeddwn yn credu fod gobaith gwirioneddol i ennill gan ein bod yn y trydydd safle a dros saith mil y tu ôl i Keith Best. Ond wrth i'r ymgyrch fynd yn ei blaen, roedd fy asiant Dr J B Hughes yn grediniol na ellid diystyru'r posibilrwydd o ennill. Gan fod J B yn fathemategydd, ac yn arbenigwr ar ddadansoddi data, pwy oeddwn i'w amau? Credai Elwyn Roberts, cyn-ysgrifennydd cyffredinol y Blaid ac un o drefnwyr yr isetholiad yng Nghaerfyrddin fod y teimlad yn debyg iawn i rai o isetholiadau'r 1960au yn y Rhondda a Chaerffili. Yn ystod yr ymgyrch cefais gwmni Ithel Gibbard fel gyrrwr. Ni ellid fod wedi cael gwell cydymaith. Gyda'i gymeriad *laid back* a'i hiwmor ysgafn gwyddai'n iawn sut i ymdopi efo ymgeisydd a gâi amrywiadau yn ei hwyliau yng nghanol pwysau'r ymgyrch. Byddai'r chwerthiniad ysgafn a ddeuai ohono yn ddigon i leddfu unrhyw bryderon! Yn wir bu Ithel yn ffrind cywir hyd nes ei golli'n rhy gynnar o lawer yn 1999.

Noson y cyfrif, dechreuais baratoi fy hun at y posibilrwydd o ennill. Euthum i'r cyfrif toc wedi hanner nos. Curai fy nghalon yn gyflym wrth gerdded i fyny'r grisiau yn Neuadd y Dref Llangefni, ond gwyddwn oddi wrth wynebau fy nghefnogwyr wrth y drws na fyddem yn ennill. Er hynny codwyd y bleidlais o 7,900 i dros 13,300 a hynny yn gynnydd sylweddol. Bu ffrwgwd pan geisiwyd cyhoeddi'r canlyniad o falconi'r neuadd wrth i rai yn y dyrfa yn Sgwâr Bwcle daflu wyau at Keith Best ac fe'i gorfodwyd i ffoi yn ôl i ddiogelwch y neuadd gyfri. Ar ddiwedd y rhan ffurfiol o'r cyfrif euthum allan i ganol y dorf a cheisio perswadio'r rhai mwyaf blin mai'r ffordd i ennill oedd ymladd yn galetach y tro wedyn a pheidio gadael i'r canlyniad ein digalonni a ninnau wedi dod mor agos. Gwyddwn o'r foment honno y byddai'n rhaid i mi sefyll eilwaith, gan addo i mi fy hun a'r teulu mai dyna fyddai fy ymgyrch ola pe na fyddwn yn ennill.

Fe'm dewiswyd yn ddiwrthwynebiad fel ymgeisydd ar gyfer yr etholiad canlynol. Erbyn hyn, gwyddem er cystal ymgyrch a gafwyd yn 1983 na allem fforddio boddi yn ymyl y lan unwaith yn rhagor. Erbyn hynny, roedd y ddau

Ddafydd wedi eu hethol yn ddi-dor ers naw mlynedd, ac er i Gwynfor ennill yn Hydref 1974, roedd y Blaid wedi syrthio i'r trydydd safle yno erbyn 1983. Lle fyddai'r Blaid yn ennill sedd ychwanegol oedd y gri, a phawb yn sylweddoli mai Môn oedd ein gobaith gorau. Gwyddwn y byddwn yn cryfhau fy ngobeithion drwy symud i fyw i Fôn. Soniais yn y bennod ddiwethaf gymaint o boen olygai hynny i Eirian, ond wedi dod i'r penderfyniad gwerthwyd ein cartref yn Ffordd Ystrad Dinbych a phrynu tŷ fferm yn Rhosmeirch ym mis Awst 1985. Gan fod libart go helaeth a gardd fawr yno, ymdaflodd Eirian i'r gwaith o arddio a thirlunio efo arddeliad. Yn anffodus, fodd bynnag, clywsom rai dyddiau yn unig ar ôl symud fod ei chyfnither Meryl wedi colli ei bywyd yn bedair ar bymtheg oed mewn damwain awyren ym maes awyr Manceinion.

Penderfynodd y Blaid y dylid penodi Elfed Roberts o Benrhyndeudraeth yn drefnydd ar gyfer yr etholiad. Roeddwn yn adnabod Elfed yn dda ers dyddiau ymgyrchoedd Meirionnydd a fo oedd yn trefnu f'ymgyrch yn Etholiad Senedd Ewrop. Roedd o'n chwip o drefnydd ac unwaith y'i penodwyd aeth ati ar unwaith i ymorol fod gennym wirfoddolwyr ym mhob cwr o'r ynys. Treuliodd rai dyddiau yn ymweld â phob ardal yn ei thro, ac yn ei ffordd ddihafal – pwy allai wrthod cais Elfed – perswadiodd ddegau onid cannoedd i ymuno yn y rhengoedd. Eisoes cytunodd nifer o etholaethau'r gogledd i anfon gwirfoddolwyr i helpu'r achos. Paratowyd defnyddiau canfasio'n hynod o drylwyr, a bwriad Elfed oedd canfasio pob ardal o leiaf deirgwaith. Dim ond y rhai oedd wedi addo cefnogaeth yn bendant a'r rhai oedd yn bendant yn erbyn fyddai'n osgoi'r ail a'r trydydd ymweliad! Lle nad oedd neb gartref neu'r etholwr heb benderfynu, byddid yn mynd yn ôl. Talodd hynny ar ei ganfed.

Rhai wythnosau'n unig cyn yr etholiad cefais alwad ffôn yn cadarnhau fod Keith Best wedi ei ddal yn gwneud ceisiadau lluosog am gyfranddaliadau yn BT a hynny yn erbyn y gyfraith. O fewn dim o amser yr oedd wedi ymddiswyddo fel Aelod Seneddol. Yn hollol annisgwyl felly, roedd yr etholiad wedi ei thrawsnewid a minnau bellach yn cael fy ngweld fel y ffefryn clir i ennill y sedd. Dewiswyd y bargyfreithiwr Roger Evans i'w olynu. A bod yn garedig nid oedd ei gymeriad yn gweddu i draddodiadau'r ynys, hyd yn oed ei thraddodiadau ceidwadol. Yr oedd Roger yn dod o adain dde ei blaid ac yn gefnogwr brwd i Margaret Thatcher.

Yr ymgeisydd Llafur oedd Colin Parry ac yntau'n frawd yng nghyfraith i Neil Kinnock yr arweinydd Llafur yn y cyfnod hwnnw. Disgwylid i Neil Kinnock ddod i'r ynys i ymgyrchu, ac fe boenai rhai o'n cefnogwyr y gallai hynny dynnu cefnogaeth oddi wrthym, yn arbennig yng Nghaergybi. Er i'r ymweliad â Chaergybi fynd yn ei flaen, effeithiwyd nemor ddim ar ein cefnogaeth. Un o uchafbwyntiau'r ymgyrch oedd cyfarfod cyhoeddus yng Nghaergybi ei hun. Gyda Neuadd y Dref dan ei sang ac yn orlawn gwahoddwyd Gwyn Alf Williams yr hanesydd a oedd newydd ymuno â'r Blaid i annerch. Taniodd y gynulleidfa gyda'i ddawn areithio huawdl a'i hiwmor. Yr oedd hi fel cwrdd diwygiad a'r gynulleidfa yn amenio bob hyn a hyn ac yn chwerthin yn afreolus dro arall.

Fel yr eglurais, cawsom wirfoddolwyr o bob cwr o'r gogledd i'n helpu, ond o Arfon y daeth y cymorth mwyaf. Roeddent wedi helpu yn ystod ymgyrch 1983, er fel mae Dafydd Wigley yn ei gydnabod yn ei lyfr *Dal Ati* bu peth tyndra rhwng y rhai mae o'n alw yn 'soldiwrs Arfon' a 'chadfridogion Môn', a hynny'n bennaf ynghylch natur ymgyrchu. Fodd bynnag mi roedd ymroddiad Dafydd i'r ymgyrchoedd ym Môn yn allweddol ac fe ddaeth i'm helpu yn gyson cyn etholiad 1983 a hyd at ein buddugoliaeth yn 1987.

Euthum i'r cyfrif yn Neuadd y Dref Llangefni tua hanner nos yn weddol hyderus y byddai canlyniad ffafriol. Cerddais i fyny'r grisiau'r neuadd ac ar hanner ffordd deuthum ar draws gohebydd un o'r papurau lleol wedi dod allan o'r neuadd i gael smôc. 'Ti i mewn yn reit hawdd,' meddai a throi'n ôl i orffen ei sigarét. Gwyddwn felly cyn cyrraedd y cyfrif fod y canlyniad yn ddiogel a'r wên enfawr ar wynebau'r cefnogwyr yn dweud y cyfan. Pan gyhoeddwyd y canlyniad a minnau wedi ennill gyda mwyafrif o dros bedair mil, daeth bonllefau o gymeradwyaeth nid yn unig o'r neuadd ond hefyd o'r dyrfa enfawr o rai miloedd oedd wedi ymgasglu unwaith yn rhagor yn y sgwâr oddi tanom.

Yn ystod y cyfrif, daeth Prif Uwch-arolygydd yr Heddlu ataf gan ddweud, 'Mae'n amlwg mai chi sy'n ennill, ond fe ddylem drafod a fyddwch yn mynd i'r balconi i siarad efo'r dorf.' Mynnwn fod yn rhaid i mi fynd, ac yntau'n bryderus o gofio beth ddigwyddodd yn 1983. Yn y diwedd cytunodd y byddai'n annhebyg y byddai'r dorf yn ymddwyn yn flin y tro hwn, ond y cyfaddawd a gafwyd oedd mai fi yn unig fyddai'n mynd. Wedi gwneud y cyhoeddiad ffurfiol yn y neuadd aeth Eirian a minnau i'r balconi i gymeradwyaeth wresog y dorf enfawr. Clywais yn ddiweddarach fod pobl ar draws y gogledd wedi heidio i Langefni'r bore hwnnw wedi clywed fod y Blaid am gipio Môn. Roeddwn wedi paratoi araith bwrpasol i'w thraddodi o'r balconi, ond ychydig ohoni a lwyddais i'w llefaru gan fod y dyrfa yn cymeradwyo fesul gair!

Gwyddwn y byddai fy myd a'm bywyd yn newid yn gyfan gwbl yn sgil buddugoliaeth 1987. Wedi ennill, rhaid oedd sicrhau fy mod yn gwireddu'r gobeithion a osodwyd arnaf a sicrhau fy mod yn darparu gwasanaeth teilwng i'r etholwyr. Dyma ddechrau pennod newydd a chyffrous yn fy hanes.

PENNOD 3

Bywyd Aelod Seneddol

NID BUDDUGOLIAETH I mi'n unig oedd llwyddiant 1987. Rhaid talu teyrnged a diolch i nifer fawr o weithwyr ymroddedig. Er ni gael cymorth o bob cwr o ogledd Cymru, gweithwyr Môn gariodd y pen trymaf o'r gwaith. Cofiaf Glyn Jones ein Trysorydd yn dweud ei fod wedi bod yn rhan o bob ymgyrch ers y gyntaf yn 1955 pan safodd bachgen ifanc o'r enw J Rowland Jones i'r Blaid am y tro cyntaf a chael ychydig dros 2,000 o bleidleisiau. Roedd gweld y Blaid yn cipio'r sedd 32 mlynedd yn ddiweddarach yn gwneud yn iawn am yr holl siomedigaethau a brofwyd ar y ffordd, a chwpan llawenydd Glyn yn llawn. I'r rhai a fu'n ymgyrchu yn y blynyddoedd llwm, melys oedd cerdded tua'r Gymru newydd.

Fy asiant yn 1983 a 1987 oedd J B Hughes ac yntau wedi brwydro am ddegawdau dros y Blaid. Gallai ddadansoddi data cystal â neb a wyddwn amdano a dibynnwn arno i roi arwydd o'r gogwydd tuag atom. 'Sut mae pethau'n mynd, J B?' fyddai'r gri. Er ei fod yn ŵr tawel yn gyhoeddus, roedd iddo gadernid cymeriad a werthfawrogwn. John Meirion Davies oedd Cadeirydd ein Pwyllgor Rhanbarth yn y cyfnod rhwng 1980 a 1987. Cefais gyngor doeth gan John ar sawl achlysur a bu Eirian a minnau a'r plant yn aros yn ei gartref ef a Ceinwen yn y Borth. Roedd John Wynne Jones a ddaeth yn ysgrifennydd y wasg yn weithiwr dygn ac yn gwmnïwr difyr. Cymaint oedd ei ymroddiad i'r Blaid fel mai ef a ddewisais yn asiant yn dilyn cyfnod J B Hughes. R P Williams oedd ysgrifennydd hynod effeithiol y Pwyllgor Etholaeth yn y blynyddoedd cynnar. Nid oedd pall ar ymroddiad y gweithwyr wrth ganfasio, glaw neu hindda, pobl fel Ellen Parry Williams, Robin Evans, Heather Thomas, Ann Williams, Hazel Wilson, Eira Parry, Gwyn Jones, Gareth Williams, Ted Huws, y Parch Emlyn Richards a Derec Llwyd Morgan. Mae degau o eraill na allaf eu henwi, ond mae fy nyled yn fawr iddynt hyd heddiw.

Trefnwyd trên i'm hebrwng i'r Senedd ar 24 Mehefin 1987 ynghyd â phum cant o gefnogwyr yn cynnwys Eirian a'r plant a fy mam. Mawr fu'r dathlu ar y ffordd. Wrth gerdded i mewn i'r Senedd am y tro cyntaf, synhwyrwn y cyfrifoldeb a osodwyd arnaf. Rhaid oedd cymryd y llw, a gwneud hynny yn y Gymraeg. Cydiodd y Llefarydd Bernard Weatherill yn fy llaw a'm llongyfarch gan sibrwd yn isel, 'Your first name, how is it pronounced?' Treuliais funud neu ddau yn dysgu'r ynganiad iddo, ond er ei ymdrechion clodwiw ni lwyddodd erioed i ynganu Ieuan yn iawn! Wedi i mi ddod yn Aelod Seneddol swyddogol, aeth y ddau Ddafydd a minnau i 10 Stryd Downing i gyflwyno llythyr protest i'r Prif Weinidog yn erbyn penodiad Peter Walker fel Ysgrifennydd Gwladol Cymru ac yntau'n Aelod Seneddol Caerwrangon. Treuliodd gweddill y cefnogwyr eu hamser yn canu a chwifio baneri ar hyd Sgwâr y Senedd a Stryd Whitehall gan ddod â thipyn o liw i'r achlysur fel y dywedodd heddweision wrthyf yn ddiweddarach.

Treuliais y dyddiau cyntaf yn ymgynefino, a synnais o weld cymaint o lythyrau a gohebiaeth o bob math yn fy nisgwyl, sacheidiau ohonynt! A dyna fu'r patrwm gydol fy nghyfnod fel Aelod Seneddol, pentwr mawr o ohebiaeth a phapur yn y dyddiau cyn e-byst a'r dulliau electronig o gyfathrebu. Penderfynais fodd bynnag y byddai'n rhaid cael cyfrifiadur, ac fe brynais Amstrad cynnar ac argraffydd gan Bobby Williams oedd bryd hynny yn gweithio yng nghwmni Anchor yn y Benllech. Daeth Bobby a minnau yn gyfeillion a dod ar draws ein gilydd droeon ar hyd y blynyddoedd. Erbyn hyn, mae Bobby yn arwain cwmni Loyalty Logistix sydd yn un o denantiaid y Parc Gwyddoniaeth yn y Gaerwen. Croeso ddigon llugoer gafodd yr Amstrad gan weddill y tîm a weithiai yn swyddfa'r Blaid yn San Steffan, ond wedi gweld ei werth ymhen ychydig amser prynwyd cyfrifiaduron iddynt i gyd! Teimlwn fy hun yn dipyn o arloeswr cynnar yn y maes hwn.

Gwneuthum f'araith forwynol ar y cyntaf o Orffennaf, a hynny yn ystod dadl ar araith y Frenhines. Cyfeiriais at draddodiad radical yr etholaeth ac at gyfraniad Cledwyn Hughes ac eraill yn y traddodiad hwnnw. Soniais am gyfraniad Keith Best fel aelod lleol gweithgar, bod ei ethol yn 1979 wedi torri ar y traddodiad radical a bod y fam ynys bellach wedi dychwelyd i'w chartref. Amlinellais y sialensiau a'r heriau a wynebai'r ynys, sef diweithdra, dyfodol porthladd Caergybi, y diwydiant amaeth a dyfodol ein hysgolion yn sgil cynlluniau'r llywodraeth ar addysg. Ar ddiwedd yr araith cyfeiriais at y Blaid Lafur yn dangos map o Brydain yn ystod yr ymgyrch nad oedd yn cynnwys Ynys Môn, a fy mod i wedi f'ethol i roi Môn yn ôl ar y map!

Rhaid oedd sefydlu swyddfa yn yr etholaeth. Roedd y Blaid yn berchen ar adeilad yn Stryd y Bont, Llangefni, ond nid oedd mewn cyflwr addas i'w ddefnyddio fel swyddfa etholaeth. Cymerais les dros dro ar adeilad tu cefn i un o'r siopau yn y Stryd Fawr ac yno y buom hyd nes addaswyd adeilad Stryd y Bont maes o law. Bu Anwen Evans o Fryngwran yn gwneud peth gwaith ysgrifenyddol i mi yn ystod fy nghyfnod fel ymgeisydd a hi a benodwyd i weithio yn swyddfa'r etholaeth yn llawn amser yn gweithio ar achosion, cadw dyddiadur a chadw trefn ar bethau'n gyffredinol. Penodais Ann Roberts a oedd cyn hynny yn gweithio'n rhan amser i'r Blaid i gynorthwyo yn y swyddfa. Bu'r ddwy yn gaffaeliad mawr, Anwen gyda'i sgiliau ysgrifenyddol a'i gallu i ddelio â'r achosion mwyaf astrus, ac Ann gyda'i hadnabyddiaeth o bobl yr ynys a'i synnwyr cyffredin hynod ddefnyddiol. Buan y daeth bwrlwm y swyddfa etholaeth yn rhan annatod o'n bywyd. Roeddwn wrth fy modd yn datrys achosion etholwyr ac er nad oedd modd llwyddo ar bob achlysur cawn gryn foddhad o'r gwaith ar hyd y blynyddoedd.

Rhaid cyfaddef i mi fod yn hynod o ffodus yn y staff a benodais i'm cynorthwyo yn yr etholaeth, yn Llundain ac yng Nghaerdydd. Yn dilyn ymddeoliad Ann, ac wrth i Anwen symud ymlaen, daeth Heather Jones o Fryngwran a Heledd Roberts a fu'n drefnydd y Blaid i weithio i mi. Bu'r ddwy yn hynod o weithgar a theyrngar.

Methais â chael lle addas i aros yn Llundain am rai misoedd a hynny yn ei gwneud hi'n anodd setlo. Bu Dafydd Wigley yn hynod o garedig yn gadael i mi aros yn ei fflat am gyfnod, ac ar achlysuron eraill arhoswn mewn gwestai a hynny'n brofiad digon diflas a dweud y gwir. Erbyn Chwefror 1988 llwyddais i gael fflat ar gyrion Fulham. Er ei fod yn eithaf pell o San Steffan un fantais oedd bod llinell uniongyrchol danddaearol i Westminster. Unwaith y symudais i'r fflat, dechreuais deimlo'n fwy cartrefol. Er mai ychydig o amser a dreuliwn yno mewn gwirionedd gan fod yr oriau yn Nhŷ'r Cyffredin yn rhai hir, roedd cael lle i mi fy hun yn fendith.

Rhannwn ystafell efo Dafydd Wigley yn adeilad Norman Shaw, sef hen gartref Scotland Yard. Ystafell ym Mhrif Adeilad y Senedd a ddefnyddiai Dafydd Elis-Thomas. Y staff yn Norman Shaw oedd Meinir Huws a weithredai fel ysgrifenyddes i'r tri ohonom a Karl Davies ein hymchwilydd. Bu'r ddau yn hynod o garedig wrthyf ac yn help mawr wrth ddod i ddeall trefn hynafol y Senedd a pharatoi deunydd ar gyfer areithiau a chyfraniadau eraill. Pryd bynnag y gwnawn gamgymeriad yn y siambr ac ambell i aelod nawddoglyd o Dori'n synhwyro cyfle i'm rhoi yn fy lle, byddai'r ddau â chlust barod i wrando fy nghwyn a chynnig cyngor ar sut i ymdopi efo ymyriadau o'r fath. Ar y cyfan fodd bynnag nid oedd 'perfformio' yn y siambr yn gymaint o ddychryn i mi gan fod ynddo elfennau tebyg iawn i ymddangosiad gerbron llys a'r dull gwrthwynebol o ddadlau. Cefais sawl cyngor doeth gan aelodau o bob plaid ar sut i gael y gorau o'm cyfraniadau yn y siambr. Cofiaf Tam Dayell yn dod ataf ar ôl imi ofyn cwestiwn a'i gyngor doeth oedd 'Keep it short'. Mae'n debyg mai ef oedd â'r record am y cwestiwn byrraf yn hanes y Senedd. Ar ôl clywed un Gweinidog yn doethinebu ar ryw bwnc, cododd Tam ar ei draed a gofyn 'Why?' gan lorio'r siaradwr yn llwyr, er mawr lawenydd i weddill y siambr!

Un o'r digwyddiadau cynharaf yn y Senedd newydd oedd ein penderfyniad i herio penodiad Peter Walker fel Ysgrifennydd Cymru. Gwnaed hynny drwy fynnu pleidlais ar fater technegol. Collwyd y bleidlais o 94 i 2, ond cafwyd diogon o gyhoeddusrwydd a hynny yn arwain i brotest gan y Blaid Lafur yn erbyn ei benodiad pan gyfarfu'r Uwch-Bwyllgor Cymreig am y tro cyntaf. Yr Uwch-Bwyllgor oedd un o'r ychydig lwyfannau lle roedd posib trafod materion yn ymwneud â Chymru. Er hynny nid oedd fawr mwy na 'siop siarad' ddiddannedd a di-rym.

Penderfynais geisio manteisio ar f'ethol fel Aelod Seneddol diweddara'r Blaid wrth drefnu cyfres o gyfarfodydd ledled Cymru, gan gynnwys Bangor, Llanelli,

Islwyn, Rhondda, Dinbych a Chaerdydd gyda chyfanswm o dros bum cant o aelodau'n mynychu. Fy mwriad oedd perswadio'r aelodau i fabwysiadu'r dulliau ymgyrchu diweddar a fel rhan o'n hymgyrch ar gyfer hunanlywodraeth, ac i ddangos fod modd ennill etholaethau o'r newydd. Teimlwn mai sefyll fel mater o ddyletswydd wnâi nifer o'n hymgeiswyr yn hytrach na'r awydd i ennill a bod angen newid yr agwedd honno.

Tua diwedd 1987, cyhoeddodd NIREX y corff oedd â'r cyfrifoldeb o ddod o hyd i safleoedd i gladdu gwastraff niwclear fod Ynys Môn ar eu rhestr o leoliadau a oedd yn 'addas' yn ddaearegol. Penderfynais alw cyfarfod cyhoeddus fel rhan o'r ymgyrch i wrthwynebu'r bwriad. Daeth dros chwe chant i'r cyfarfod yn neuadd Ysgol Gyfun Llangefni, sef y cyfarfod protest mwyaf a welais ar yr ynys. Er i'n hymgyrch lwyddo, ac i NIREX dynnu Môn oddi ar ei restr cefais ragflas o'r tensiynau ieithyddol a allai godi. Gan fod cymaint o bobl yn y cyfarfod, byddai wedi bod yn amhosibl darparu gwasanaeth cyfieithu gyda'r cyfarpar oedd ar gael ar y pryd. Fodd bynnag, teimlai rhai o garedigion yr iaith nad oeddem wedi cael y cydbwysedd cywir rhwng y ddwy iaith, a bod rhai o'r llwyfan wedi dangos diffyg sensitifrwydd tuag at y defnydd o'r Gymraeg. Bu hynny yn wers i mi.

Erbyn 1988 teimlwn yn ddigon hyderus i ddechrau teithio tu allan i Gymru o bryd i'w gilydd. Trefnais ymweliad â'r Alban, yn bennaf i ddeall sut yr aethai Corff Datblygu'r Ucheldir a'r Ynysoedd ati i ddenu ymwelwyr i'w hardal a gwneud hynny mewn ffordd fyddai'n parchu eu hanes a'u diwylliant. Dysgais lawer o'r ymweliad ac yn bennaf yr angen i fuddsoddi mewn twristiaeth treftadaeth. Ymwelais ag etholaethau Margaret Ewing yn Moray ac Alex Salmond yn Banff a Buchan. Cefais groeso mawr yn y ddwy etholaeth a deall yn syth fod yr SNP yn rhoi pwyslais mawr ar ymgyrchu cenedlaethol yn hytrach na gadael y gwaith trymaf i'r etholaethau, sef patrwm y Blaid. Bu'r tensiynau yma, sef rhwng yr etholaethau a'r canol yn budr ferwi drwy fy holl gyfnod fel aelod etholedig ac yn ystod fy nghyfnod fel Arweinydd.

Fis Awst y flwyddyn honno aeth Eirian a minnau ar wyliau i Ffrainc ac ymweld ag Eglwys Gadeiriol Reims am y tro cyntaf. Bûm yno droeon wedi hynny a chael fy nghyfareddu gan ffenestri lliw Chagall. Arlunydd o Iddew a hanai o Rwsia oedd Marc Chagall, a gwelais enghreifftiau o'i waith celff mewn amgueddfeydd megis y Fondation Maeght yn St Paul de Vence yn Provence. Ond ei ffenestri lliw aethai â'm bryd, ac yn ddiweddarach gwelais rai yn eglwys San Stephan yn Mainz, yn Eglwys Gadeiriol Metz ac yn eglwys fechan yr Holl Saint yn Tudeley yn Swydd Caint. Ceir naws crefyddol amlwg i'w waith ac yntau fel Iddew yn gweld yr angen i feithrin cymod wedi'r Ail Ryfel Byd.

Ym mis Tachwedd 1988 ymwelais â'r Alban yr ail waith ac ymgyrchu yn Govan ar ran yr ymgeisydd carismataidd Jim Sillars. Enillodd Jim yr isetholiad gyda mwyafrif o dros dair mil a hanner. Roedd y ddwy blaid yn cydgyfarfod yn wythnosol yn San Steffan i drafod tactegau a rhannu ychydig o waith o safbwynt cyfrannu i ddadleuon. Bu'r cydweithio yn ddigon cyfeillgar ar y cyfan, ond fe newidiodd y deinamig rhywfaint ar ôl i Jim gyrraedd, a'r SNP am dorri eu cwys eu hunain yn amlach wedi hynny. Gweithredai Jim fel mentor i'r Alex Salmond ifanc, brwdfrydig ac uchelgeisiol er i bethau suro rhyngddynt yn nes ymlaen.

Ddiwedd y flwyddyn deuthum yn nawfed yn y rhestr o ugain yn y balot ar gyfer cyflwyno mesur preifat. Dim ond y chwech uchaf oedd yn sicr o gael dadl ar lawr y Senedd, felly nid oedd y rhagolygon y gallwn sicrhau deddfwriaeth yn edrych yn addawol iawn. Euthum i lyfrgell y Tŷ, a chanfod mai ychydig o'r mesurau rhwng rhif 7 a 20 a lwyddai i gyrraedd y llyfr statud. O wybod hynny, byddai'n rhaid i mi chwilio am fesur fyddai'n debyg o ddenu cefnogaeth mwyafrif yr aelodau a/neu'r llywodraeth. Bûm yn ystyried cyflwyno Mesur Iaith o gofio nad oedd Deddf 1967 yn ateb y galw cynyddol am ddefnydd o'r iaith mewn gwahanol feysydd. Trafodais y syniad yn gyfrinachol efo Wyn Roberts a oedd yn Is-weinidog yn y Swyddfa Gymreig. Er bod Wyn yn gefnogol mewn egwyddor, ni chredai y gellid cael cefnogaeth y llywodraeth mewn cyn lleied o amser ac awgrymodd y dylwn edrych am faes arall i gyflwyno mesur. Er yn siomedig, gwyddwn mai'r nesaf peth i amhosibl fyddai sicrhau deddfwriaeth iaith, ac euthum ati i ystyried sawl cynnig. Cefais lu o lythyrau yn cynnig pob math o fesurau, a'r mwyafrif llethol ohonynt gan gyrff elusennol.

Yn y diwedd penderfynais gyflwyno mesur i gryfhau'r pwerau i ddelio efo gwerthwyr offer i bobl drwm eu clyw oedd yn perswadio unigolion i brynu offer hynod o gostus a chwbl anaddas. Gwerthwyr teithiol ond y mwyafrif a daeth cannoedd o achosion i'm sylw lle'r oedd pobl wedi prynu offer anaddas ond nid oedd modd delio â'r gwerthwyr am nad oedd y ddeddfwriaeth yn ddigon cryf. Yn ogystal mi roedd angen i'r Cyngor a sefydlwyd i oruchwylio'r sector fod yn fwy cynrychioliadol er mwyn cynnwys defnyddwyr ac arbenigwyr meddygol. Gosodais 'gynnig bore bach' yn y Senedd gan dreulio amser yn dwyn perswâd ar gymaint o aelodau o bob plaid i'm cefnogi. Erbyn mis Ionawr 1989 roedd ymhell dros gant o aelodau Tŷ'r Cyffredin wedi fy nghefnogi. Y rhai a weithiodd gyda mi oedd Dafydd Wigley oedd yn hynod o weithgar efo grwpiau anableddau yn y Senedd, Jack Ashley a oedd yn rhannol fyddar ei hun, Alf Morris, aelod Llafur a oedd yn gyn-weinidog â chyfrifoldeb dros Anableddau ac Emma Nicholson oedd hefyd yn rhannol fyddar. Roedd Emma yn aelod Ceidwadol bryd hynny, er iddi ymuno â'r Democratiaid Rhyddfrydol yn 1995 ac ailymuno efo'r Ceidwadwyr yn 2016. Ymhlith y rhai a gefnogodd y cynnig 'bore bach' oedd Edward Heath, Michael Foot, David Steel, Paddy Ashdown, Edwina Currie a phob aelod o'r Blaid a'r SNP.

Bu Sefydliad Cenedlaethol Brenhinol Pobl Fyddar (RNID) a oedd wedi noddi'r mesur a drafftio'r cynnwys yn hynod o weithgar yn perswadio aelodau o bob plaid i ddangos cefnogaeth. Penodwyd ymgynghorydd cysylltiadau cyhoeddus i sicrhau cyhoeddusrwydd, a minnau'n cael mynd ar Radio 4, teledu brecwast y BBC a newyddion ITN yn ogystal â'r cyfryngau yng Nghymru. Gosodwyd erthyglau yn y *Times*, y *Telegraph* a'r *Guardian* a minnau'n cael cyhoeddusrwydd na welais o'r blaen! Ond rhaid oedd sicrhau cefnogaeth neu o leiaf niwtraliaeth ar ran y llywodraeth. Nid oedd pethau'n argoeli'n dda ar y dechrau. Ymateb cychwynnol a rhagweladwy'r gweision sifil yn yr adran Masnach a Diwydiant oedd nad oedd angen deddfwriaeth newydd o gwbl. Pan sylweddolais mai'r Gweinidog yn yr adran y byddai'n rhaid trafod ag o oedd Eric Forth suddodd fy nghalon gan fod ganddo enw fel cymeriad adain dde ar adain libertaraidd ei blaid ac o ganlyniad y byddai cyflwyno rheoliadau newydd yn anathema iddo.

Fodd bynnag, gwelais ochr i gymeriad Eric Forth na welodd llawer, sef ei barodrwydd i wrando ar y dystiolaeth a gyflwynwyd iddo o blaid y mesur a'r cannoedd o gwynion gan bobl drwm eu clyw ynglŷn â thactegau gwerthu diegwyddor nifer yn y sector. Wedi cyflwyno'r dystiolaeth dywedodd y byddai'r llywodraeth yn niwtral ar y mesur, ond buan y symudodd i fod yn hynod gefnogol. Cofiaf iddo fy ngwahodd i wneud cyflwyniad iddo a'i weision sifil yn ei adran, gan sylweddoli pa mor anghyfartal y gallai'r ddadl

49

fod, un aelod mainc cefn yn erbyn holl rym y llywodraeth! Ond dyfal donc a minnau'n teimlo rhyddhad wedi i'r gwaith lobïo cyson a manwl ddwyn ffrwyth.

Fodd bynnag, wynebwn un sialens fawr arall, sef y gallai un aelod weiddi 'object' ar achlysur ail ddarlleniad y mesur, a byddai fy nghyfle wedi diflannu. A dyna be ddigwyddodd. Ar y degfed o Chwefror 1989, cododd Barry Porter AS De Cilgwri ar ei draed a gweiddi 'object' ac o ganlyniad taflwyd y mesur i'r dydd Gwener canlynol heb fawr o obaith symud i'w bwyllgor oni bai fod modd perswadio Barry i dynnu ei wrthwynebiad yn ôl. Ef oedd llefarydd y diwydiant gwerthu teclynnau clyw, a hwythau yn elyniaethus i'r mesur. Roeddwn yn ei adnabod yn weddol dda gan fod y ddau ohonom yn perthyn i grŵp aml-bleidiol y cyfreithwyr. Cyflwynais fy nhystiolaeth o blaid y mesur iddo, a chwarae teg, fe ddywedodd wrthyf na fyddai'n gwrthwynebu'r ail waith.

Ar yr ail ar bymtheg o Chwefror, cyflwynwyd y mesur am yr eildro, a minnau'n dal fy ngwynt! Ni waeddodd yr un aelod 'object' a llwyddais i sicrhau ail ddarlleniad yn ddiwrthwynebiad. Dyna ryddhad a gwyddwn o hynny ymlaen bod y ffordd i'r llyfr statud yn esmwythach o lawer. Newidiodd agwedd y gweision sifil yn llwyr, a chytunwyd i ailwampio'r mesur gan gwnsler seneddol a chynnig gwelliannau newydd i gryfhau'r Cyngor Teclynnau Clyw a'r pwerau i gosbi gwerthwyr diegwyddor. Cynhaliwyd y Pwyllgor i drafod y mesur diwygiedig ddiwedd Ebrill a bu bron imi golli'r cyfan! Roedd streic gan yrwyr y trenau tanddaearol a dim modd cael bws na thacsi yn unman. A hithau'n bwrw eirlaw, bu'n rhaid cerdded o'r fflat i'r Senedd, pellter o tua phum milltir a minnau'n cyrraedd ychydig funudau cyn dechrau'r sesiwn! Pe na fyddwn yno, byddai'r sesiwn wedi'i cholli. Gan mai fy mesur i oedd o, fi oedd yn arwain y trafodaethau a hynny yn brofiad amhrisiadwy. Erbyn hynny, roeddwn wedi dod i ddeall trefn y Tŷ yn weddol dda, ac wedi gorfod siarad llawer efo mainc flaen y llywodraeth a'r Blaid Lafur.

Un mater oedd ar ôl i'w setlo ar gyfer gweithgareddau Tŷ'r Cyffredin, sef sicrhau digon o amser ar lawr y siambr ar gyfer Cam Adrodd y mesur a'r Trydydd Darlleniad. Llwyddais i gael slot ar gyfer y pedwerydd ar ddeg o Ebrill, ond nid oedd rheolwyr busnes y llywodraeth yn hapus â'm dewis. Daeth un o'r chwipiaid, Alan Howarth, i'm gweld gan awgrymu y dylwn wthio'r dyddiad ymlaen i'r wythfed ar hugain o Ebrill. Pan geisiais ddadlau yr hoffwn symud ynghynt, cefais awgrym eithaf cryf na allai'r llywodraeth sicrhau llwyddiant y mesur pe na bawn yn cytuno i'r dyddiad newydd! Doedd dim amdani felly ond cytuno, gan y gwyddwn mai creadur eiddil oedd mesur preifat ac y gellid ei ddinistrio'n hawdd. Deallais wedyn mai'r gwir reswm dros symud y dyddiad oedd rhwystro mesur arall gan un o'u haelodau eu hunain, John Browne oedd yn awyddus i gyflwyno mesur ar breifatrwydd. Gan fy mod yn cytuno efo safbwynt y llywodraeth, ni theimlwn unrhyw euogrwydd yn sgil y ffaith y defnyddid fy mesur i i rwystro un arall rhag llwyddo!

Diwrnod cyn trafodaeth y Cam Adrodd, sylwais fod nifer fawr o welliannau wedi'u cyflwyno i'r mesur ac wrth gwrs ni wyddwn ddim am y bwriad i'w gosod na'r rhesymau am hynny. Codais y ffôn ar Emma Nicholson a gofyn oedd hi'n gwybod beth oedd tu cefn i'r gwelliannau. 'Don't worry, Ieuan,' meddai. 'They've been tabled so that the time is taken up to prevent John Browne's Bill being reached. Each amendment will be discussed and then withdrawn before a vote. You'll get your bill!' Dyna dactegau'r chwipiaid ar eu gorau, neu ar eu gwaethaf. Treuliwyd yr holl amser y bore hwnnw yn trafod fy mesur i. Ni lwyddodd yr un gwelliant ac fe gwblhawyd y Cam Adrodd a'r Trydydd Darlleniad yn ddiffwdan erbyn i'r Senedd gau'r sesiwn. Nid oedd amser i drafod dim arall y diwrnod hwnnw.

Teimlwn yn hynod o falch fod fy mesur wedi llwyddo a diolchais i bawb fu'n rhan o'r ymdrech i'w sicrhau. Un cam arall oedd ar ôl, sef sicrhau ei lwybr drwy Dŷ'r Arglwyddi. Dewiswyd Philip Allen, yr Arglwydd Allen o Abbeydale a chyn-ysgrifennydd parhaol yn y Swyddfa Gartref i lywio'r mesur yno. Cysylltais ag o gan ofyn iddo adael i mi wybod pryd fyddai'r ail ddarlleniad. Ei farn bendant oedd na ddylwn fynd yn agos i'r lle, 'It's best to lie low in this place and get through all stages with the minimum of fuss and secure as little attention as possible!' A dyna ddigwyddodd. Aeth y mesur drwy bob cam yn rhwydd ddigon a chyrraedd y llyfr statud ar y trydydd o Orffennaf.

Yn naturiol, roeddwn yn hynod falch fy mod wedi cyflwyno deddfwriaeth fyddai o gymorth i bobl drwm eu clyw a'u harbed rhag cael eu twyllo. Yn ogystal, dysgais lawer am drefn y Senedd, gwaith llywodraeth, y gwasanaeth sifil a thactegau'r chwipiaid. Bu'r cyfan o gymorth mawr yn ystod gweddill fy ngyrfa wleidyddol, yn arbennig yn ystod y trafodaethau ar gytundeb Maastricht wedi etholiad 1992, ac yn ddiweddarach fy nghyfnod fel gweinidog yn Llywodraeth Cymru. Cawn adroddiadau cyson ar waith y Cyngor Teclynnau Clyw ac am y gwaith o ddwyn rhai gwerthwyr o flaen eu gwell a'u cosbi o bryd i'w gilydd. Wrth i'r blynyddoedd fynd heibio, lleihaodd y nifer o achosion o dwyll, wrth i'r gwerthwyr teithiol gilio a mwy o'r gwaith o ddarparu a gwerthu teclynnau ddigwydd drwy siopau arbenigol. Parhaodd y ddeddf mewn bodolaeth tan 2010, pan drosglwyddwyd y mwyafrif o'r swyddogaethau i Gyngor y Proffesiynau Iechyd a Gofal.

Bu nifer o ddigwyddiadau eraill yn 1989 sy'n werth eu nodi. Ymladdwyd isetholiad Pontypridd ym mis Chwefror gyda'r blaid yn sicrhau 25% o'r bleidlais a hynny'n cynrychioli cynnydd sylweddol er yr etholiad cyffredinol. Cafwyd ymgyrch ddigon da, gydag Elfed Roberts yn trefnu'r gwaith canfasio. Er hynny, daeth hi'n amlwg yn ystod y canfasio nad oeddem yn debyg o ennill, a ninnau'n sylweddoli bod angen bod yn fwy miniog wrth gyflwyno'n gwelediageth, a gwella ein trefniadaeth. Penderfynodd Dafydd Elis-Thomas, ac yntau'n Llywydd y Blaid, sefyll yn yr etholiad ar gyfer sedd Gogledd Cymru yn Senedd Ewrop ym mis Mehefin y flwyddyn honno. Trefnwyd ymgyrch effeithiol a'n gobeithion yn uchel y gellid gwneud yn dda os nad cipio'r sedd. Bu Beata Brookes yn aelod ers 1979 a theimlid fod cyfle i'w disodli. Trefnwyd pôl piniwn fel rhan o'r ymgyrch ac yn anffodus o'n safbwynt ni, cadarnhawyd mai Llafur fyddai'n fwyaf tebygol o gipio'r sedd. Er inni gael ein pleidlais uchaf mewn etholiad i Senedd Ewrop ar 25%, nid oedd hynny'n ddigon. Gwelwn innau ymgyrch Senedd Ewrop yn bwysig yn natblygiad y Blaid o gofio ein bod wedi newid ein polisi ynglŷn â'n safbwynt ar y Gymuned Ewropeaidd ers 1979. Fel Plaid Ewropeaidd y gwelwn ein dyfodol mewn gwirionedd a rôl Cymru yn Ewrop yn ganolog i'r ddelfryd honno.

Ond roedd hen ffrae ddigon annifyr yn ffrwtian yn y Blaid gydol 1989, a hynny o ganlyniad i'r ymgyrch yn erbyn treth y pen. Yr oeddem ni fel aelodau seneddol yn unfryd na ddylem arwain ymgyrch tor cyfraith yn erbyn y dreth, er y dylem wneud popeth o fewn ein gallu i drechu'r dreth amhoblogaidd honno. Mi roedd yna garfan yn y Blaid fodd bynnag yn awyddus i gynnal ymgyrch tor cyfraith drwy wrthod talu'r dreth ac wynebu unrhyw gosb a ddeuai i'n rhan fel unigolion. A dyna hen ddadl yn y Blaid yn amlygu ei hun unwaith yn rhagor, sef a oeddem ni'n blaid wleidyddol â'i bryd ar ennill hunanlywodraeth gan ddefnyddio'r drefn gyfansoddiadol, neu ai mudiad protest oeddem mewn gwirionedd. Rhyw rygnu 'mlaen wnaeth y ffrae yn ystod y flwyddyn, ond fe ffrwydrodd yn ystod ein cynhadledd flynyddol yn Ninbych yn yr hydref.

Ar y cynnig ar dreth y pen gofynnwyd i mi fynd i'r llwyfan i amddiffyn safbwynt yr aelodau seneddol. O'r foment y cyrhaeddais y rostrwm gwyddwn fy mod mewn trafferth! Roedd wynebau canran uchel o'r cynadleddwyr yn dweud cyfrolau, a minnau'n cynnig dadleuon y gwyddwn nad oedd modd iddynt lwyddo. Daeth siaradwr ar ôl siaradwr i'n beirniadu yn llym, ac mewn cynhadledd fyw nid oedd modd cuddio. Bu'n drychineb o safbwynt cyhoeddusrwydd. Bwriad y gynhadledd flynyddol oedd cynnig llwyfan i'r Blaid, un o'r ychydig achlysuron lle gellid gwarantu cyhoeddusrwydd ar y cyfryngau. Fodd bynnag roedd cynhadledd Dinbych yn enghraifft berffaith o'r ffordd i beidio gwneud y gorau o'r cyfle. Ac i roi halen ar y briw, ymddiswyddodd Dafydd Wigely fel swyddog cenedlaethol yn ei sgil.

Bu digwyddiadau cynhadledd Dinbych yn wers i ni. Gofynnodd Dafydd Elis-Thomas i mi gynnal arolwg o strategaeth a threfniadaeth y Blaid. Cytunais i wneud hynny a'r penderfyniad cyntaf oedd gohirio'r broses o ddewis ymgeiswyr ar gyfer etholiad a ddisgwylid yn 1991 neu 1992. Trefnais i ymweld â nifer o etholaethau, siarad efo swyddogion cenedlaethol, ein trefnyddion cyflogedig a nifer o aelodau ar lawr gwlad. Daeth yn amlwg fod 'na fwlch rhwng y blaid seneddol a'r aelodau ar sawl lefel, a gwyddwn y byddai'n rhaid ymateb i hynny. Awgrymais y dylid trefnu ymweliadau gan yr aelodau seneddol er mwyn gwella'r berthynas a derbyniwyd hynny. Cynhaliwyd rhai polau piniwn eithaf amaturaidd yn rhai o etholaethau'r de.

Y canlyniad mwyaf arwyddocaol oedd mai ein prif broblem fel plaid oedd nad oedd yr etholwyr yn gwybod digon amdanom ac nad oeddent yn credu y gallem ennill. Cyn hynny, y gred gyffredinol gan rai oedd mai ein safbwynt ar hunanlywodraeth neu ein cefnogaeth i'r iaith oedd y maen tramgwydd pennaf! Ond anwybodaeth oedd y rheswm pennaf. O hynny 'mlaen gwnaed ychydig mwy o ddefnydd o bolau piniwn a dulliau eraill o ganfod teimladau'r etholwyr tuag atom, er bod diffyg adnoddau yn ei gwneud hi'n anodd gwneud hynny'n gyson.

Teimlwn fod ein trefniadau ar gyfer y gynhadledd yn hynod o amaturaidd. Gofynnais i rai cyfeillion yn y cyfryngau am sylwadau, a'r mwyafrif yn dweud yn gwbl ddiflewyn-ar-dafod y byddai'n rhaid i ni fod yn fwy proffesiynol. Ymwelais â Neuadd Dewi Sant yng Nghaerdydd gyda rhai ohonynt a gweld fod y neuadd yno wedi ei chynllunio ar gyfer camerâu teledu ac y byddai'r 'shots' yn llawer gwell. Cytunwyd i fynd yno ar gyfer cynhadledd 1990 a bu honno yn llwyddiant mawr. Cefais f'ethol yn Gadeirydd y Blaid a chyda hynny daeth cyfle i gwblhau'r gwaith ar strategaeth a threfniadaeth.

Er imi lwyddo efo deddfwriaeth breifat yn gynnar yn fy ngyrfa seneddol, canfyddiad gan lawer oedd mai anodd oedd i aelodau meinciau cefn o'r wrthblaid ddylanwadu ar bolisi llywodraeth. Gallwn wneud llawer i helpu etholwyr ym Môn a llythyr gan Aelod Seneddol yn agor drysau fyddai ynghau fel arall, ond peth gwahanol iawn oedd newid polisi. Cefais enghraifft brin o'r ffordd y gellid gwneud hynny yn sgil cyllideb 1989 a John Major yn Ganghellor y Trysorlys. Cyhoeddodd y llywodraeth fwriad i gau bwlch yn y deddfau trethiant oedd yn caniatáu aildrefnu stadau ymadawedigion o fewn dwy flynedd i'w marwolaeth a thrwy hynny osgoi trethi. Yn anffodus, byddai diddymu'r hawl hwnnw yn golygu y byddai nifer o deuluoedd i berchnogion busnesau bach a ffermwyr yn wynebu gwerthu asedau i dalu'r dreth ar farwolaeth. Byddai hynny yn aml iawn yn golygu bod y busnes yn dod i ben. Y rhai fyddai'n dioddef fyddai'r rhai lle nad oedd ewyllys, neu amgylchiadau wedi newid neu'r rhai nad oedd ganddynt y modd i gael cyngor arbenigol.

Cyflwynais ddadl yn erbyn diddymu'r hawl i aildrefnu stadau'n ddi-dreth yn ystod ail ddarlleniad y Mesur Cyllid ym mis Ebrill 1989. Yn annisgwyl, daeth un o aelodau meinciau cefn y llywodraeth ataf ar ôl f'araith gan awgrymu fy mod yn gwneud cyflwyniad i weinidogion y Trysorlys. Cefais wahoddiad i fynd i weld Norman Lamont a oedd bryd hynny yn Is-weinidog yn y Trysorlys i gyflwyno fy safbwynt. Yn y cyfarfod hwnnw bu'n rhaid i mi amddiffyn fy safbwynt gerbron y gweision sifil a rhoi enghreifftiau o ble credwn y byddai'r newid yn niweidiol i deuluoedd busnesau bach. Gofynnwyd i mi gyflwyno memorandwm yn amlinellu fy nadleuon a gwneuthum hynny. Yn ystod Pwyllgor y mesur ym mis Mehefin, cyhoeddodd Norman Lamont na fyddent yn cynnwys y cymal i ddiddymu'r hawl wedi'r cwbl gan ddyfynnu rhai o'r dadleuon yr oeddwn wedi eu cyflwyno. Buddugoliaeth felly, ar bwynt digon technegol ac astrus, ond rhyddhad i nifer o fusnesau bach a'r sector amaethyddol.

Yn ystod 1990 cafwyd mwy o bwyslais ar y newidiadau cyfansoddiadol yr hoffem eu gweld. Yn fy marn i roedd y cysyniad o Gymru yn Ewrop yn gwneud y dadleuon o blaid hunanlywodraeth yn llawer haws ac yn fwy deniadol. Cawsom gynhadledd arbennig yn Abertawe gyda chynrychiolwyr o rai o wledydd Dwyrain Ewrop yn cyfrannu. Gyda gwledydd fel Lithwania ac Estonia yn ennill eu rhyddid wedi cwymp yr Undeb Sofietaidd, roedd y ddadl o blaid ymreolaeth i Gymru yn fwy credadwy. Cawsom gynigion cynhwysfawr ar y cyfansoddiad yn y gynhadledd yng Nghaerdydd, a hynny yn rhoi ein haelodau mewn hwyliau da ar gyfer ymgyrchu. Ond yr oedd peth anghydfod yn parhau, a sawl ymgais i danseilio arweinyddiaeth Dafydd Elis-Thomas. Golygai hynny fod llawer o'm hegni yn cael ei sugno gan ffraeo mewnol diangen ac fe gynhaliwyd nifer o gyfarfodydd mewnol i geisio cymod. Llwyddiant cymharol fu hynny, ac ni fyddai rhai yn fodlon nes gweld Dafydd yn rhoi'r gorau iddi.

Erbyn diwedd y flwyddyn, roedd hi'n amlwg ei fod yn bwriadu rhoi'r gorau iddi fel Aelod Seneddol. Ar ôl cyfnod digon anodd iddo, nid oedd hynny'n fawr o syndod mewn gwirionedd. Dywedodd wrthyf am ei fwriad a buom yn trafod y goblygiadau i'r Blaid ac iddo yntau. Dywedodd na fyddai'n rhoi'r gorau i'r Llywyddiaeth, oni bai ei fod yn sicr y byddwn i yn fodlon ei olynu. Rhagwelwn broblemau gan y byddai'n anodd iddo barhau fel Llywydd wedi rhoi'r gorau i'r Senedd. Trefnwyd i'r tri ohonom gael cinio, ac fe ddywedodd Dafydd y byddai'n rhoi'r gorau iddi fel Aelod Seneddol a'i fod am i mi ei olynu fel Llywydd. Ni wnaeth Dafydd Wigley sylw, ac o bosib roedd hynny'n ddigon doeth ar y pryd.

Gwyddwn fodd bynnag nad oedd modd i mi fod yn ymgeisydd ar gyfer y Llywyddiaeth bryd hynny. Yr oeddwn yn fy nhymor cyntaf fel Aelod Seneddol, ac nid oedd amheuaeth gennyf mai Dafydd Wigley fyddai'r dewis gorau a fo fyddai aelodau'r Blaid yn ei ddisgwyl i fod yn olynydd. Dywedais hynny wrth Dafydd Elis ymhen rhai dyddiau, ac fe drefnwyd achlysur arall i ddweud wrth Dafydd Wigley rai misoedd wedyn. Gwyddai bryd hynny na fyddai ganddo wrthwynebydd o blith yr aelodau seneddol. Yr unig amheuaeth oedd gennyf oedd faint o niwed yr oedd ei benderfyniad i ymddiswyddo wedi cynhadledd Dinbych wedi ei wneud ymhlith rhai carfanau yn y Blaid, ond rhaid fyddai wynebu hynny. Yn naturiol, roedd 'na elfen o dristwch yn sgil penderfyniad Dafydd Elis i roi'r gorau iddi. Wedi'r cwbl, bu'n hynod o gefnogol i mi a fo oedd yn rhannol gyfrifol am fy mhenderfyniad i fynd i'r byd gwleidyddol.

Ond nid Dafydd Elis oedd yr unig arweinydd i wynebu trafferthion y flwyddyn honno. Bu Margaret Thatcher yn Brif Weinidog ers degawd a mwy, a heb wynebu her go iawn i'w hawdurdod tan i Anthony Meyer AS Gogledd Orllewin Clwyd ei herio am yr arweinyddiaeth yn 1989. Er iddi ennill yn hawdd, nid oedd modd cuddio'r ffaith fod anfodlonrwydd ar droed ymhlith carfan gynyddol o'r aelodau seneddol Torïaidd. Cyrhaeddodd hynny ei benllanw ym mis Tachwedd 1990. Pan ddaeth yr awr o brysur bwyso yn ystod y ddeuddydd rhwng y bleidlais gyntaf ar yr ugeinfed o Dachwedd a'r ail ar hugain o Dachwedd, canfu Thatcher nad oedd ganddi ddigon o gefnogaeth ac fe ymddiswyddodd. Yr oedd yr awyrgylch yn y Senedd yn gwbl drydanol a grwpiau o aelodau seneddol Torïaidd yn rhoi eu pennau ynghyd yng nghilfachau'r coridorau rhwng y siambr a'r llyfrgell. Pan ddaeth y cyhoeddiad ei bod yn ymddiswyddo, llawenhâi carfan ohonynt yn afreolus tra roedd eraill yn gweiddi brad i bob cyfeiriad. Ni welais awyrgylch debyg ynghynt nac wedyn, er bod rhai o'r sesiynau ar gytundeb Maastricht yn dod yn weddol agos! Y consenws ymhlith y gwybodusion oedd mai ei safbwynt ar dreth y pen ac Ewrop oedd y prif resymau dros ei dymchwel. Ond fe greda' i fod 'na rywbeth mwy sylfaenol o lawer wrth wraidd y penderfyniad, sef fod nifer o'i chyd-aelodau wedi cael digon ar ei phersonoliaeth ddogmatig a digyfaddawd, a neb yn fwy felly na Geoffrey Howe.

Dewiswyd Elfyn Llwyd yn ymgeisydd i ddilyn Dafydd Elis ym Meirionnydd Nant Conwy. Yr oeddwn yn ei adnabod yn weddol dda am ein bod ein dau yn gyfreithwyr ac wedi dod ar draws ein gilydd mewn achosion o bryd i'w gilydd. Gan iddo ennill yr enwebiaeth yn weddol hawdd, gwyddwn fod ganddo gryn gefnogaeth ymhlith yr aelodau a byddai hynny yn argoeli'n dda ar gyfer yr ymgyrch yno. Yn ogystal roedd adroddiadau calonogol yn dod o Geredigion, gydag arolygon barn yn dangos y gallai Cynog Dafis guro Geraint Howells. Bu peth trafod yn y Blaid ynglŷn â chydweithio efo'r Blaid Werdd – nifer o blaid ac eraill yn chwyrn yn erbyn. Er bod llawer yn gyffredin o safbwynt polisi amgylcheddol, teimlid fod rhai o aelodau'r Blaid Werdd yng Nghymru yn elyniaethus i safbwynt cyfansoddiadol y Blaid. Fodd bynnag, roedd cydweithio da rhwng y ddwy blaid yng Ngheredigion, ac fe ymladdodd Cynog y sedd fel ymgeisydd ar y cyd. Bu ychydig o drafod a ddylai'r Blaid ymladd pob sedd (dadl a ailadroddwyd sawl tro yn yr 1990au) yng Nghymru. Ond fel unig blaid 'genedlaethol' Cymru, yn y diwedd penderfynwyd y byddai'n rhaid cadw at y cynllun i ymladd pob sedd er waethaf y gost ariannol. Cefais air gan Gwynfor yn cefnogi ymgeisyddiaeth Rhodri Glyn Thomas yng Nghaerfyrddin, ac y dylem ystyried rhoi blaenoriaeth i'r ymgyrch yno er gwaethaf y ffaith inni lithro i'r trydydd safle yn 1983 ac aros yno yn 1987. Er nad oedd gennym adnoddau cenedlaethol digonol i wneud llawer i gynorthwyo, cytunwyd y byddem yn rhoi blaenoriaeth i ymgeiswyr mewn etholaethau targed ymddangos ar y cyfryngau yn ystod yr ymgyrch.

Bu farw Donald Coleman AS Castell-nedd ym mis Ionawr 1991 a chynhaliwyd isetholiad i ddewis olynydd iddo ym mis Ebrill y flwyddyn honno. Ein hymgeisydd oedd Dr Dewi Evans, Paediatregydd Ymgynghorol uchel ei barch a oedd yn byw yn yr etholaeth. Treuliais gryn amser yn yr etholaeth yn cefnogi Dewi a threfnu'r ymgyrch. Bryd hynny, byddem yn cynnal cynhadledd i'r wasg yn ddyddiol ac roedd Dewi yn disgleirio ynddynt. Er bod cryn gefnogaeth i'r Blaid mewn rhannau o'r etholaeth, fel yr Allt-wen ac Ystalyfera, roedd hi'n dalcen llawer caletach yn rhan isaf Cwm Nedd a rhannau o Gastell-nedd ei hun. Fodd bynnag, roedd gennym nifer o gynghorwyr, megis Del Morgan a gweithwyr hynod brofiadol fel Gareth Richards a chawsom ymgyrch dda iawn, gydag aelodau o bob rhan o Gymru yn dod i gynorthwyo. Roedd y canlyniad yn hynod o debyg i isetholiad Pontypridd ddwy flynedd ynghynt, gan ddod yn ail a chael yn agos i chwarter y bleidlais, a Llafur yn cadw'r sedd efo ychydig dros hanner y bleidlais. Etholwyd Peter Hain fel Aelod Seneddol, a chroesodd ein llwybrau nifer o weithiau ond yn fwyaf arbennig yn ystod fy nghyfnod fel Dirprwy Brif Weinidog ac yntau yn Ysgrifennydd Cymru.

Arweiniodd penderfyniad Saddam Hussein i ymosod ar Kuwait a'i goresgyn ym mis Awst 1990 at densiynau yn y gymuned ryngwladol, gyda rhyfel yn edrych yn anorfod wrth i'r ymdrechion diplomyddol fethu â sicrhau cyfaddawd. Bu llawer o drafod yn rhengoedd y Blaid wrth i ni lunio ymateb, ond y teimlad cryfaf o ddigon oedd y dylem wrthwynebu ymyrraeth filwrol. Bryd hynny, nid oedd angen caniatâd y Senedd i fynd i ryfel, ond llwyddwyd i gael pleidlais ar fater 'technegol' a dehonglwyd hynny fel pleidlais o blaid neu yn erbyn cyrch milwrol. Prin oedd y nifer aeth drwy'r lobi i ddangos eu gwrthwynebiad i ryfel, y tri ohonom ni a rhai aelodau ar adain chwith y Blaid Lafur. Cyrch o ryw chwe wythnos a gafwyd, gydag amcanion eithaf cyfyng, sef i yrru milwyr Irac o Kuwait. Gwelwyd rhyfel cyntaf y Gwlff fel gwaith anorffenedig gan nifer ar y dde ym Mhrydain a'r Unol Daleithiau ac fe arweiniodd yn anorfod at yr ail ryfel a fu'n llawer mwy dinistriol, dadleuol a phellgyrhaeddol yn 2003.

Fe'm penodwyd yn aelod o Bwyllgor Dethol Cymru yn

1989, gan gyfrannu i nifer o bynciau gwleidyddol y cyfnod. Yn ogystal â bod yn gorff scriwtini, cawsom gyfle i edrych ar syniadau polisi yn ogystal. Heb amheuaeth y maes a gododd fwyaf o gwestiynau yn fy meddwl oedd hwnnw yn ymwneud â'r gwasanaeth iechyd. Penderfynodd y pwyllgor edrych ar gynllun iechyd dadleuol a fabwysiadwyd yn nhalaith Oragon yn yr Unol Daleithiau. Ymwelodd y Pwyllgor â'r Cynulliad Deddfwriaethol ym mhrifddinas y dalaith, Salem, yn ystod mis Mai 1991. Gan nad oedd chwarter poblogaeth y dalaith yn berchen ar yswiriant iechyd na'r modd i dalu am driniaeth, cyflwynodd y Seneddwr John Kitzaber gynllun drwy gyflwyno rhestr o driniaethau y byddai'r wladwriaeth yn talu amdanynt, gan adael nifer o driniaethau megis tynnu gwythiennau faricos neu lawdriniaethau cosmetig oddi ar y rhestr. Mewn rhai achosion, gallai claf a'i deulu apelio yn erbyn penderfyniad i wrthod triniaeth ac ymddangos o flaen pwyllgor i ddadlau ei achos. Dyma enghraifft o ddogni ar driniaethau meddygol, ac o ganlyniad roedd yn hynod ddadleuol. Gwelsom nifer o enghreifftiau ar ffilm o deuluoedd yn pledio am yr hawl i gael triniaeth gerbron pwyllgor apêl a'r profiad yn un cwbl ddirdynnol. Er bod 'na gefnogaeth leol i gynllun Kitzaber, ein teimlad ni oedd na fyddai cynllun o'r fath yn gweithio yng Nghymru, gan fod ein gwasanaeth iechyd ni wedi ei sylfaenu ar y rhagdybiaeth fod modd i bawb gael triniaeth, beth bynnag yr achos. Dadleuwyd gan rai bod gennym ni ffordd o ddogni triniaethau drwy gael rhestrau aros hir ar gyfer rhai triniaethau, ond o leiaf mi roedd posib eu cael hyd yn oed o orfod aros yn hir amdanynt.

Ond yr hyn a'n hysgytiodd fwyaf yn sgil yr ymweliad oedd y bwlch syfrdanol rhwng y tlawd a'r cyfoethog o safbwynt mynediad i'r gwasanaeth iechyd yn yr Unol Daleithiau. Buom yn ymweld ag ysbytai preifat yn Los Angeles lle roedd y cyfleusterau yn ymdebygu i westy pum seren, pob moethusrwydd posib ar gael a meddygon o'r radd flaenaf ar gael i roi triniaeth. Ar y llaw arall cafwyd ymweliad ag ysbyty yn rhan dlotaf y ddinas lle roedd gwarchodwyr diogelwch yn gwarchod y drysau i rwystro pobl heb fodd i dalu rhag cael mynediad. Flynyddoedd yn ddiweddarach, ceisiodd yr Arlywydd Obama gyflwyno mesurau i sicrhau mynediad mwy cyfartal i'r gwasanaeth iechyd, a hawdd deall pam fod hynny'n angenrheidiol er gwaethaf gwrthwynebiad chwyrn gan fyd busnes a'r cyfoethog. Wedi dychwelyd i gwblhau ein hadroddiad, cytunwyd nad oedd y math o gynllun a gyflwynwyd gan John Kitzaber yn addas i ni, a chydnabod, er gwaethaf ei broblemau amlwg fod ein gwasanaeth iechyd ni yn rhywbeth i ymfalchïo ynddo.

Bûm yn trafod nifer o newidiadau i strwythur y Blaid, o safbwynt staffio, aelodaeth y prif bwyllgorau, y drefn o ddewis ymgeiswyr a gwella'r dulliau o godi arian ar gyfer ein hymgyrchoedd. Yn naturiol, roedd peth gwrthwynebiad i rai o'r newidiadau a hwnnw yn bennaf yn sgil y newidiadau i'r cynllun staffio. Gwyddwn y gallai hynny fod yn fater dadleuol a hynny'n naturiol am fod teyrngarwch i'r staff oedd wedi bod yn eu swyddi ers blynyddoedd lawer ac wedi rhoi gwasanaeth clodwiw. Fodd bynnag, doedd y drefn oedd ohoni ddim yn addas i fynd â ni i'r cam nesaf o'n datblygiad. Cafwyd ychydig o drafodaeth fewnol ar y cynlluniau, ond nid oedd awydd i ddechrau ar y gwaith ad-drefnu tan wedi'r etholiad cyffredinol a ddisgwylid yn y gwanwyn 1992. Yn amlwg roedd y Prif Weinidog, John Major, am gael cymaint o amser â phosib i wneud enw iddo ei hun cyn galw etholiad, a hynny'n golygu mai Mai 1992 oedd y dyddiad mwyaf tebygol.

Gwyddwn mai un o'r materion y byddai angen gwaith arno cyn etholiad arall oedd yr angen i ddenu gwaith i Fôn.

Gwyddwn hefyd mai ychydig o rym oedd gan Aelod Seneddol yn y maes hwn, ond treuliais gryn amser yn rhoi sylw iddo. Bûm yn trafod y mater yn rheolaidd efo swyddogion yr Awdurdod Datblygu a'r Cyngor Sir, a sylweddoli bod angen sicrhau parciau busnes a stadau diwydiannol addas, yn ogystal â chydweithrediad yr ysgolion, y coleg addysg bellach a Phrifysgol Bangor er mwyn darparu'r sgiliau cywir ar gyfer denu diwydiant. Yn anffodus nid oedd y berthynas rhwng y byd academaidd a diwydiant yn un iach, a cheisiais wneud rhywbeth am hynny, ond am fod y diwylliant yn y naill sector a'r llall mor wahanol ni lwyddais i wneud llawer i wella'r berthynas honno ar y pryd. Dyna oedd y rheswm pennaf i mi fynd ati i sefydlu Parc Gwyddoniaeth wedi ymddeol o'r Cynulliad yn 2013.

Mater llosg a gododd ei ben yn yr etholaeth oedd bwriad Dŵr Cymru i gael system garthffosiaeth newydd ar dir yn Llanfaes, tir a oedd ar un adeg ar safle mynachlog Ffransiscaidd a ddifodwyd yn ystod cyfnod Harri'r Wythfed. Roedd gwrthwynebid chwyrn i'r cynllun yn lleol, ac er i mi gyflwyno dadleuon y gwrthwynebwyr gerbron, methiant fu pob ymdrech i'w rwystro. Collais beth cefnogaeth yn yr ardal honno o'r herwydd.

Erbyn dechrau 1992, roedd yr ymgyrchu ar gyfer yr etholiad yn magu stêm. Cafwyd sesiynau canfasio mewn sawl ardal a'r canlyniadau yn argoeli'n dda. Ar un adeg credwn y gallem wella ar ganlyniad 1987, ond sylweddolais y gallai pethau dynhau wrth i'r etholiad agosáu. Cynhaliwyd yr etholiad ar y nawfed o Ebrill, ac euthum i'r cyfrif gan deimlo'n dawel hyderus. Unwaith i mi gyrraedd y neuadd gyfrif ym Mhlas Arthur, gwelwn fod ein gweithwyr yn edrych yn hynod bryderus ac yr oeddent yn credu y gallai'r sedd fod yn y fantol. Er i bleidlais y Ceidwadwyr gynyddu rhywfaint, roedd y cynnydd mwyaf yn y gefnogaeth i'r

Blaid Lafur a hynny ar ein traul ni. Roedd ein cefnogaeth ni yn ein hardaloedd cryfaf yn dangos fy mod ar y blaen ond o bosib ddim yn ddigon i wrthsefyll y cynnydd i Lafur yn ardal Caergybi. Gan fod bocsys Ynys Cybi yn cyrraedd yn hwyrach na gweddill yr etholaeth, anodd oedd darogan y canlyniad! Ond wedi i'r rheini gyrraedd a'r cyfrif arnynt ddechrau, canfuwyd nad oedd y cynnydd i Lafur yn ddigon ac o ganlyniad cedwais y sedd er bod ein mwyafrif yn 1987 wedi cwympo i ychydig dros fil. Cael a chael, ond fel dywedodd un hen wág, mae mwyafrif o un yn ddigon!

O edrych yn ôl roeddem wedi cymryd ein cefnogaeth yn ganiataol a thrwy hynny cafwyd teimlad o hunanfodlonrwydd. Er inni weithio'n ddigon dygn, rhaid cydnabod ei bod yn ymgyrch hollol wahanol i 1987 a minnau'n amddiffyn y sedd yn hytrach nag ymladd i ennill. Addewais nad oeddwn am fynd drwy'r un gwewyr eto, a sicrhau y byddai'n trefniadau ar gyfer yr etholiad canlynol yn llawer mwy proffesiynol ac y byddem yn dechrau gweithio ynghynt. Gwers bwysig oedd honno yn 1992 a minnau'n dychwelyd i San Steffan yn cynrychioli sedd hynod ymylol. Yn ymuno â ni oedd Elfyn Llwyd ym Meirionnydd Nant Conwy a Chynog Dafis a gafodd fuddugoliaeth hanesyddol yng Ngheredigion a Gogledd Penfro fel ymgeisydd ar y cyd rhwng y Blaid a'r Blaid Werdd.

PENNOD 4

Dysgu Gwersi Pwysig

WEDI ETHOLIAD 1992, aed ati i gwblhau'r gwaith o ailstrwythuro peirianwaith y Blaid yn genedlaethol. Bu hwnnw'n gyfnod hynod o anodd gan ystyried ei fod yn golygu newid cyfrifoldebau staff yn y swyddfa yng Nghaerdydd. Y bwriad oedd gwahanu cyfrifoldebau ymgyrchu oddi wrth waith gweinyddol mewnol megis gwasanaethu pwyllgorau a chadw trefn ar y system aelodaeth.

Sefydlwyd gweithgor i baratoi adroddiad ag argymhellion ar y newidiadau. Fel Cadeirydd y Blaid, roedd gennyf rôl ganolog yn y broses. O safbwynt prosesau mewnol y Blaid, dyna'r cyfnod anoddaf a'r mwyaf dirdynnol ers y dyddiau anodd rheini yn dilyn canlyniad y refferendwm yn 1979. Ar y naill law roedd llawer o aelodau hŷn yn teimlo teyrngarwch dealladwy i'r staff oedd gennym ac a oedd wedi gwasanaethu'r Blaid ers blynyddoedd lawer, tra teimlai llawer o aelodau ifanc fod angen i'r Blaid symud ymlaen a gwneud ein peirianwaith ymgyrchu cenedlaethol yn fwy proffesiynol ac yn berthnasol i'r oes oedd yn prysur fynd yn fwy technolegol. Ychydig iawn o adnoddau cenedlaethol a feddai'r Blaid i ymladd etholiadau gan ddibynnu ar adnoddau lleol yn ein hetholaethau cryfaf. Gan fod pob plaid arall yn mabwysiadu peirianwaith ymgyrchu canolog,

65

fy nheimlad i oedd bod yn rhaid i Blaid Cymru fynd i'r un cyfeiriad.

Gan fod cymaint o deimladau cryfion ar y naill ochr a'r llall, rhygnodd y trafodaethau ymlaen drwy gydol 1992. Yn y diwedd derbyniwyd yr argymhellion ar ailstrwythuro. Fodd bynnag, er yr angst a deimlwyd gan nifer o aelodau, gosodwyd sylfaen yn ei lle a fu'n gymaint o gymorth i'r ymgyrch yn refferendwm lwyddiannus 1997 a'r ymgyrch i etholiad cyntaf y Cynulliad yn 1999.

Bu cryn newid yn ein staff yn Llundain yn y cyfnod hwn. Penodwyd Rhian Medi fel ysgrifenyddes ein Grŵp, a threuliodd Alun Thomas gyfnod fel ymchwilydd. Mae Rhian yn parhau i weithio'n rhan amser yn Llundain a diolchaf am y gefnogaeth a gefais ganddi yn ystod fy nghyfnod fel aelod. Alun Thomas oedd awdur un o'r dywediadau 'poblogaidd' a gysylltir â mi hyd heddiw. Pan benodwyd John Redwood yn Ysgrifennydd Cymru rhyddhaodd Alun ddatganiad i'r wasg yn f'enw i gan ddatgan y byddai penodiad Redwood yn mynd i lawr fel 'rat sandwich' yng Nghymru! Nid oeddwn yn ymwybodol o'r geiriad, a theimlwn y gallai fod yn gryn embaras. Fodd bynnag, daliodd y datganiad sylw'r wasg yn fwy na bron unrhyw beth arall a ddywedais yn y cyfnod hwnnw.

Mater arall a achosodd gryn densiwn mewnol oedd enwebiad Dafydd Elis i Dŷ'r Arglwyddi. Bu trafodaeth ar hynny ymhlith y pedwar ohonom fel aelodau seneddol pan gyfarfuom am y tro cyntaf am bryd o fwyd yng ngwesty Siôr III yn Llynpenmaen yn fuan wedi'r etholiad. Cytunwyd rhyngom y byddai'n fuddiol cael aelod yn yr ail siambr gan y disgwylid deddfwriaeth yn ymwneud â Chymru yn ystod y Senedd newydd a'r posibilrwydd o ddeddfwriaeth ar sefydlu corff etholedig i Gymru maes o law. Nid oeddem wedi llawn sylweddoli'r gwrthwynebiad chwyrn fyddai hynny'n ei ennyn ymhlith carfan eithaf sylweddol o'r Blaid. Pan gyhoeddwyd yr enwebiad, cawsom nifer fawr o lythyrau gwrthwynebus, a hynny'n dangos y bwlch rhwng yr aelodau seneddol a charfan o'r blaid ar lawr gwlad. Er bod pob un ohonom yn gwrthwynebu cyfansoddiad Tŷ'r Arglwyddi a'r gyfundrefn anarchonistig ac annemocrataidd a gynrychiolai, ein teimlad oedd bod angen llais lle bynnag roedd penderfyniadau a fyddai'n effeithio ar Gymru yn digwydd. Parciwyd unrhyw drafodaeth bellach ar ein safbwynt ar yr ail siambr am yn agos i ugain mlynedd pan gytunodd y Blaid i dderbyn enwebiad Dafydd Wigley. Caf sôn am hynny eto.

Ond yn bendifaddau, y trafodaethau ar gytundeb Maastricht oedd uchafbwynt senedd 1992-97, i mi beth bynnag. Bwriad cytundeb Maastricht oedd cryfhau a dwysáu undod Ewrop gan arwain maes o law at gyflwyno'r arian sengl a'r ewro. Yn y cytundeb hwnnw cyfeiriwyd at le rhanbarthau Ewrop yn y drefn newydd gan sefydlu Pwyllgor y Rhanbarthau. Er mai corff ymgynghorol fyddai'r Pwyllgor, dyma gydnabod lle rhanbarthau hanesyddol Ewrop am y tro cyntaf a'i weld fel corff fyddai, i raddau beth bynnag, yn gwrthbwyso'r cynnydd yng ngrym y sefydliad canol. Ac ar ben hynny, gwelwn i a llawer o'm cyd-aelodau yn y Blaid fod y ddadl o blaid annibyniaeth yn llawer haws i'w chyflwyno yn y cyd-destun Ewropeaidd ac yn chwalu'r wrthddadl am 'arwahanrwydd'. I mi, rhywbeth i'w rannu'n bragmataidd ydi sofraniaeth, nid rhywbeth absoliwt sy'n gorwedd mewn un lle. Ac onid oedd y symudiad i ffederaliaeth Ewropeaidd yn ffordd o wanhau grym y sefydliad Prydeinig yng Nghymru?

Bu peth trafod rhyngom fel aelodau seneddol ar sut y dylem bleidleisio ar ail ddarlleniad y mesur a drosglwyddai gytundeb Maastricht i gyfraith gwlad. Yn y diwedd cytunwyd y byddem yn cefnogi gwelliant y Blaid Lafur i gynnwys y Bennod Gymdeithasol fel rhan o'r cytundeb – rhywbeth oedd wedi ei eithrio gan John Major – ond pe byddai'r gwelliant hwnnw yn methu yna byddem yn cefnogi rhoi ail ddarlleniad i'r mesur. Ymatal wnaeth y Blaid Lafur yn swyddogol er bod criw bach ohonynt wedi pleidleisio o blaid ond criw dipyn mwy gan gynnwys aelodau megis Tony Benn, Jeremy Corbyn a Dennis Skinner yn gwrthwynebu. Dyna ragflas o'r dadleuon a glywsom yn ystod y drafodaeth ddiflas ar Brexit efo nifer o adain chwith y Blaid Lafur yn cynghreirio efo aelodau mwyaf adweithiol y Blaid Geidwadol. Rhyfedd o fyd!

Roedd agwedd arweinyddiaeth y Blaid Lafur tuag at Maastricht yn ddiddorol, fodd bynnag. Ar y naill law, roeddent yn gefnogol i'r egwyddorion a gynhwysid yng nghytundeb Maastricht, ond ar y llall gwelent gyfle i danseilio'r llywodraeth a oedd wedi'i hethol ym mis Ebrill 1992 efo mwyafrif llawer llai nag yn 1987. Yn y diwedd, tactegau tymor byr oedd yn eu golygon, tra i ni roedd llwyddiant Maastricht yn ganolog i'n dyheadau tymor hir. Roedd ein gwrthwynebiad i Dorïaeth gymaint ag erioed, ond gwyddem fod rhywbeth llawer mwy yn y fantol. Yr oeddwn i yn fodlon derbyn beirniadaeth tymor byr a fyddai'n sicr o ddod i'n rhan yn wyneb y cyhuddiad o 'gefnogi'r Torïaid' gan fod gwobr lawer mwy i'w chael.

Oherwydd ein pleidlais ar yr ail ddarlleniad dechreuodd trafodaethau rhyngom a rhai o aelodau'r llywodraeth a geisiai sicrhau ein cefnogaeth. Gan fod y mesur yn cynnwys materion cyfansoddiadol cynhaliwyd y dadleuon ar bwyllgor y mesur ar lawr y siambr gyda phob aelod yn gallu cymryd rhan. Gwyddai'r llywodraeth fod brwydr anferth o'u blaenau gan fod cymaint o'u haelodau eu hunain yn elyniaethus ac yn debyg o bleidleisio yn eu herbyn ac y gallai pedair pleidlais y Blaid olygu'r gwahaniaeth rhwng ennill a cholli. Gan mai fi oedd chwip y Blaid, fi oedd yn gyfrifol am arwain y trafodaethau efo'r llywodraeth. Prif Chwip y Llywodraeth oedd Richard Ryder a chefais sawl cyfarfod ag o yn ystod y cyfnod hwn. Roedd yn hanesydd a diddordeb ganddo yn hanes gwleidyddol Cymru. Cofiaf fynd i'w weld yn rhif 12 Stryd Downing ac fe ddangosodd i mi lun o Tom Ellis, aelod Meirionnydd a fu'n Brif Chwip y Blaid Ryddfrydol yn 1894. Gan fod Tom Ellis yn un o'm harwyr gwleidyddol, roedd hynny'n dipyn o fraint. Treuliwn fwy o amser yn trafod digwyddiadau hanesyddol ag o nag a wnes ar y mesur. Y ddau y treuliais fwy o amser yn eu cwmni yn trafod ein cefnogaeth i'r mesur oedd Tristan Garel-Jones, sef y gweinidog oedd yn gyfrifol am Ewrop, a David Davies y chwip oedd yn gyfrifol am y mesur. Cymro oedd Garel-Jones ac fe allai siarad tipyn o Gymraeg. Er hynny roedd ei agwedd tuag at Gymru yn hynod o gymhleth. Roedd rhywbeth yn ei fagwraeth yn ardal Gorseinon wedi ei droi yn erbyn 'cenedlaetholdeb' a hynny yn sgil rhai o ddaliadau Saunders Lewis. Ond ar y llaw arall gwelai gyfle drwy'r mesur, a'r trafodaethau efo ni 'i wneud rhywbeth dros Gymru'. Rhaid oedd bod yn ofalus yn ei gwmni fodd bynnag gan fod ganddo enw o fod braidd yn Faciafelaidd ac fe ddywedir i Michael Dobbs seilio cymeriad Francis Urquhart yn *House of Cards* ar Garel-Jones. Roedd David Davies yn gymeriad hollol wahanol. Fel dyn busnes yn ei fywyd blaenorol, ac wedi ei fagu ar aelwyd gymharol dlawd, roedd yn gymeriad a hoffai siarad yn blaen. A dweud y gwir roedd agwedd felly yn help mawr mewn trafodaethau, gan y gallwn fod yn weddol hyderus y byddai'n cadw at ei air.

Er mwyn sicrhau'r fargen orau i Gymru, lluniodd Dafydd Wigley a minnau restr o'n gofynion ar gyfer cefnogi'r mesur. Dyma'r prif bwyntiau:

- Y byddai Cymru yn cael tri aelod ar Bwyllgor y Rhanbarthau a byddai un aelod yn cael ei enwebu gan y Blaid;
- Sefydlu pwyllgor adrodd yn ôl fyddai'n cynnwys aelodau o'r Uwch-Bwyllgor Cymreig, Aelodau Cymru o Senedd Ewrop ac un aelod o bob awdurdod lleol yng Nghymru. Byddai aelodau Pwyllgor y Rhanbarthau yn cyflwyno adroddiad ar eu gweithgareddau;
- Byddai'r llywodraeth yn gwneud eu gorau i sicrhau cyllid o Gronfa Interreg Ewrop a phe byddent yn llwyddiannus yn cynnwys siroedd Gwynedd a Dyfed fel ardaloedd fyddai'n elwa o'r gronfa;
- Byddai'r llywodraeth yn ceisio sicrhau fod y Comisiwn Ewropeaidd yn comisiynu adroddiad dichonoldeb i'r posibilrwydd o wella rheilffordd Gogledd Cymru rhwng Crewe a Chaergybi.

Euthum ati i negodi efo Garel-Jones a David Davies ar sail ein gofynion. Ar y dechrau ceisiodd David Davies chwarae *hard-ball* drwy fynnu fod rhai o'n gofynion yn afresymol, ac ar un achlysur cerddodd allan o gyfarfod gan weiddi, 'Think again!' Ond gwyddwn ei fod angen ein cefnogaeth, a phe byddwn yn dal fy nhir byddai'n dod yn ôl. Mae'n amlwg ei fod wedi cynnal trafodaethau gyda Garel-Jones a Richard Ryder ac yn y diwedd daethpwyd i gytundeb. Byddem ni yn cefnogi'r llywodraeth ar bleidleisiau lle roedd perygl y gallent golli, oddigerth i bleidleisiau o hyder. Er bod y llywodraeth wedi ceisio cymorth y Democratiaid Rhyddfrydol – yr unig blaid arall a oedd yn unol o blaid undod Ewropeaidd – nid oeddent yn 'ddibynadwy' yn ôl y chwipiaid.

Cefais innau drafodaethau efo Archie Kirkwood eu prif chwip, ac fe gyfaddefodd pa mor anodd oedd cael cytundeb oddi fewn i'w blaid ar fesur Maastricht. Gan fod ganddynt ddau ddeg dau o aelodau, byddai eu cefnogaeth gyson yn ddigon i sicrhau llwyddiant y mesur. Fodd bynnag roedd 'na densiwn mewnol rhwng yr aelodau a gynrychiolai seddau trefol efo Llafur yn brif wrthblaid, a'r seddi yn yr ardaloedd gwledig lle roedd y Torïaid yn brif elynion. Dyna sut y daeth y Blaid i fod mewn lle mor ganolog yn y trafodaethau a gwyddwn fod gennym gardiau cryf i wasgu bargen dda.

Cadwyd y trafodaethau gyda'r llywodraeth yn gyfrinachol, ond gwyddwn y byddai ein cefnogaeth yn dod yn gyhoeddus unwaith y byddem yn pleidleisio efo nhw ar y gwelliannau. Gan ein bod wedi sicrhau bargen 'dda' gobeithiwn y byddai telerau'r fargen honno yn ddigon i wrthbwyso unrhyw feirniadaeth. Ac felly y bu. Er bod Llafur yn gwneud eu gorau i'n pardduo, y canfyddiad yng Nghymru oedd ein bod wedi sicrhau manteision hynod o werthfawr, ac roedd yna synnu fod tîm o bedwar wedi llwyddo cystal.

Un mater oedd sicrhau cytundeb ar bapur, peth arall oedd sicrhau ei weithredu! Pan gytunwyd ar y telerau gwreiddiol, Garel-Jones oedd Gweinidog Ewrop a David Hunt oedd Ysgrifennydd Cymru. Ym mis Mai 1993, penodwyd David Heathcote-Amory a John Redwood yn eu lle, dau a oedd yn wrth-Ewropeaidd ac o ganlyniad bu brwydr galed i sicrhau gwireddu'r 'fargen'. Llwyddwyd i sicrhau tri aelod o Gymru ar Bwyllgor y Rhanbarthau ac fe etholwyd Eurig Wyn i gynrychioli'r Blaid efo Jill Evans yn ddirprwy. Gweithiodd Redwood yn galed i rwystro sefydlu pwyllgor adrodd yn ôl a hynny mi gredaf am y gwelai hynny fel cysgod Gynulliad Cenedlaethol! Er i ni gael sawl addewid gan y chwipiaid y byddai'n rhaid i Redwood weithredu'r cytundeb llwyddodd i'w rwystro drwy oedi gwneud penderfyniad a chynghreirio efo'r Blaid Lafur i wneud hynny.

Y wobr fwyaf o ddigon oedd sicrhau arian Interreg II o gronfeydd yr Undeb Ewropeaidd i orllewin Cymru.

Bwriad y cynllun Interreg cyntaf oedd cryfhau economïau ardaloedd oedd yn ffinio â'i gilydd rhwng dwy wladwriaeth. Yn wreiddiol rhaid oedd cael ffin ar y tir rhwng dwy wladwriaeth, ond agorwyd cil y drws i ni ehangu'r diffiniad pan adeiladwyd twnnel rhwng Caint a Pas de Calais. Dadleuwyd y dylid neilltuo arian gan fod cysylltiad tir bellach rhwng Lloegr a Ffrainc, ond am ei bod yn ffin forol yn ogystal dadleuem ninnau y dylid ehangu'r diffiniad i gynnwys y ffin forol rhwng gorllewin Cymru a dwyrain Iwerddon. Er nad oedd yr Undeb Ewropeaidd wedi derbyn y ddadl yn wreiddiol, cytunodd Llywodraeth Prydain i ddadlau'n hachos yn y Comisiwn ac yng Nghyngor y Gweinidogion. Cafwyd sicrwydd ym mis Gorffennaf 1993 fod ffiniau morol yn gymwys. Er mwyn sicrhau'r gefnogaeth ehangaf posib i'r cynllun, aeth Cynog a minnau i Frwsel ym mis Tachwedd 1993 a chyfarfod Eneko Landaburu, Cyfarwyddwr Cyffredinol yn yr adran, oedd yn gyfrifol am Bolisi Rhanbarthol yr Undeb. Fel brodor o Wlad y Basg, roedd ganddo gryn gydymdeimlad â'n hachos ac yn hynod gefnogol i gynnwys Cymru ac Iwerddon yn Interreg II.

Gan ein bod wedi sicrhau fod ffiniau morol yn gymwys, dechreuodd adran Diwydiant a Masnach y Llywodraeth ddadlau achos Lerpwl, a bu bron y dim i ni golli'r frwydr. Ceisiodd eu gweinidogion gau Cymru allan yn gyfan gwbl a hynny yn groes i safbwynt y Swyddfa Dramor. Pan oeddwn yn disgwyl am dacsi un noson wedi pleidlais hwyr, daeth Wyn Roberts ataf a sibrwd yn fy nghlust fod angen i ni fod yn wyliadwrus, ac addawodd wneud popeth a allai i'n helpu. Aeth mor bell â rhoi gwybodaeth am drafodaethau mewnol y llywodraeth a rhoi awgrymiadau am gwestiynau seneddol y gallwn eu gosod er mwyn creu embaras i'r Adran Ddiwydiant! Gweithiodd hynny a cheisiwyd cyfaddawd drwy wneud cynnig y byddai gogledd orllewin Cymru a

Lerpwl yn derbyn arian Interreg, gan eithrio Dyfed. Yn naturiol ddigon, ffrwydrodd Cynog gan ddatgan y byddai'n rhaid sicrhau telerau'r cytundeb gwreiddiol. Trefnwyd cyfarfod efo David Heathcote-Amory yn y Swyddfa Dramor. Yr oedd yn dod o draddodiad uchelwrol y Blaid Dorïaidd, ac yn gredwr cryf yn y cysyniad o 'gadw at ei air'. Dywedodd wrthym os oedd yna gytundeb rhyngom ni a'r llywodraeth y byddai'n cadw at hynny. Cadarnhaodd mai bwriad y llywodraeth fyddai dadlau achos gorllewin Cymru a Lerpwl gyda'r Undeb Ewropeaidd, ond pe byddai'n ymddangos na fyddid yn derbyn mwy nag un 'rhanbarth' yna byddent yn dadlau mai achos Cymru ddylai lwyddo. Cawsom lythyr ganddo ym mis Mehefin 1994 yn cadarnhau y byddai siroedd Gwynedd a Dyfed yn derbyn arian Interreg.

Er mai £10m oedd y swm a roddwyd i Gymru ar ddechrau'r cynllun, mae Cymru wedi elwa'n sylweddol o'r Gronfa. Yn ystod y cyfnod rhwng 1994 a 2020 buddsoddwyd dros £120m mewn prosiectau rhwng gorllewin Cymru a dwyrain Iwerddon. Cynyddodd y symiau a neilltuwyd i Gymru wedi 1999 am fod Gorllewin Cymru a'r Cymoedd wedi cymhwyso fel ardal Amcan Un y flwyddyn honno. Cyn hynny, rhannwyd Cymru fel dwy ardal, de a gogledd yn y drefn NUTS Ewropeaidd. Mewn llyfryn a ysgrifennais yn 1996, *Ewrop: Y Sialens i Gymru*, dadleuais y byddai'n fuddiol rhannu rhanbarthau Cymru yn ddwyrain a gorllewin ac o wneud hynny byddai'r gorllewin yn cymhwyso ar gyfer Amcan Un oherwydd bod y lefelau GDP yno yn is na'r trothwy o 75% o gyfartaledd yr Undeb. Yn fuan wedi cyhoeddi'r llyfryn, cefais alwad ffôn gan un o swyddogion y Swyddfa Gymreig yn holi sut roeddwn wedi dod i'r casgliad hwnnw; yn amlwg roedd y llywodraeth am wneud cais ar hyd yr un llinellau.

Er mai'r Torïaid a enillodd etholiad 1992, a hynny yn groes

i'r disgwyl, roedd hi'n weddol amlwg erbyn 1994 fod John Major mewn trafferthion dyfnion. Bu'r holl ffraeo mewnol yn sgil Maastricht a phenderfyniad Norman Lamont i adael yr ERM yn dilyn rhediad ar y bunt ym mis Medi 1992 yn ddigon i sigo ffydd pobl yn hygrededd y llywodraeth. Ar ben hynny, roedd y Blaid Dorïaidd wedi mynd yn hynod o haerllug yn sgil sylwadau aelodau megis Michael Portillo ar amddiffyn yn 1995, Peter Lilley yn ymosod ar y rhai oedd yn ddibynnol ar fudd-daliadau a John Redwood yn condemnio mamau sengl. Ac ar ben hyn oll, chwythodd ymgais Major i fynd 'Back to Basics' yn ei wyneb wrth i nifer o aelodau seneddol ei blaid ymddangos ar dudalennau blaen y papurau tabloid o ganlyniad i gampau rhywiol neu gamymddwyn ariannol.

Gyda'r posibilrwydd cryf y byddai'r Blaid Lafur yn ennill yr etholiad canlynol, trodd golygon y byd gwleidyddol tuag at eu rhaglen bolisi gan gynnwys y cynigion ar ddiwygio cyfansoddiadol. Wedi i John Smith ddilyn Neil Kinnock fel arweinydd, mabwysiadwyd polisi o sefydlu Senedd i'r Alban a Chynulliad i Gymru. Nid oedd cynnal refferendwm yn rhan o'r cynllun gan John Smith. Yn dilyn ei farwolaeth ddisyfyd, etholwyd Tony Blair yn arweinydd ac fe gadwodd Blair at y polisi ar ddatganoli ar yr amod y cynhelid refferenda yng Nghymru a'r Alban fel ag yn 1979. Er yn siom i'r datganolwyr brwd yn y Blaid Lafur a thu hwnt, nid oedd dewis ond derbyn hynny ac i ymgyrchu o blaid sefydlu'r cyrff cenedlaethol pan ddeuai'r cyfle. Caf sôn eto am y tensiynau mewnol yn y Blaid oherwydd cymylau duon 1979, ond i mi roedd y cyfle i sefydlu corff cenedlaethol, beth bynnag ei wendidau, yn gyfle na ellid ei golli.

Un mater a achosodd boen meddwl difrifol i mi yn y cyfnod hwn oedd y rhyfel ym Mosnia rhwng 1992 a 1995. Fel rhywun a fagwyd yn nhraddodiad heddychiaeth Cymru, mi roedd y syniad o ymyrraeth filwrol yn wrthun ar un llaw. Ond ar y llall, gyda holl erchyllterau'r gwrthdaro yn dod yn fwyfwy amlwg, gyda'r glanhau ethnig, y rheibio, y gyflafan yn Srebrenica a'r gwarchae yn Sarajevo teimlwn na allwn fod yn dawedog. Deuthum i'r casgliad bod angen ymyrraeth i amddiffyn pobl ddiniwed, beth bynnag eu cefndir ethnig a beth bynnag eu daliadau crefyddol. Seiliais fy safbwynt ar ddatganiad Petersberg ym Mehefin 1992 gan ddweud fod ymyrraeth filwrol yn angenrheidiol ar brydiau at bwrpas dyngarol, i reoli argyfyngau ac i amddiffyn neu wneud heddwch. Awgrymais y gellid gwneud hynny drwy ddefnyddio milwyr dan faner y Cenhedloedd Unedig, er mai datganiad a fabwysiadwyd gan yr Undeb Ewropeaidd oedd Petersberg. Cefais y dasg o geisio perswadio'r Blaid i fynd i'r un cyfeiriad yn anodd o gofio'r safbwynt hanesyddol ar heddychiaeth. Fodd bynnag, mewn trafodaethau yn y Cyngor Cenedlaethol cefais beth cefnogaeth, er nad oedd hwnnw'n frwd rhaid cyfaddef. Ond sylweddolais na fyddai fy safbwynt i ar heddychiaeth yr un fath o hynny ymlaen ac y byddwn, ar achlysuron prin, yn gweld yr angen am ymyrraeth filwrol.

Cyflwynodd Wyn Roberts fesur iaith ar ran y Llywodraeth yn Nhŷ'r Arglwyddi ddiwedd 1992. Bwriad y mesur oedd cryfhau'r ddeddfwriaeth yn ymwneud â'r Gymraeg drwy sefydlu Bwrdd yr Iaith, gorfodi cyrff cyhoeddus yng Nghymru i gyflwyno cynlluniau iaith, cyflwyno newidiadau i'r defnydd o'r Gymraeg mewn achosion llys ac ar ffurflenni cyhoeddus. Nid oedd y mesur yn sicrhau statws swyddogol i'r Gymraeg, ond y dylid trin yr iaith ar sail cyfartaledd gyda'r Saesneg mewn busnes cyhoeddus ac wrth weinyddu'r gyfraith. Ni fyddai'r mesur yn ymwneud â defnydd o'r Gymraeg gan y sector breifat. Aeth y mesur drwy Dŷ'r Arglwyddi a Thŷ'r Cyffredin heb fawr o newid. Er nad oedd y mesur yn cynnwys nifer o welliannau y byddem ni fel Plaid yn dymuno eu gweld, fe'i gwelwyd fel cam arall ar y ffordd o normaleiddio defnydd o'r iaith ym mywyd cyhoeddus Cymru. Ar wahân i'r ffaith nad oedd y mesur yn sicrhau statws swyddogol i'r iaith, ei brif wendid oedd ei fethiant i sicrhau sancsiynau yn erbyn cyrff cyhoeddus na fyddai'n cadw at eu cynlluniau iaith. Bu'n rhaid disgwyl tan Ddeddf Iaith 2010 cyn cywiro'r bylchau rheini.

Bu Wyn Roberts yn weinidog yn y Swyddfa Gymreig yn ddi-dor rhwng 1979 a 1994, ac yn ystod y cyfnod hwnnw llwyddodd i gyflwyno nifer o fesurau oedd o fudd uniongyrchol i'r Gymraeg. Ar wahân i Ddeddf Iaith 1993, y fo oedd yn gyfrifol am sicrhau fod dysgu'r Gymraeg yn orfodol ym mhob ysgol yng Nghymru. Cofiaf drafod ei gyfraniad efo Richard Ryder yn 1994 pan roedd y Prif Weinidog ar fin cyhoeddi enw Rod Richards fel olynydd iddo. Barn Ryder oedd ei fod yn berson hynod o alluog a chyfrwys, ac iddo lwyddo i wneud cymaint dros y Gymraeg am nad oedd ei gyd-aelodau Ceidwadol yn llawn sylweddoli arwyddocâd yr hyn a wnâi! Tu ôl i'r llenni, bu'n help mawr i mi yn ystod ein trafodaethau ar Interreg II fel y nodais eisoes. Ond i'r rhan fwyaf o aelodau'r Blaid, roedd Wyn Roberts yn dipyn o fwgan, gan mai fo a welid fel un o brif ladmeryddion cyfnod Mrs Thatcher yng Nghymru, ac yn waeth na hynny, yn Gymro Cymraeg. Fel yn achos nifer o wleidyddion, mae'r gwirionedd yn llawer mwy cymhleth ac yn gallu bod yn llwyd yn hytrach na du neu wyn.

Yn dilyn ailstrwythuro cynllun staffio cenedlaethol y Blaid, penodwyd Karl Davies yn Brif Weithredwr a Siôn Brynach yn swyddog y Wasg. Aethpwyd ati i ddechrau paratoi at y gyfres o etholiadau a fyddai yn ein hwynebu yn fuan wedi hynny, gan ddechrau efo etholiadau i'r cynghorau sir unedol newydd yn dilyn yr ad-drefnu llywodraeth leol yn

1994. Er y gwelwyd y cynllun ad-drefnu gan rai fel ffordd o arbed arian yn hytrach na sicrhau gwell gweinyddiad ar lefel leol, credaf fod yna ystyriaethau gwleidyddol tu ôl i'r cyfan hefyd. O adfer enwau'r hen siroedd traddodiadol megis Penfro, Caerfyrddin, Ceredigion, Ynys Môn ac yn y blaen, credai'r Torïaid y byddent yn elwa'n wleidyddol. Ond nid felly y bu wrth gwrs. Prif wendid y newidiadau oedd bod creu dau ar hugain o awdurdodau unedol, a llawer ohonynt yn fach o ran poblogaeth yn ei gwneud hi'n anodd denu staff o'r ansawdd angenrheidiol i'w gweinyddu.

Cynhaliwyd etholiadau i'r cynghorau sir newydd ym mis Mai 1995. Er mai'r Blaid Lafur oedd y blaid fwyaf o ddigon yn dilyn yr etholiadau, enillodd y Blaid 113 o seddau ar draws Cymru gan ddod y blaid fwyaf yng Ngwynedd. Dechreuwyd ar gynllun newydd o ymladd etholiadau o dan arweiniad Karl Davies a'r tîm a gwelwyd ffrwyth hynny bedair blynedd yn ddiweddarach, drwy ennill 205 o seddau a chipio rheolaeth ar Gaerffili a Rhondda Cynon Taf yn ogystal â Gwynedd. Yn naturiol ddigon, paratoi at etholiad cyffredinol a fyddai'n siŵr o ddod yn 1996 neu 1997 fyddai'r prawf mwyaf ar y drefn newydd o ymgyrchu. Y Blaid Lafur oedd y ffefrynnau clir i ennill honno wedi deunaw mlynedd o lywodraethau Ceidwadol, a John Major yn wynebu cryn drafferthion i gadw ei blaid yn unol. Aeth y ffraeo mewnol cynddrwg fel y bu'n rhaid iddo sefyll i lawr fel arweinydd ei blaid yn 1995 a gorfodi brwydr am yr arweinyddiaeth. Er iddo ennill y frwydr yn hawdd yn erbyn John Redwood, ni lwyddodd i dawelu'r dyfroedd, ac fe lusgodd ei lywodraeth ymlaen am ddwy flynedd hyd nes oedd yn rhaid cynnal etholiad ddechrau Mai 1997.

Gwyddem y gallai honno fod yn etholiad anodd i ni, gan fod yr etholwyr yn dyheu am newid ac y gallai'r don i Lafur ein hysgubo ymaith. Gwyddwn fod gennyf frwydr ar fy nwylo yn Ynys Môn yn enwedig wedi'r braw a gefais yn 1992. Gyda Llafur yn codi'n sylweddol yn y polau piniwn, gallwn yn hawdd fod yn wynebu colli'r sedd. Cofiaf deimlo fy mod ar groesffordd yn fy mywyd, a'r boen meddwl y gallwn fod ar y clwt ymhen dim o amser. Aethpwyd ati i roi trefn ar yr ymgyrch ar yr ynys. Erbyn hynny, roedd Robat Trefor yn drefnydd ac elwais yn fawr o'i grebwyll gwleidyddol a'i allu i sylweddoli sut roedd y gwynt yn chwythu ar draws yr ynys. Gwyddwn y byddai'n rhaid gweithio'n galed, yn galetach nag erioed, i gadw'r sedd. Cyflwynais y syniad o ganfasio ar y ffôn yn ogystal ag o ddrws i ddrws. Llugoer ac eithaf negyddol oedd yr ymateb i ddechrau, a chytunwyd i wneud cynllun peilot mewn un ardal. Bu'r ymateb yn ffafriol, a ni oedd yr etholaeth gyntaf i ddefnyddio canfas ffôn. Aethpwyd ati i drefnu'r holl beth gyda Bethan Wyn Jones, Talwrn, yn bennaf gyfrifol am ddod â phawb at ei gilydd. Trowyd swyddfa fechan y Blaid yn 'ganolfan galw', archebwyd ffonau, a defnyddiwyd pob twll a chornel fel lleoliad i'r gwirfoddolwyr. Gwelwyd fod modd cyrraedd miloedd o etholwyr mewn amser cymharol fyr, a chan fod yr ymateb yn weddol galonogol, yr oedd yr ysbryd yn uchel. Ochr yn ochr â'r gwaith ar y ffonau, parhawyd â'r gwaith o ganfasio o ddrws i ddrws yn yr ardaloedd trefol a'r pentrefi mwyaf.

Wrth i'r ymgyrch ddwysáu, teimlwn y byddai'r canlyniad yn agos. Gyda'r gwynt yn chwythu'n gryf i gyfeiriad y Blaid Lafur, cafwyd adroddiadau o nifer o'n pentrefi cryfaf fod ein cefnogaeth yn gwanhau. Ond yn rhyfeddol, gwelwyd hefyd fod cefnogaeth o'r newydd yn dod atom mewn rhai mannau a'n gobaith oedd y byddai hynny, ynghyd â'r bleidlais bersonol oedd gennyf yn ddigon i wrthsefyll y cynnydd i Lafur. Ni chymerwyd dim yn ganiataol, a dyna'r ymgyrch ddwysaf i mi fod yn rhan ohoni erioed. Gweithiodd fy nghefnogwyr yn ddiarbed, gan ddod allan noson ar ôl noson, law neu hindda er mwyn sicrhau'r bleidlais olaf. Cofiaf un achlysur a ninnau'n dosbarthu yn Llanfachraeth, pentref yng ngogledd yr ynys, a'r glaw yn pistyllio. Rhedai'r dŵr hyd wynebau'r gweithwyr a cherddasant drwy byllau dwfn i gyrraedd pob tŷ. Dyna oedd ymroddiad llwyr i'r ymgyrch, a gwyddwn, beth bynnag fyddai'r canlyniad, nad diffyg ymdrech fyddai'n gyfrifol pe byddem yn colli'r sedd. O wybod y byddai datganoli yn ôl ar yr agenda yn dilyn yr etholiad, dyna reswm ychwanegol i roi'r ysgwydd yn llwyr dan y baich.

Wth gerdded i mewn i'r neuadd gyfrif ym Mhlas Arthur a hynny rhyw awr hanner wedi dechrau'r cyfrif, gwelais John Wynne fy asiant yn y coridor a gwên fawr ar ei wyneb. 'Ti mewn,' meddai wrthyf yn hyderus. 'O faint?' meddwn i, 'O ddigon,' meddai a minnau'n synhwyro fod y canlyniad yn debyg o fod yn well nag yn 1992. Cynyddais y mwyafrif o 1,106 i 2,481 a chodi'r ganran i 39.5%. Yr oedd yr ymgeisydd Llafur, Owen Edwards, a'i gefnogwyr yn hynod o siomedig gan eu bod wedi disgwyl ennill y tro hwnnw. Ond i mi a'm cefnogwyr dyna'r fuddugoliaeth orau o'r cyfan mewn gwirionedd. Er nad oes dim yn curo'r fuddugoliaeth gyntaf ar sawl ystyr, yn 1997 yr oeddem wedi gwrthsefyll ton anferth a ysgubodd ymaith dros 170 o aelodau seneddol ledled Prydain gan sicrhau'r mwyafrif mwyaf i Lafur erioed. Cynyddodd Cynog ac Elfyn eu mwyafrif hefyd, ac er i fwyafrif Dafydd Wigley lithro, llwyddodd i gael dros hanner y bleidlais. Aeth y pedwar ohonom yn ôl i San Steffan gan wybod y byddai'r Senedd newydd yn hanesyddol a hynny am fwy nag un rheswm. Ac i minnau yr oedd elfen fawr o ryddhad personol o weld nad oedd fy ngyrfa wleidyddol ar ben.

PENNOD 5

Cymru'n Deffro

PENDERFYNODD EIRIAN A minnau y byddem yn teithio i Gaerdydd ar gyfer cyhoeddi canlyniad refferendwm 1997. Roeddwn yn weddol hyderus y byddai canlyniad ffafriol, ac nid oeddwn am golli'r cyffro a hynny'n gwneud yn iawn rywsut am ganlyniad 1979.

Roedd holl deimlad ymgyrch 1997 mor wahanol i honno yn 1979. Bryd hynny, a minnau'n dal yn fy ugeiniau, yn briod a thri o blant dan bump oed, rhan gymharol fechan a chwaraeais yn yr ymgyrch. Fe siaredais o blaid datganoli mewn nifer o gyfarfodydd cyhoeddus ledled gogledd ddwyrain Cymru a dosberthais daflenni sawl noson, a nifer o'r rheini yn daflenni Llafur nad oedd aelodau'r blaid honno yn fodlon eu rhannu. Cofiaf fynd efo criw i Fwcle ar noson oer tua diwedd yr ymgyrch a theimlo'n ddigon llechwraidd yn rhoi taflen Lafur drwy'r blwch llythyrau, rhag ofn i'r trigolion synhwyro rhywsut mai cenedlaetholwyr oedd wrthi.

Cofiaf fynd i'r cyfrif yn 1979 gan wybod mai NA fyddai'r canlyniad. Yr unig obaith a goleddwn oedd y byddai hi'n agosach na'r darogan. Ond nid felly yr oedd hi, a Chlwyd fel gweddill siroedd y dwyrain yn pleidleisio'n drwm yn erbyn. Un llygedyn bach o obaith a ddaeth i'm rhan y noson honno oedd clywed sgwrs rhwng dau ymgyrchydd NA yn nhai bach y neuadd gyfrif. 'That's put those bloody nationalists in their place,' meddai un yn dalog. Atebodd y llall, 'I'm not so sure, they're the types that never give up.' Gyda'r geiriau rheini yn fy nghlustiau, euthum adre fymryn yn fwy bodlon y noson honno.

Erbyn 1997 roeddwn wedi bod yn Aelod Seneddol Ynys Môn ers degawd. Roeddwn yn gwbl benderfynol y byddwn yn chwarae mwy o ran yn ymgyrch yr ail refferendwm a thaflu holl bwysau'r Blaid tu ôl iddi. Rhaid cyfaddef nad oeddwn yn teimlo creithiau '79 lawn cymaint â rhai o'm cydweithwyr agosaf. Roedd Dafydd Wigley yn gwybod cymaint o boen aeth y Blaid drwyddi yn dilyn methiant '79, gyda'r holl gecru mewnol difaol bron â dod â'r Blaid i'w thranc. Teimlai, a hynny'n hollol naturiol, y gallai methiant arall fod yn ergyd farwol iddi.

Roedd yr amgylchiadau gwleidyddol yn wahanol iawn yn 1997. Erbyn dechrau 1979, roedd llywodraeth Lafur Jim Callaghan ar ei mwyaf gwantan, wedi bron i bum mlynedd o frwydro gwaedlyd ar sawl ffrynt. Roedd hi'n hesb o syniadau, wedi blino, a mwyafrif yr etholwyr yn awchu am newid. Yn 1997 fodd bynnag, roedd llywodraeth Lafur Tony Blair newydd ennill mwyafrif sylweddol ac yn gynnar yn ei theyrnasiad a nifer fawr o'r etholwyr yn teimlo fod gwawr newydd ar dorri wedi deunaw mlynedd o lywodraeth Geidwadol. Bu penodi nifer o Ysgrifenyddion Gwladol o'r tu allan i Gymru yn y cyfnod hwnnw i wasanaethu yn y Swyddfa Gymreig yn help i'r ymgyrch a phenodiad John Redwood yn fonws ychwanegol. Er nad oedd Tony Blair ei hun yn ddatganolwr wrth reddf, teimlai y byddai'n rhaid iddo fynd ati i weithredu ar gynlluniau'r diweddar John Smith fel y soniais eisoes.

Un o'r penderfyniadau anodd y bu'n rhaid inni ei wneud oedd cytuno ar rôl y blaid yn yr ymgyrch. Y dewis oedd naill ai i daflu ein holl bwysau tu ôl i'r ymgyrch IE, neu ar y llaw arall i ganolbwyntio ar ymgyrch o blaid hunanlywodraeth, a gadael i'r Blaid Lafur ysgwyddo'r cyfrifoldeb o ymgyrchu o blaid y Cynulliad. O leiaf byddai'r ail ddewis yn ei gwneud hi'n glir ym meddwl yr etholwyr nad anifail y cenedlaetholwyr oedd y Cynulliad, a phe na fyddai'r ymgyrch IE yn llwyddo, ni fyddai'n cael ei weld fel methiant Plaid Cymru.

Roedd Cynog Dafis a minnau yn teimlo'n gryf nad oedd dewis mewn gwirionedd ond ymgyrchu'n gadarn o blaid pleidlais IE. Cawsom gyfarfod dyddiau yn unig wedi'r etholiad cyffredinol a chytuno hynny. Yn ein barn ni, fe fyddai dadlau o blaid cael mwy nag un cwestiwn ar bapur pleidleisio'r refferendwm yn creu dryswch. Fodd bynnag, cytunem y dylid pwyso am gydraddoldeb â'r Alban yn nyddiau cynnar yr ymgyrch.

Ar y degfed o Fai 1997 cyfarfu Cabinet Cysgodol y Blaid lle cafwyd y drafodaeth gyntaf ar y refferendwm yn dilyn yr etholiad. Gwyddwn fod Dafydd Wigley yn awyddus i sicrhau ein bod yn ymgyrchu o blaid hunanlywodraeth lawn, a hynny yn sgil ei brofiadau yn dilyn refferendwm 1979. Golygai hynny y byddem yn ymgyrchu o blaid ail gwestiwn yn y refferendwm. Dadleuais mai'r cynllun gorau oedd ymgyrchu o blaid cydraddoldeb â'r Alban, gan y byddai mwyafrif ein haelodau eisiau rheswm da dros gefnogi sefydlu'r Cynulliad, a hynny heb deimlo'n euog. Cefais gefnogaeth i'm safbwynt, ac o leoedd annisgwyl yn wir. Ond roedd Dafydd yn parhau i ddadlau o blaid ail gwestiwn. Mewn cyfarfod o'r Pwyllgor Gwaith a gyfarfu yn y prynhawn, cyflwynodd Dafydd farn mwyafrif y Cabinet er nad oedd o'n cytuno â hi. Yn y diwedd cafwyd cyfaddawd, gan gytuno y byddem yn ymgyrchu o blaid cydraddoldeb â'r Alban ond yn cynnig gwelliant i fesur y refferendwm yn gofyn am fwy nag un cwestiwn ac un o'r rheini fyddai cydraddoldeb.

Adroddodd Dafydd fod nifer o gynghorwyr Llafur yn y cymoedd yn debyg o ymgyrchu yn erbyn sefydlu'r Cynulliad. Gwyddwn ei fod wedi ei gleisio'n ddrwg yn dilyn canlyniad refferendwm 1979 ac nid oedd am weld y Blaid yn mynd trwy'r un broses boenus unwaith yn rhagor. Er y gallwn gydymdeimlo â'i safbwynt, gwyddwn hefyd fod ennill y tro hwn o fewn ein cyrraedd, a thrwy ei gwneud hi'n hawdd i gefnogwyr y Blaid bleidleisio IE, gallai hynny fod yn ddigon.

Ar y trydydd ar ddeg o Fai cawsom gyfarfod efo Ron Davies yn y Swyddfa Gymreig. Mi roedd o yn awyddus i sicrhau ein cefnogaeth i'r ymgyrch o blaid sefydlu'r Cynulliad. Cyflwynodd yr amserlen, sef y gobeithiai weld deddf refferendwm yn cwblhau ei thaith drwy'r ddau dŷ erbyn diwedd Gorffennaf a chynnal y refferendwm ym mis Medi. Y diwrnod canlynol cefais sgwrs efo Rhodri Morgan. Teimlai'n hynod o chwerw na chawsai swydd yn llywodraeth Tony Blair. Roedd Blair wedi awgrymu wrtho na chawsai swydd oherwydd ei oed, ond teimlai Rhodri ei fod wedi dangos gormod o annibyniaeth barn ac mai hynny oedd y gwir reswm.

Ar yr ail ar hugain o Fai, diwrnod fy mhen-blwydd yn bedwar deg wyth oed, cefais y fraint o arwain cyfraniad y Blaid i'r ddadl ar ail ddarlleniad mesur y refferendwm. Er fy mod yn dadlau o blaid sicrhau ail gwestiwn ar bwerau deddfu a threthu, gwneuthum hynny mewn ffordd oedd yn gydsyniol a chymodlon. Teimlwn mai dyma oedd yr amser i'r rhai o bob plaid oedd ar ochr gwleidyddiaeth flaengar i gydweithio er lles Cymru.

Ddiwedd Mai cefais gyfarfod efo Cynog, Karl Davies, Marc Phillips a Dafydd Williams pan gytunwyd y byddem yn ymgyrchu o blaid cydraddoldeb â'r Alban tan cyhoeddi'r Papur Gwyn ar ddatganoli ddiwedd Gorffennaf. Hefyd cefais sgwrs efo Leighton Andrews a Mari James ynglŷn â sefydlu'r mudiad 'Ie Dros Gymru' fel corff ymbarél i ymgyrchu. Yn ôl Mari roedd llawer o'r aelodau yn gefnogol i'r Blaid Lafur er nad oedd ganddynt fawr o brofiad o ymgyrchu mewn gwirionedd.

Mewn dadl seneddol ar y gilotîn ar yr ail o Fehefin, gwelais rai o'r Toriaid ar eu mwyaf haerllug, aelodau megis Bill Cash, Nicholas Winterton a'r Cymro Nigel Evans. Roedd eu hymlyniad wrth yr 'Undeb' ar ei fwyaf croch ac mai'r unig ffordd i'w amddiffyn oedd gwrthod datganoli. Yn ddiweddarach yn y trafodaethau cafwyd safbwynt llawer mwy cymodlon gan William Hague pan ddywedodd y byddai'r Toriaid yn derbyn y newidiadau pe byddai pobl Cymru a'r Alban yn eu cefnogi yn y refferendwm. Ar y pedwerydd o Fehefin, gwrthodwyd gwelliannau'r Blaid ar ail gwestiwn gan fwyafrif sylweddol iawn, a rhaid cyfaddef fod hynny er mawr ryddhad i rai ohonom.

Fodd bynnag, roedd Karl Davies yn poeni y byddai'n anodd cael rhai o weithwyr y Blaid yng nghymoedd y de i ymgyrchu o blaid pleidlais IE. Yno roedd y frwydr wleidyddol ar ei mwyaf llwythol a hynny o'r ddwy ochr! Daeth hynny yn amlwg mewn cyfarfod o'r Cyngor Cenedlaethol ar yr unfed ar hugain o Fehefin. Cafwyd nifer o sylwadau negyddol, yn bennaf gan gynrychiolwyr o'r cymoedd. Un sylw oedd, 'I'll vote for it, but I won't campaign for it.' Er i'n cynnig o blaid ymgyrchu dros gynlluniau'r llywodraeth gario, mwyafrif cymharol fach a gawsom. Yn dilyn hyn, teimlai Dafydd Wigley y byddai'n rhaid adlewyrchu'r farn ranedig a bod y blaid fel plaid yn ymgyrchu yn y refferendwm yn hytrach nag o dan ymbarél 'Ie Dros Gymru' ac mai ymgyrchu o blaid hunanlywodraeth y dylem. Roedd Cynog, Elfyn a minnau o'r farn mai cadw at y cynllun gwreiddiol fyddai orau. Cyflwynwyd y Papur Gwyn ar yr ail ar hugain o Orffennaf, ac mewn cyfarfod o'r Cyngor Cenedlaethol ar y chweched ar hugain o'r mis, roedd agwedd yr aelodau wedi newid yn llwyr, a'r holl waith a wnaed i baratoi'r ffordd wedi talu ar ei ganfed. Cytunwyd y dylem ymgyrchu dan faner 'Ie Dros Gymru' a hynny er mawr ryddhad personol i mi.

Ers f'ethol yn Aelod Seneddol, roeddwn wedi sylweddoli fod angen gwella, moderneiddio a chryfhau peirianwaith ymgyrchu'r Blaid. Nid oedd ein dulliau ymgyrchu wedi newid fawr ddim ers dyddiau llesmeiriol y chwedegau. Bryd hynny, bu'n rhaid i'r Blaid roi system ymgyrchu newydd yn ei lle yn dilyn buddugoliaeth Gwynfor Evans yn isetholiad Caerfyrddin yn 1966, ac i ymgyrchu yn isetholiadau Gorllewin y Rhondda (1967), Caerffili (1968) a Merthyr yn 1972. Yr un dulliau ymgyrchu a ddefnyddid yn Arfon a Meirionnydd yn 1974 pan enillodd Dafydd Wigley a Dafydd Elis-Thomas am y tro cyntaf, ac yn ei hanfod yr un system a ddefnyddiwyd ym Môn yn 1987. Un agwedd lafurus ar y system honno oedd gorfod ailysgrifennu'r rhestr etholwyr mewn ardaloedd lle roedd y gofrestr yn nhrefn yr wyddor yn hytrach na threfn cerdded. Mewn ardaloedd gwledig, trefn yr wyddor a fodolai, ac o ganlyniad treuliai nifer o'n haelodau oriau ben bwy'i gilydd yn eu haildrefnu. Byddai angen aelodau efo gwybodaeth leol iawn i wneud y gwaith yma, er mwyn sicrhau trefn gerdded gywir.

Gan mai fi a gafodd y gwaith o drefnu rhan y Blaid yn ymgyrch y refferendwm, gwyddwn fod angen gwell trefn ar ein dulliau ymgyrchu. Byddai mynd o ddrws i ddrws ar hyd a lled Cymru yn fwy na allai ein peirianwaith ddygymod ag o, a rhaid oedd canfod dull arall o gysylltu â'r etholwyr. Lle roedd y peirianwaith yn caniatáu, a hynny yn ein hardaloedd cryfaf, byddai ymgyrchu o ddrws i ddrws yn digwydd, ond fel arall byddai angen ffonio cymaint o bobl ag y gallem ar draws Cymru.

Roedd nifer o sgeptigiaid ymhlith aelodau'r Blaid ynglŷn â'r drefn newydd. Doedd y syniad o ffonio pobl ddim yn apelio atynt, a gallai fod yn wrthgynhyrchiol, meddent. Ond roeddwn wedi perswadio f'aelodau ym Môn i ddefnyddio canfasio ffôn am y tro cyntaf yn ystod etholiad cyffredinol 1997 a bu'n llwyddiant mawr fel y gwelwyd yn y bennod flaenorol. Felly, euthum ati i sefydlu'r drefn newydd ar gyfer y refferendwm.

Ar y nawfed ar hugain o Fai cyflwynais adroddiad i'r swyddfa ganol yn dweud bod angen neilltuo swm sylweddol i drefnu ymgyrch canfas ffôn mewn wyth etholaeth, sef y bedair oedd yn nwylo'r Blaid ac ychwanegu Llanelli, Caerfyrddin, Gorllewin Clwyd a Chonwy at y rhestr. Erbyn mis Mehefin, roeddwn yn awgrymu y dylid cael chwe deg o linellau ffôn, wyth cyfrifiadur a chynllun hyfforddi manwl. Byddai angen £35,000 i weithredu'r cynllun. Cytunwyd hynny gan y Pwyllgor Gwaith ar y pedwerydd ar ddeg o Fehefin. Cefais wybod bod Llafur yn awyddus i ni ychwanegu rhai wardiau yn etholaethau'r cymoedd at ein rhestr yn arbennig lle'r oedd gennym gynghorwyr.

Er bod yr ymgyrch ymbarél ac ymgyrch Llafur ar wahân o safbwynt y cyhoedd, roedd llawer o gyd-drafod yn digwydd yn y cefndir. Gwyddwn fod Dafydd Wigley a Ron Davies yn trafod yn gyson a deuai Dafydd yn ôl gydag adroddiadau cyson o safbwynt y negeseuon gwleidyddol. Penderfynwyd mai fy nghyswllt innau ar lefel ymgyrchu fyddai Andrew Davies a oedd bryd hynny yn drefnydd cyflogedig efo'r Blaid Lafur. Yn ddiweddarach, fe'i hetholwyd fel Aelod Cynulliad dros Orllewin Abertawe a buom yn gyd-weinidogion yn Llywodraeth Cymru'n Un.

Trefnwyd y cyfarfod cyntaf rhwng Andrew a minnau yn

fy fflat yn Llundain a oedd ar y ffin rhwng West Kensington a Fulham ar y pedwerydd ar bymtheg o Fehefin. Ni feiddiem gael ein gweld efo'n gilydd mewn lle mor gyhoeddus â San Steffan. Cawsom gyfle i ddod i adnabod ein gilydd a chyfle i drafod fy mwriad i sefydlu canolfan ffôn yng Nghaerdydd. Dywedodd Andrew fod y Blaid Lafur am neilltuo cyllid sylweddol i'r ymgyrch ac am geisio sicrhau fod Tony Blair yn chwarae rhan amlwg. Awgrymodd fod eu polau piniwn mewnol yn dangos cefnogaeth i'r Cynulliad, ond mai bregus oedd y gefnogaeth. Amlinellodd rai o brif themâu'r ymgyrch gan Lafur, sef fod Cymru'n cael cam, ein bod ymhell o Lundain a bod angen cael gwared ar y cwangos!

Cyfarfu Andrew a minnau droeon yn ystod yr ymgyrch, minnau yn rhoi adroddiadau'n ôl o ganlyniadau'r canfasio ffôn, ac yntau yn rhoi rhagwybodaeth o be fyddai'n digwydd yn ymgyrch y Blaid Lafur. Byddem yn ystyried yn hynod ofalus lle byddem yn cyfarfod. Cofiaf un achlysur yn arbennig a ninnau'n cwrdd mewn bwyty ar Heol y Bont-faen, ac Andrew yn dweud mai pennawd y *Daily Mirror* y diwrnod canlynol fyddai datganiad gan Ryan Giggs y pêl-droediwr rhyngwladol yn cefnogi ymgyrch IE. Byddai hynny yn sicr o helpu ymhlith carfan go helaeth o'r etholwyr. Penododd y Blaid Lafur bedwar o drefnwyr rhanbarthol i weithio ar eu hymgyrch, gan hepgor etholaethau gorllewin Cymru. Datgelodd rai o'r negeseuon oedd yn taro tant efo'r etholwyr drwy grwpiau ffocws ei blaid, megis 'Wales deserves a Voice' a 'Don't let Wales get left behind'. Er bod y defnydd o grwpiau ffocws yn newydd bryd hynny, fe'i defnyddiwyd yn helaeth yn y cyfnod a ddilynodd a hynny gan bob plaid.

Ddechrau Gorffennaf ymwelais â phob etholaeth yn y gorllewin a chael sgwrs efo'n gweithwyr. Roedd brwdfrydedd y gweithwyr yn amlwg, ac er bod nerfusrwydd yn eu plith ar ddefnyddio ffôn a chyfrifiadur, roeddent yn barod iawn i dderbyn yr her. Ar y pumed o Orffennaf, cynhaliwyd sesiwn briffio lawn i'r gweithwyr ar y defnydd o ganfas ffôn a chofnodi'r canlyniadau ar feddalwedd arbennig. Arweiniwyd yr hyfforddiant gan Robat Trefor a Bethan Wyn Jones a fu'n bennaf gyfrifol am weithredu'r cynllun ym Môn yn etholiad Mai 1997.

Wedi trafod gyda Karl Davies, Prif Weithredwr y Blaid, penderfynwyd y byddem yn troi seler ein swyddfa yn Park Grove yng Nghaerdydd yn ganolfan ffôn. Byddai digon o le yno i gael banc o ffonau, cadeiriau a sgriniau i leihau'r sŵn. Rhaid oedd sicrhau gwasanaeth trefnydd dibynnol oedd yn adnabod aelodau a chefnogwyr y Blaid yng Nghaerdydd a'r cyffiniau yn dda i sicrhau rota o deleffonwyr i wneud y gwaith. Y person a awgrymwyd imi fel un cwbl addas i ymgymryd â'r dasg oedd Owen John Thomas. Roedd Owen John yn adnabyddus yn y ddinas fel cefnogwr brwd i'r Blaid, yn ymgyrchydd profiadol ac wedi dysgu Cymraeg yn rhugl. Bu'n benodiad ysbrydoledig a threfnodd Owen John y cyfan yn gampus. Credai mai da fyddai i mi roi briff i'r darpar deleffonwyr, a chefais gyfarfod o ddeugain ohonynt yn y seler gan ddweud wrthynt fod y dull newydd yma o gysylltu efo etholwyr yn golygu y gallem siarad efo cymaint mwy na cherdded o ddrws i ddrws. Ymhlith y criw'r noson honno oedd y seiciatrydd a'r llenor Harri Pritchard Jones, ei wraig Lenna a fu'n gynhyrchydd radio a'r actores Elisabeth Miles.

Yn ystod yr ymgyrch, llwyddodd banc ffonau'r Blaid i siarad efo rhwng 40 a 45,000 o etholwyr, a gwneud cyfraniad amhrisiadwy i'r ymgyrch. Credwyd ein bod wedi cael dylanwad ar tua 15% i gefnogi pleidlais IE. Gan mai 7,000 oedd mwyafrif y bleidlais IE, gellir dweud fod ymgyrch y Blaid wedi bod yn allweddol. Er mai dulliau braidd yn gyntefig oedd gennym i gofnodi ymatebion, torrwyd tir newydd o ran ymgyrchu. Hefyd, roeddem yn casglu gwybodaeth hynod ddefnyddiol ynglŷn ag ymateb pobl i wahanol negeseuon ac yn gallu bwydo hynny yn ôl i'r ymgyrch ymbarél. Er mai digon di-drefn oedd yr ymgyrch honno ar brydiau, gyda thaflenni yn cyrraedd yn hwyr, roedd y wybodaeth a gasglwyd yn fodd o fireinio'r negeseuon mewn deunyddiau ymgyrchu.

Heb amheuaeth, ymgyrch y Blaid oedd yr un fwyaf effeithiol o ran cysylltu efo pobl, casglu gwybodaeth a chael syniad eithaf da o fwriadau pleidleisio pobl. Yn seiliedig ar y data a gasglwyd, roeddwn yn weddol hyderus y gallai fod canlyniad ffafriol ar y deunawfed o Fedi. Un mater bach a'm pryderai oedd y ffaith i'r ymgyrch golli momentwm yn dilyn marwolaeth y Dywysoges Diana ar y diwrnod olaf o Awst. Roedd y gwynt yn ein hwyliau yn ystod mis Awst, ac yn naturiol ddigon bu'n rhaid gohirio'r ymgyrchu am rai dyddiau yn nechrau mis Medi. Mae'n anodd dweud hyd heddiw beth oedd effaith y digwyddiad hwnnw ar yr ymgyrch, ond fy ngreddf i oedd bod peth o'r momentwm wedi ei golli.

Rhaid cydnabod, fodd bynnag, fod 'na densiynau mewnol yn parhau ar hyd cyfnod yr ymgyrch. Roedd Dafydd Wigley am i'r Blaid ymgyrchu fel plaid a hynny am y rhesymau a nodais eisoes. Gwnaeth ei safbwynt yn glir mewn llythyr a anfonodd at Karl Davies ar y chweched ar hugain o Awst gan fynegi ei fod yn poeni am effaith pleidlais NA arnom. Fy nheimlad i ac eraill oedd y dylem barhau i ymgyrchu o dan ymbarél 'Ie Dros Gymru', ac y byddai i ni ymgyrchu fel arall yn drysu'r aelodau. Er y gwyddem mai bach iawn o gapasiti ymgyrchu oedd gan 'Ie Dros Gymru', a hynny'n dod yn gynyddol amlwg wrth i'r ymgyrch boethi, roeddwn yn hyderus y gallai ein dulliau ymgyrchu ni fod yn ddigon.

Aeth Eirian a minnau ar y daith honno i Gaerdydd ddiwedd y prynhawn ar y deunawfed o Fedi yn hyderus y byddem yn ennill. Taflwyd peth dŵr oer ar ein hwyliau pan gefais alwad ffôn gan Karl Davies. Dywedodd Karl fod adroddiadau o ardaloedd cryf y Blaid Lafur nad oedd pethau yn mynd cystal ag a ddisgwylient, a bod nifer o'u cefnogwyr wedi dweud wrth aelodau'r blaid honno na fyddent yn cefnogi'r bleidlais IE. Er nad oedd hynny o angenrheidrwydd yn rheswm i anobeithio, teimlais y gallai'r canlyniad fod yn llawer agosach nag a ddymunem.

Wedi cyrraedd Gwesty'r Park yn y ddinas, roedd criw mawr o gefnogwyr yn paratoi i ddathlu buddugoliaeth hanesyddol. Ychydig ohonynt a ragwelai'r ddrama fawr oedd ar fin ei pherfformio hyd oriau mân y bore. Wrth i'r canlyniadau cynnar ddod i mewn roedd hi'n edrych yn eithaf du ar ein gobeithion. Roedd sir ar ôl sir yn nwyrain Cymru, ar wahân i eithriadau prin megis Blaenau Gwent a Chaerffili wedi pleidleisio yn ein herbyn. Yn y gorllewin, roedd pethau yn fwy cadarnhaol, er i Benfro ddweud NA, ac i Ynys Môn gefnogi o drwch blewyn yn unig. Rhaid dweud ein bod yn digalonni. Er mai testun llawenydd oedd y ffaith fod un o'n dinasoedd, Abertawe, wedi'n cefnogi gwyddwn fod mwyafrif poblogaeth Cymru yn y dwyrain diwydiannol.

Cofiaf sefyll wrth y bar yn y gwesty yn siarad efo Jon Snow, y newyddiadurwr a chyflwynydd rhaglen Newyddion Sianel 4. Roedd yntau wedi dod i'r casgliad mai ymgyrch NA fyddai'n llwyddo. 'What's wrong with you Welsh?' meddai, 'rejecting even this small measure of devolution!' Cymerais ran mewn trafodaeth deledu yng nghastell Caerdydd cyn cyhoeddi canlyniad Caerfyrddin a chyfaddef ei bod hi'n ymddangos ar ben arnom. Yna, fe ddaeth goleuni, a'r sibrydion fod y canlyniad yng Nghaerfyrddin nid yn unig yn gefnogol, ond bod y mwyafrif yno yn ddigon i droi'r fantol. Llawenydd wedi'r cwbl, ac yn union wedi cyhoeddi'r canlyniad terfynol, aeth yr holl le'n wallgof. Pawb yn neidio hyd yddfau ei gilydd, a phawb yn ffrindiau'r bore hwnnw. Roeddwn yn teimlo rhyddhad hyfryd fod ymgyrch y Blaid wedi cyfrannu'n sylweddol i'r newid cyfansoddiadol mwyaf yng Nghymru ers canrifoedd.

Cyfnod Newydd i Blaid Cymru

ER BOD YMGYRCH IE wedi llwyddo, gwyddwn fod gwaith sylweddol i'w wneud yn y Senedd yn Llundain i wella a chryfhau'r ddeddfwriaeth fyddai'n sefydlu'r Cynulliad. Wedi'r cwbl, corff gwan iawn oedd dan sylw, yn gorff mewn gwirionedd fyddai'n cymryd drosodd rôl weinyddol y Swyddfa Gymreig, a phwerau dros is-ddeddfau yn unig. Byddai'n derbyn arian o floc y Trysorlys yn union fel y gwnâi'r Swyddfa Gymreig, er y gellid newid rhyw gymaint ar y blaenoriaethau gwariant. Ond ymylol iawn oedd yr hawl hwnnw hefyd, gan fod mwyafrif llethol yr arian i'w ddosrannu'n uniongyrchol i wasanaethau megis iechyd, addysg, cyllido llywodraeth leol ac yn y blaen.

Strwythur llywodraeth leol oedd i'r corff newydd. Gweithredai drwy system o bwyllgorau, a byddai Cadeirydd pob pwyllgor yn gweithredu'r penderfyniadau. Gweithredai'r Prif Ysgrifennydd arfaethedig fel rhyw fath o brif Gadeirydd. Roedd nifer ohonom yn gweld hwn fel cynllun hollol anymarferol a byddai angen ei newid wrth i'r ddeddfwriaeth ymlwybro drwy'r Senedd. Cafwyd sawl newid i'r mesur ond o bosib yr un pwysicaf oedd hwnnw lle cytunwyd y dylid cael trefn cabinet i'r weinyddiaeth.

Mater arall a achosai gryn bryder i mi oedd rôl y gwasanaeth sifil yn y drefn. Sefydlwyd Corff Ymgynghorol dan gadeiryddiaeth John Elfed Jones i edrych ar weithdrefnau'r Cynulliad. Gan mai system bwyllgorau oedd dan sylw ar y pryd, teimlwyd y byddai'n rhaid i weision sifil fod yn atebol i'r holl aelodau yn ogystal ag i'r weinyddiaeth. O'm profiad fel Aelod Seneddol, gwn na fyddai hynny yn gweithio, gan mai gweision i'r weinyddiaeth (neu lywodraeth) yw gweision sifil, ac ni allent wasanaethau dau arglwydd fel petai. I'm tyb i, roedd y Corff Ymgynghorol yn hynod naïf wrth gredu y gellid gweithredu fel arall. Yn wir un o'r achosion cyntaf o wrthdaro oedd yn Swyddfa Llywydd y Cynulliad ym misoedd yr haf 1999 pan benodwyd gweision sifil i weinyddu ei swyddfa. Gwelwyd yn fuan nad oedd modd iddynt ymddihatru'n hawdd o fod yn deyrngar i'r llywodraeth, ac nad oeddent yn gallu rhoi cyngor annibynnol i'r Llywydd.

Er y newidiadau a wnaed i'r ddeddfwriaeth yn ystod y trafodaethau seneddol, gwyddwn mai corff hynod o wan oedd ein Cynulliad Cenedlaethol. Heb bwerau deddfu cynradd, heb bwerau trethiant, ac wrth weithredu fel corff corfforaethol yn hytrach na Senedd a Llywodraeth wedi'u gwahanu, prin oedd y cyfle i wneud gwahaniaeth. Ond gwyddwn mai dechrau'r daith oedd hyn, a beth bynnag oedd ein pryderon, rhaid oedd gwneud y gorau ohono a chryfhau'r sefydliad gam wrth gam.

Wedi etholiad 1997, deuthum yn raddol i'r casgliad na allwn barhau fel Aelod Seneddol lawer yn hwy. Erbyn diwedd fy nhrydydd tymor byddwn wedi bod yn y swydd ers pedair blynedd ar ddeg, ac fel aelod o'r meinciau cefn, prin oedd y cyfleoedd i sicrhau rhai o'r newidiadau roeddwn am eu gweld. Roedd Senedd 1992-97 wedi bod yn eithaf cynhyrchiol, gan mai bychan oedd mwyafrif y Ceidwadwyr, a chyfle wedi bod i ddylanwadu yn ystod trafodaethau Cytundeb Maastricht. Erbyn 1997 a Llafur efo mwyafrif llethol, roedd unrhyw ddylanwad oedd gennym fel plaid wedi ei golli.

Rhennais fy nheimladau efo Eirian a Robat Trefor oedd yn drefnydd y Blaid ym Môn erbyn hynny. Ond yn fwy na hynny roedd Robat yn gyfaill. Gwyddwn y gallwn drafod yn agored efo fo gan wybod y cadwai'r sgyrsiau yn gyfrinachol. Euthum drwy nifer o opsiynau posib, sef ystyried sefyll ar gyfer Senedd Ewrop fel y gwnaeth Dafydd Elis-Thomas yn 1989 a Dafydd Wigley yn 1994, neu hyd yn oed rhoi'r gorau i wleidyddiaeth yn llwyr. Byddai rhoi'r gorau iddi yn codi nifer o sialensiau, ac nid y lleiaf ohonynt oedd na allwn yn hawdd fynd yn ôl i fyd y gyfraith. Wedi bod allan ohoni gyhyd, byddai angen cyfnod o ailhyfforddi, fel y bu'n rhaid i Gordon Wilson arweinydd yr SNP ei wneud ar ôl colli ei sedd yn 1987.

Ar ôl ennill Refferendwm 1997 gwyddwn fod drws arall ar fin agor, sef symud o fod yn Aelod Seneddol yn Llundain i fod yn Aelod Cynulliad yng Nghaerdydd. Er y byddai angen trafod yn hynod o ofalus gartref ac ymhlith ffrindiau, roedd y dewis yn un hawdd mewn gwirionedd. Cofiaf sgwrs efo Dafydd Wigley ar y trydydd ar ddeg o Ionawr 1998 ac yntau'n awgrymu ei fod yn ailfeddwl sefyll am y Cynulliad, neu hyd yn oed sefyll mewn etholaeth wahanol, megis Merthyr neu hyd yn oed ar restr y Gogledd. Roedd yn poeni am arweinyddiaeth y Blaid yn y Senedd yn dilyn etholiad y Cynulliad, gan fod angen rhywun yno i barhau'r drafodaeth efo'r llywodraeth. Roedd hyn yn dipyn o syndod i mi o ystyried mai yng Nghaerdydd y dylai Arweinydd y Blaid fod, gan y byddai gennym fwy o gyfle i wneud pethau yno, gan gynnwys bod mewn llywodraeth! Erbyn hyn, roedd Cynog wedi dod i'r casgliad mai yng Nghaerdydd y gwelai ei ddyfodol gwleidyddol. Ac yn y diwedd, penderfynodd Dafydd mai sefyll yn Arfon a wnâi.

Holai Dafydd Wigley yn hollol gywir sut byddai modd i'r Blaid ymdopi efo'r tirlun gwleidyddol newydd oedd ar fin agor o'n blaenau. Gwyddwn na fyddai gwleidyddiaeth Cymru yr un fath wedi datganoli, ac wrth reswm byddai'r newid yr un mor syfrdanol i Blaid Cymru. Beth am yr arweinyddiaeth, er enghraifft? Hyd at y deunawfed o Fedi 1997 roedd y sefyllfa yn eithaf syml. Arweiniai Llywydd y Blaid (a fu'n Aelod Seneddol ers 1981) blaid gymharol fach o ran nifer, efo pedwar Aelod Seneddol a dau gant o gynghorwyr. Wedi datganoli, y tebygrwydd oedd y byddem yn blaid gymaint yn fwy, gyda'r angen am strwythurau newydd, dulliau proffesiynol o ddewis ymgeiswyr ac aelodau etholedig ar sawl lefel, gan gynnwys y Cynulliad, San Steffan, cynghorwyr ac o bosib Senedd Ewrop. Dadleuai rhai y dylid hollti rhai o gyfrifoldebau'r Llywydd a chael Arweinydd yn y Cynulliad a'r Senedd. Daeth mwy nag un cyfaill ataf gan awgrymu y dylwn ystyried cynnig am y swydd o Arweinydd yn y Cynulliad. Ond doeddwn i ddim wedi f'argyhoeddi bod angen hynny a byddai'n rhaid gweld sut y byddai pethau yn setlo i lawr wedi etholiad cyntaf y Cynulliad.

Gan fod tri ohonom wedi penderfynu symud o Lundain i Gaerdydd, gwyddem y byddai pwysau trwm yn gorwedd ar ysgwyddau Elfyn Llwyd. Ac yntau ar ei ail dymor yn San Steffan gwyddwn yn burion fod ganddo ddigon o brofiad a'r gallu i ymdopi â'r gwaith o arwain ein trafodaethau seneddol wrth i'r gweddill ohonom droi ein golygon tuag at y Cynulliad. Ond mewn gwirionedd, roedd y pwysau a roddwyd arno yn llawer mwy nag yr oedd neb ohonom wedi ei ystyried. Mae hi'n anodd cyflawni'r holl gyfrifoldebau mewn grŵp o bedwar, ond mae hi bron yn amhosibl mewn grŵp o un!

Nid oes angen i mi gyfeirio'n ormodol at y trafodaethau

seneddol a arweiniodd at basio Deddf Cymru 1998, gan fod hynny yn fater o record gyhoeddus. Yn hytrach, af ati i sôn am ymgyrch y Blaid wrth baratoi at etholiadau cyntaf y Cynulliad yn 1999. Fel y trefnydd ymgyrchoedd, y cyfrifoldeb a gefais oedd paratoi'r mudiad ar gyfer yr etholiad pwysicaf ers ei sefydlu yn 1925. Roedd pob peth a ddysgais fel gwleidydd yn y blynyddoedd blaenorol yn dweud y byddai 1999 yn rhoi llwyfan a fyddai'n fwy addawol i ni. Ethol aelodau i gorff Cymreig a fyddem, gyda maniffestos wedi'u seilio ar anghenion Cymru yn hytrach na blaenoriaethau Prydeinig. Roedd hyd yn oed y Blaid Geidwadol wedi dechrau symud o blaid datganoli, er y bu sawl cyfraniad dinosoraidd gan rai o'r aelodau etholedig ar y dechrau!

Unwaith y daeth Deddf Cymru 1998 i fodolaeth, fe'm rhyddhawyd o lawer o'r gwaith dydd i ddydd yn San Steffan ac o hynny ymlaen, treuliwn lawer o'm hamser rhwng Llundain, Caerdydd a'r etholaethau yng Nghymru – heb anghofio fy nghyfrifoldebau fel aelod Môn. Golygai hyn waith logistaidd soffistigedig. Ceisiais sicrhau fod modd teithio'n hwylus rhwng tri lleoliad: Llundain, Caerdydd ac Ynys Môn. Deuthum i'r casgliad mai'r ffordd hawsaf oedd teithio efo car i orsaf Crewe, trên i Lundain ar fore Llun, trên i Gaerdydd nos Fercher, trên i Grewe nos Iau ac adref yn hwyr y noson honno. Gan nad oedd y gwasanaethau trên o Gaerdydd i Gaergybi'r mwyaf hwylus, roedd gadael y car yng Nghrewe yn rhoi mwy o hyblygrwydd, er mai'r pris am hynny oedd blinder ar brydiau!

Y cam pwysicaf oedd sicrhau tîm yng Nghaerdydd fyddai yn gallu rhedeg ymgyrch etholiadol effeithiol. Gwariwyd llai na £50,000 yn ganolog gan y Blaid ar etholiad cyffredinol 1997. Byddai'n rhaid cael hyd i gronfa o £250,000 i ymladd etholiad y Cynulliad, ac mi roedd sicrhau hynny yn dipyn o dasg. Fodd bynnag cafwyd ei bod hi'n haws codi swm fel yna ar gyfer etholiad Cymreig. Penodwyd Huw Prys Jones, cyn-olygydd yr *Herald Gymraeg* a *Golwg* fel swyddog y wasg a Gareth Kiff a fu'n Gadeirydd Cymdeithas yr Iaith fel trefnydd yr ymgyrch. Bu'r ddau yn benodiad ysbrydoledig, gyda phrofiad Huw gyda'r wasg a gallu trefniadol Gareth yn amhrisiadwy. Yn ddiweddarach, penodwyd Catrin Huws yn ddirprwy i Karl ac mi roedd ei phrofiad hithau a'i gallu i redeg swyddfa yn gryn gaffaeliad.

Defnyddiwyd cyfrifiaduron, meddalwedd a ffonau ar gyfer yr ymgyrch a threfnwyd mwy o gyrsiau hyfforddiant i'r actifyddion. Canfyddais yn weddol fuan nad oedd rhai yn awyddus i symud at y dulliau newydd a hynny yn bennaf mi gredaf am fod nifer yn ofni'r defnydd o dechnoleg gwybodaeth! Fodd bynnag, pan welwyd beth ellid ei gyflawni mewn etholaethau cyfagos, buan y newidiwyd meddyliau. Dyma'r tro cyntaf yn hanes y Blaid i'r swyddfa ganol fwydo adnoddau i'r etholaethau ac mi roedd hynny yn sioc i lawer.

Hoffaf feddwl am y tîm ddaeth at ei gilydd yn 1998 fel arloeswyr y cyfnod o safbwynt ymgyrchu. Rhoddwyd heibio dulliau ymgyrchu'r Blaid a fu ar waith ers yr 1960au, a symud i system gyfrifiadurol a roddai wybodaeth amserol i'r tîm ymgyrchu canolog. Mireiniwyd y dulliau a ddefnyddiwyd yn ystod ymgyrch y refferendwm. Golygai hyn y gallem ymateb yn gynt o lawer i newidiadau yn yr hinsawdd wleidyddol, ac os oedd angen symud adnoddau i seddau gobeithiol. Yn y gorffennol, roedd hynny yn amhosibl gan y dibynnem yn llwyr ar adroddiadau llafar ac actifyddion lleol yn aml yn rhoi gogwydd mwy ffafriol ar ganlyniadau canfasio nag oedd y gwir ganlyniadau yn dangos! Ar ben hynny gwnaed defnydd helaeth o ganfasio ffôn ac mi roedd ein profiad ni ym Môn yn dangos fod y canlyniadau yn gywirach na chanfas o ddrws i ddrws. Roedd yr etholwyr yn fwy parod i ddweud y gwir mewn ymateb i alwad ffôn.

Defnyddiai'r SNP feddalwedd arbennig i gasglu a dadansoddi data. Aeth Karl, Robat a minnau i'r Alban ym mis Chwefror 1998 i weld a oedd modd defnyddio'r meddalwedd i'n dibenion ni. Yn y diwedd penderfynwyd y dylid ei ddefnyddio gan na fyddai digon o amser gennym i gomisiynu meddalwedd amgen.

Canlyniad y dulliau newydd o ymgyrchu oedd bod y swyddfa ganol yn cael peth wmbreth mwy o wybodaeth am y gefnogaeth i'r Blaid nag mewn unrhyw gyfnod blaenorol. Llifai canlyniadau canfasio i swyddfa Caerdydd yn ddyddiol. Cofiaf gyflwyno adroddiad i'n Llywydd Dafydd Wigley a'r Pwyllgor Gwaith mai rhywle rhwng deuddeg a phymtheg o seddi y gallem ddisgwyl yn etholiad 1999. Ond, mi ddechreuodd y canlyniadau canfasio ddangos yn eithaf cynnar y gallem wneud yn well na hynny. Yn aml, byddai Gareth a minnau yn edrych ar ein gilydd mewn syndod a bron yn methu credu y gallai'r canlyniadau fod cystal. Doedd y Blaid erioed wedi gweld cefnogaeth fel hyn ers ei sefydlu yn 1925. Teimlai hyd yn oed 1997 fel oes a fu!

Ochr yn ochr â'r drafodaeth ar ymgyrchu, ceisiodd rhai ohonom drafod cynllun i wneud y Blaid yn fwy atyniadol i etholwyr nad oedd erioed wedi ystyried ein cefnogi'n flaenorol. Gofynnais i Cynog a fyddai'n cefnogi cynnwys fersiwn Saesneg o enw'r Blaid sef 'Party of Wales'. Teimlai'n anghyfforddus ynglŷn â'r bwriad. Fodd bynnag fe gefnogai'r angen i lansio delwedd newydd i'r Blaid fel 'Plaid Cymru gyfan'.

Ar y deunawfed o Chwefror cawsom gyfarfod grŵp i drafod y ffordd ymlaen i'r Blaid yn dilyn y refferendwm. Teimlai Cynog a minnau bod angen bod yn feiddgar er mwyn sicrhau cefnogaeth newydd. Er bod Elfyn yn hapus efo'r bwriad i gael fersiwn Saesneg o'r enw, roedd Cynog yn llugoer a Dafydd yn poeni a fyddem yn llwyddo i'w sicrhau mewn pleidlais gan yr aelodau. Fodd bynnag cafwyd cytundeb i symud ymlaen ar nifer o agweddau. Y diwrnod canlynol cefais gyfweliad efo Glyn Mathias y BBC bryd hynny ar ein safbwynt ar y cwestiwn cyfansoddiadol, ein lle ar y sbectrwm gwleidyddol a'r posibilrwydd o fabwysiadu enw dwyieithog. Roedd yn rhaid i'r blaid fod yn gliriach ar bethau fel hyn, gan nad oedd modd bellach amrywio'r neges o etholaeth i etholaeth!

Y diwrnod olaf o Chwefror bu trafodaeth ddigon negyddol ar bapur Cynog ar 'Safleoli'r Blaid' gyda nifer o'r cynrychiolwyr yn parhau i ddadlau'r hen ddadleuon, sef mai Plaid Cymru yw 'cydwybod y genedl'! Teimlwn yn hynod rwystredig. Wedi'r cwbl, ers 1925, prif ddull y Blaid o ymgyrchu oedd dwyn pwysau ar eraill i gyflwyno newidiadau er lles Cymru. Gellid dadlau mai ymgyrch Senedd i Gymru yn yr 1950au oedd yn bennaf gyfrifol fod Llywodraeth Lafur 1964 wedi creu'r Swyddfa Gymreig a phenodi Ysgrifennydd Gwladol oedd â sedd yn y Cabinet. Ond erbyn 1999, doedd bosib na allem godi'n golygon yn llawer uwch ac anelu at lywodraethu'n gwlad. Byddai'n rhaid i bethau newid. Ar ddydd Gŵyl Ddewi, bu i mi ymddangos o flaen panel y Blaid er mwyn fy nghynnwys ar restr ymgeiswyr y Blaid ar gyfer etholiadau'r Cynulliad. Gweithredodd y panel yn hynod broffesiynol a minnau'n falch fod trefn newydd ar waith.

Ar y pumed ar hugain o Fawrth cwblhaodd Mesur Cymru ei lwybr drwy Dŷ'r Cyffredin. Bu dathlu mawr y noson honno a ninnau yn dod ar draws Ron Davies a chriw Llafur yn y *Strangers' Bar* yn yn Nhŷ'r Cyffredin. Teimlai Ron fod angen iddo fynd i'r Cynulliad er mwyn sicrhau fod y 'wleidyddiaeth newydd' yn gwreiddio'n ddwfn. Yr oedd am weld y Blaid a'r Rhyddfrydwyr yn cymryd portffolio'r un, ac awgrymodd y byddem ni yn cael portffolio Ewrop! Byddai llawer yn dibynnu ar rifyddeg y Cynulliad cyntaf wrth gwrs. Cyfaddefodd fod rhai aelodau Llafur yn hynod feirniadol ohono ac mi roedd yn ei chael hi'n anodd cael dealltwriaeth efo Cyngor Caerdydd ar gartref i'r Cynulliad. Yn ystod taith dacsi yn ôl i'm fflat, dywedodd Cynog ei fod yn cynhesu at fwriad Ron Davies i gael 'administration of all the talents'.

Erbyn mis Mai, mi roedd Dafydd wedi cytuno i fersiwn ddwyieithog o'r enw ac fe gyflwynais y bwriad i'r Pwyllgor Gwaith y mis hwnnw. Roedd y gefnogaeth iddo'n unfrydol. Ac fe gafodd Cynog gefnogaeth i'w bapur safleoli. Yn araf bach ond yn sicr roedd pethau yn dechrau newid.

Fodd bynnag, roedd y tensiynau a fodolai adeg y refferendwm heb eu datrys. Cefais yr argraff fod Dafydd yn parhau'n betrusgar ynglŷn â'r newidiadau yr oeddem yn eu hawgrymu i ddulliau ymgyrchu'r Blaid a'r cynllun safleoli a baratowyd gan Cynog. Trefnwyd cyfarfod estynedig gan y grŵp seneddol ar y cyntaf o Orffennaf ac o'i herwydd cafwyd dealltwriaeth ar y ffordd ymlaen. Yn y cyfnod hwn cafwyd canlyniadau arolwg barn a gomisiynwyd gan y Blaid ar gost o £10,000. Dyma'r tro cyntaf i ni gael arolwg cynhwysfawr, nid yn unig yn dangos lefel ein cefnogaeth, ond adroddiad ansoddol a manwl ar ganfyddiadau'r etholwyr ohonom. Er bod lefel ein cefnogaeth yn uwch nag ar adeg yr etholiad cyffredinol, roedd delio â'r canfyddiadau yn hynod o bwysig. Y canfyddiad canolog yng ngeiriau awdur yr adroddiad oedd 'the party faces a massive communications deficit' er bod 'na ddigonedd o ewyllys da tuag atom.

Gwyddwn nad oedd y Blaid wedi cael digon o lwyfan i'w pholisïau, na'r sylw yn y wasg a'r cyfryngau a fyddai wedi'n galluogi i ddenu cefnogwyr newydd. Rhwng 1992 a 1997 roeddwn wedi gwneud ymdrech i wella pethau drwy gynnal cyfres o gyfarfodydd efo rhai o uchel swyddogion y BBC yn Llundain, cynhyrchwyr rhaglenni a gohebwyr seneddol papurau Llundain. Cefais ymateb digon nawddoglyd gan nifer ohonynt ond roedd rhai a oedd yn Gymry, megis y cynhyrchydd teledu Barney Jones a gohebydd seneddol y *Telegraph*, George Jones, wedi rhoi cyngor digon buddiol. Yn ychwanegol, cefais sawl sgwrs ddiddorol efo Colin Brown, gohebydd seneddol yr *Independent*. Fodd bynnag, ysbeidiol iawn oedd y sylw a gaem o'i gymharu â'r llifeiriant o sylw a roddwyd i'r prif bleidiau yn San Steffan. Byddai etholiad y Cynulliad yn rhoi cyfle i ni gael sylw ar lefel Gymreig am y tro cyntaf. Golygai hyn godi gêr, buddsoddi mwy mewn dulliau cyfathrebu a bod yn llawer mwy proffesiynol yn ein perthynas â'r wasg. Cofiaf i swyddog cyfathrebu un o adrannau'r llywodraeth yn Llundain ddod i'm swyddfa seneddol ar brofiad gwaith. Ei sylw bachog wedi cynhadledd i'r wasg oedd 'you need to take off those kid gloves!'

Cafwyd peth trafodaeth ddigon arwynebol ar y posibilrwydd o glymbleidio wedi'r etholiad a hithau'n gynyddol amlwg na fyddai Llafur yn cael mwyafrif. Roeddwn i o'r farn na ddylid codi'r mater yn gyhoeddus cyn etholiad, er bod Dafydd Wigley, Dafydd Elis a Chynog o blaid cadw'r drws yn agored. Roeddwn i'n grediniol mai yn ystod ail dymor y Cynulliad y byddai unrhyw bosibilrwydd o glymblaid yn codi, ac mae'n lle ni yn y tymor cyntaf fyddai i aeddfedu fel plaid. Fel digwyddodd pethau, yn ystod trydydd tymor y Cynulliad y daeth cyfle'r Blaid, ac mae hynny yn haeddu pennod ar ei phen ei hun.

Cynhaliwyd cynhadledd flynyddol y Blaid ddiwedd Medi 1998. Yno gwnaed y penderfyniad i ychwanegu fersiwn Saesneg o enw'r Blaid. Roeddwn wedi siarad efo nifer o aelodau blaenllaw a chyffredin cyn hynny ac yn weddol sicr y byddai'r cynnig yn llwyddo er bod 'na deimlad digon anghyfforddus gan rai. Yn ôl Karl, yr oedd y Llywydd Anrhydeddus, Gwynfor Evans yn gefnogol i'r syniad. Cyfaddefodd cynhyrchydd y BBC ei bod wedi ceisio cael aelod i siarad yn erbyn y cynnig ar y cyfryngau ond methiant fu ei hymdrech. Hwnnw oedd yr arwydd cliriaf i mi fod yr aelodau yn barod i'w dderbyn er na allwn honni fod yna frwdfrydedd chwaith.

Fodd bynnag, pan ddaeth y cynnig i lawr y gynhadledd mi roedd 'na densiwn gwirioneddol. A dweud y gwir, mi roedd rhai o'r Pwyllgor Gwaith wedi digalonni gan fod cymeradwyaeth frwd i un neu ddau a siaradodd yn erbyn. O blaid y cynnig siaradodd Keith Bush, Helen Mary Jones, Jill Evans a David Senior. Yn erbyn siaradodd Richard Morris Jones, Helen Gwyn, John Rogers, Merfyn Williams a Stuart Cole. Gyda phethau yn poethi, gofynnodd Marc Phillips y Cadeirydd a oedd angen dwy ran o dair o'r cynadleddwyr o blaid y cynnig iddo lwyddo. Cadarnhaodd Cadeirydd y Pwyllgor Llywio, Alun Cox, fod hynny yn angenrheidiol gan y byddai'r newid yn un cyfansoddiadol. Fi oedd yn cloi'r ddadl, ac yn yr ychydig funudau oedd gennyf pwysleisiais fod rheidrwydd cyfreithiol i gofrestru'r enw bellach o dan y rheoliadau etholiadol newydd ac mai ni fyddai'n dewis y fersiwn Saesneg o'n henw yn hytrach nag elfennau gelyniaethus yn y wasg. Roedd llawer wedi hen ddiflasu at y term dirmygus hwnnw, 'Welsh Nash'. Cyfeiriais at y ffaith fod yn rhaid rhoi arwydd clir i'r di-Gymraeg fod lle iddyn nhw yn y Blaid.

Cynyddodd y tensiwn yn drydanol pan alwyd y bleidlais. Sylweddolodd Cynog nad oedd neb o'r siaradwyr wedi cyfeirio at lythyr gan Gwynfor Evans yn cefnogi'r cynnig. Ceisiais godi'r mater drwy ofyn i Farc ddarllen y llythyr cyn y bleidlais. Ond gwrthododd wneud hynny, ac ni allwn wrthod ei resymeg. Ond unwaith cynhaliwyd y bleidlais, mi roedd hi'n amlwg fod 'na fwyafrif clir iawn o blaid y newid, ac ni fu i'r gwrthwynebwyr alw am bleidlais gyfrif. Rhyddhad yn hytrach na gorfoledd a deimlwyd, er bod digon o longyfarch. Roedd y Blaid wedi derbyn y newid yn hytrach na'i anwesu ac yn fy marn i, roedd yn un arwydd ein bod yn aeddfedu ac yn paratoi i herio Llafur yn etholiad y Cynulliad y flwyddyn ddilynol.

Yn y Blaid Lafur bu ymgiprys am yr arweinyddiaeth, a hynny'n arwain at ffraeo go iawn. Gorfodwyd Ron Davies i sefyll i lawr fel Ysgrifennydd Gwladol ym mis Hydref 1998 a hynny ar ôl iddo guro Rhodri Morgan i fod yn arweinydd ei blaid yn y Cynulliad. Bu cryn bwysau ar Alun Michael i sefyll am yr arweinyddiaeth a hynny er mwyn rhwystro Rhodri Morgan. Roedd ymyrraeth Llundain yn yr arweinyddiaeth yng Nghymru wedi clwyfo'r blaid a hynny yn help mawr i ni. Cofiaf ganfasio ym Miwmares ar y diwrnod daeth y newydd mai Alun Michael oedd wedi'i ethol yn Arweinydd Llafur ar gyfer etholiad y Cynulliad. Dywedodd un etholwr wrthyf ei fod yn flin iawn fod hyn wedi digwydd ac yn hynod feirniadol o haerllugrwydd Tony Blair a'i ddiffyg dealltwriaeth o wleidyddiaeth Cymru. Ceisiais gytuno'n foneddigaidd ag o, ond yn breifat gwyddwn y byddai hynny yn gymorth mawr i achos y Blaid.

Erbyn dechrau 1999, roedd y polau piniwn yn darogan y gallem ennill hyd at 15 o seddi yn y Cynulliad, a hynny'n cyd-fynd i raddau helaeth â'n canfasio ni. Yn gynnar yn y flwyddyn newydd, bu cyfarfod yn Nhŷ Crickhowell (heddiw Tŷ Hywel) gyda Dafydd Wigley, Alun Michael a minnau yng nghwmni'r ysgrifennydd parhaol, Rachel Lomax, a gweision sifil eraill yn y Swyddfa Gymreig. Byddai siambr dros dro yng nghrombil yr adeilad a chawsom gyfle i weld lle byddai'r swyddfeydd i'r aelodau. Trafodwyd y bwriad i gynnal y seremoni agoriadol a chyngerdd i ddathlu'r 'Gymru Newydd'. Cadarnhaodd Dafydd Wigley ei fod am gyflwyno enw Dafydd Elis-Thomas i fod yn Llywydd cyntaf y Cynulliad, ac awgrymodd Alun yn lled chwareus mai ymgais oedd hynny i gadw aelod dadleuol yn dawel! Gwyddwn fodd bynnag fod Dafydd Elis yn hapus iawn efo'r enwebiad ac yr oedd yn benodiad ysbrydoledig. Ni wnaeth Alun sylw arall ar yr enwebiad bryd hynny, er ei bod hi'n amlwg fod cryn gefnogaeth iddo o sawl cyfeiriad. Cawsom awgrym fod yna wahaniaeth barn rhwng Alun a Rachel Lomax ar drefn pwyllgorau'r Cynulliad. Dadleuai Alun o blaid cydweithio ar draws adrannau (term Blair oedd *joined up government*) yn hytrach na chael pwyllgorau yn seiliedig ar feysydd polisi penodol. Erbyn hyn, roeddem yn deall fod Rachel wedi penderfynu symud i weithio i adran Nawdd Cymdeithasol Whitehall a hynny er mawr golled i'r broses o sefydlu'r Cynulliad.

Roeddem wedi gosod cyllideb o £250,000 ar gyfer ymladd etholiad y Cynulliad. Erbyn diwedd Ionawr, fe ddaeth hi'n amlwg y byddem yn gwario £275,000. Cawsom wybod y byddai oddeutu £100,000 yn dod o ewyllys y Fonesig Enid Parry ac roedd hynny o gryn gymorth. Fodd bynnag, bu trafodaeth fanwl ar sut i gyllido gweddill yr ymgyrch. Roedd ein cyllideb gymaint yn fwy nag mewn unrhyw etholiad blaenorol, a'r galw yn cynyddu wrth i'r ymgyrch gyrraedd ei phenllanw.

Wrth i ymgyrch etholiad 1999 boethi, fe ddaeth hi'n amlwg fod y Blaid Lafur wedi dechrau sylweddoli y gallai Plaid Cymru fod yn fwy o fygythiad nag yr oeddent wedi ei sylweddoli. Cyhoeddodd y Blaid Lafur ddogfen o dan y teitl *The A-Z of Nationalist Madness* oedd yn gyfres o 'ffeithiau' am beth fyddai annibyniaeth yn ei olygu i Gymru. Roedd cyhoeddi'r ddogfen yn brawf diamheuol fod Llafur yn ofni twf y Blaid. Cawsom hwyl ryfeddol wrth fynd trwy'r ddogfen gan ryfeddu at rai o'r honiadau mwyaf gwallgof am effaith annibyniaeth. Cyhoeddwyd y ddogfen mewn cynhadledd i'r wasg gan Alun Michael a Peter Hain, a'r ddau yn edrych yn hynod anghyfforddus yn chwarae gemau Millbank. Ond yr hyn a wnaeth inni wenu fel giât oedd y map o Gymru a roddwyd yn gefndir i'r gynhadledd i'r wasg. Roedd y map hwnnw yn dangos hen siroedd Cymru oedd wedi'u diddymu ers 1996! Un arall o gamgymeriadau peiriant Millbank yn ystod yr ymgyrch.

Yn ogystal â phoblogrwydd Dafydd Wigley fel ymgyrchydd, gwyddem fod y ffaith mai Alun Michael oedd dewis ddyn Tony Blair yn chwarae o'n plaid. Y cwestiwn oedd sut y gallem fanteisio ar hynny? Wrth imi gerdded i lawr i swyddfa'r Blaid un diwrnod, daeth y syniad i mi y gallem gynllunio poster fyddai'n cysylltu'r ffaith fod Alun yn cael ei weld fel dipyn o *poodle*. Doedd y math yma o wleidyddiaeth ddim yn rhan o natur y Blaid a chroeso digon llugoer gafodd y syniad dan dîm Park Grove. Teimlai rhai y gallai fod yn wrthgynhyrchiol. Fodd bynnag, wrth drafod rhai o'r sloganau posib ar y poster, daeth y mwyafrif i'r casgliad y gallai weithio, ac y byddai'n dangos y Blaid i fod o ddifrif ynglŷn â macsimeiddio ein cefnogaeth, rhywbeth yr oedd pleidiau Llundain yn gwbl gynefin ag o.

Yn y diwedd lluniwyd poster yn dangos Tony Blair ac Alun Michael a llun pŵdl rhyngddynt. Doedd y slogan ddim yn bwysig gan fod y llun yn dweud y cyfan. Synnwyd nifer o ohebwyr y wasg a'r cyfryngau gan feiddgarwch y Blaid, a dweud ei fod yn agor pennod newydd yn hanes gwleidyddiaeth Cymru. Gormodiaith efallai, ond fe gafodd y poster gryn sylw. Cafwyd cyd-ddigwyddiad rhyfedd wrth i Dafydd Wigley ddadorchuddio'r poster. Cerddodd dyn heibio efo pŵdl ar dennyn! Gofynnodd y wasg iddo edrych ar y poster a gofyn ei farn, 'Exactly what I think!' oedd ei ateb sydyn a pharod. O'r foment honno, gwyddem nad gwrthgynhyrchiol fyddai'r penderfyniad i lunio'r poster.

Wrth i'r ymgyrch ddwysáu ymhellach, daethom i'r casgliad cwbl ryfeddol y gallem ennill etholaethau'r Rhondda a Llanelli ac efallai un neu ddwy o etholaethau eraill y cymoedd. Ar sail ein data, penderfynwyd rhoi mwy o adnoddau i'r Rhondda a Llanelli, rhywbeth a groesawyd yn frwd gan yr ymgeiswyr Geraint Davies a Helen Mary Jones a'u timoedd lleol. Rhaid cyfaddef fodd bynnag nad oedd etholaeth Islwyn yn ymddangos i'r un graddau ar ein radar gwleidyddol. Gwyddem hefyd na fyddem o reidrwydd yn curo ein targed uchaf o bymtheg sedd. O dan y drefn rannol gyfrannol, gallai ennill sedd etholaethol olygu na fyddem yn ennill gymaint o seddi rhanbarthol. Ond daethom i'r casgliad y byddai ennill seddau etholaeth yn bwysicach o safbwynt tyfiant y blaid yn y tymor hir.

Ar ddiwrnod yr etholiad yr oedd ein gobeithion yn uchel. Roedd ein data yn dangos y byddem yn gwneud yn well na'r arolygon barn a gyhoeddwyd yn ystod yr ymgyrch. Ym Môn, roedd y data yn dangos fod ein cefnogaeth gymaint yn uwch nag unrhyw gyfnod yn ein hanes. Gan fod etholiadau'r cynghorau sir hwythau ar yr un diwrnod, penderfynodd y swyddogion etholiad y dylid gwirio'r pleidleisiau dros nos a chwblhau'r cyfrif y bore wedyn. Dangosodd y gwirio fod ein cefnogaeth yn unol â'n canlyniadau canfasio ledled Cymru. Cafwyd y sïon cyntaf y gallem fod wedi ennill y Rhondda ac Islwyn ac mi roedd hi'n agos mewn etholaethau eraill megis Cwm Cynon a Phontypridd. Yn y diwedd cawsom ddwy ar bymtheg o seddau gan ennill y Rhondda, Llanelli ac Islwyn yn ogystal â'r seddau yn y gorllewin. Enillwyd etholaeth Conwy a sedd Dwyrain Caerfyrddin a Dinefwr at y rhai oedd eisoes yn ein gafael ar lefel San Steffan.

Heb amheuaeth, er ein bod yn disgwyl canlyniad da, roedd ein llwyddiant yn fwy na hyd yn oed gobeithion yr optimist mwyaf yn ein plith. Dim ond dau ddeg wyth sedd oedd gan y Blaid Lafur a ninnau un deg saith, gyda'r Torïaid efo naw a'r Rhyddfrydwyr Democrataidd ar chwech. Dyma ddechrau cyfnod newydd a chyffrous yn hanes Cymru a hanes Plaid Cymru.

PENNOD 7

Dod yn Arweinydd

UN O'R CAMAU cyntaf wedi i'r Cynulliad gyfarfod ym mis Mai 1999 oedd penodi Alun Michael yn Brif Ysgrifennydd. Yn dilyn hynny, cynhaliwyd pleidlais i drosglwyddo pwerau'r corff iddo er mwyn ei ryddhau i benodi Cabinet. Mi roedd hi'n ffordd drwsgl o weithredu a buan y daeth problemau cyfansoddiadol i'r wyneb yn sgil hynny. Rhyw ychwanegiad bollt oedd system Gabinet o gofio mai corff corfforaethol oedd y Cynulliad ar y dechrau. Yn ei hanfod, dim ond y Prif Ysgrifennydd oedd ag unrhyw rym gwirioneddol, a dirprwyo dewisol oedd y trosglwyddiad i aelodau'r Cabinet. Bu'n hynny'n achos sawl ffrae yn y Cabinet cyntaf, fel y medrwn dystio yn nes ymlaen. Yn ôl rhai o aelodau'r Cabinet ni fyddai Alun yn rhoi llawer o ryddid iddynt weithredu ac yn aml byddai'n mynd trwy bob penderfyniad â chrib mân. Bai'r system oedd hynny. Methodd Llafur â chael trefniant ffurfiol efo'r Rhyddfrydwyr Democrataidd ac am gyfnod o ddwy flynedd gweithredodd Llafur fel llywodraeth leiafrifol.

Bu cyfarfod cyntaf grŵp Plaid Cymru yn sioc i'r system, a hynny yn arbennig o wir i'r rhai ohonom oedd yn aelodau seneddol. Fel grŵp o dri ac wedyn pedwar yn San Steffan roedd ein trafodaethau yn weddol anffurfiol. Er bod gennym gyfarfodydd wythnosol, tueddai'r rheini i fod yn eithaf hamddenol ar weithgarwch seneddol, er y gallai'r trafodaethau gwleidyddol fod yn danllyd ar brydiau. O bryd i'w gilydd gallem fod yn eistedd ar y meinciau gwyrdd yn trafod pwy fyddai'n codi i ofyn cwestiwn ar bwnc penodol. Ond yn y Cynulliad, a grŵp o un deg saith, fyddai agwedd fel yna ddim yn tycio. Erbyn hyn, roedd 'na gyfansoddiad manwl i weithgarwch y grŵp, gyda swyddogaethau penodol a rheolau pendant ar drefn a disgyblaeth. Rhaid oedd cael rhaglen fanwl ar weithgarwch gwleidyddol, sut i benderfynu ar aelodaeth pwyllgorau ac wrth gwrs penderfynu ar sut y byddem yn chwipio ar bleidleisiau yn y siambr.

Yng nghyfarfod cyntaf y grŵp, cadarnhawyd Dafydd Wigley fel Arweinydd, fe'm penodwyd innau yn Rheolwr Busnes a Phrif Chwip, Helen Mary Jones yn Gadeirydd, Janet Ryder yn Ysgrifennydd a phenodi Elin Jones a Jocelyn Davies yn chwipiaid rhanbarthol. Fe'm penodwyd yn Gadeirydd y Pwyllgor Amaeth a Chefn Gwlad ac o ganlyniad bûm yn hynod o ffodus i fod yn ei chanol hi yn nyddiau cynnar y Cynulliad. Bu i Andrew Davies a benodwyd yn Drefnydd y Llywodraeth a minnau weithio'n hynod o galed yn y dyddiau cynnar i sicrhau fod y sefydliad newydd yn gweithio'n broffesiynol, yn bwrpasol ac urddasol. Buan y daethpwyd i'r casgliad fod y pwerau yn gyfyng ac na fyddai modd i weision sifil oedd hyd hynny wedi gweithio i'r weinyddiaeth weithredu ar ran y Cynulliad fel corff. Dirprwywyd rhai ohonynt i weithio yn swyddfa'r Llywydd a'i ddirprwy Jane Davidson. Ni allent roi barn annibynnol a thueddent i gymryd eu harweiniad gan y llywodraeth. Aeth sawl blwyddyn heibio cyn setlo hynny yn derfynol a sicrhau fod y Cynulliad a'r weinyddiaeth wedi'u hollti.

Gwelais nad oedd modd i bwyllgorau'r Cynulliad weithredu fel corff scriwtini effeithiol tra roedd gweision sifil yn gweinyddu. Bryd hynny, roedd gweinidogion yn aelodau o'r pwyllgor a'r llywodraeth ac yn ceisio llunio'r rhaglen waith. Roedd hynny yn wrthun i mi o gofio pa mor effeithiol fu pwyllgorau dethol San Steffan i alw llywodraeth y dydd i gyfrif. Un o'r pynciau llosg yn nyddiau cynnar y Cynulliad oedd y gwaharddiad ar werthu cig eidion ar yr asgwrn. Mynnais fod y Pwyllgor Amaeth yn ymchwilio i'r gwaharddiad a dod ag argymhellion gerbron. Gan nad oedd hynny ar raglen waith y pwyllgor, cefais ffrae gyda'r clerc oedd yn mynnu nad oedd ymchwiliad yn briodol. Er i'r llywodraeth gytuno i'r ymchwiliad yn y diwedd, bu i rai gweision sifil geisio ymyrryd ynddo. Cofiaf i'r pwyllgor drefnu i alw'r Prif Swyddog Milfeddygol i roi tystiolaeth. Am ryw reswm na ddatgelwyd i mi roedd y clerc yn bryderus, ac fe gefais alwad ffôn gan yr Ysgrifennydd Parhaol i geisio dwyn perswâd arnaf i beidio â'i galw hi. Er bod y sgwrs yn un ddigon cyfeillgar, fe ddywedais mai mater i'r pwyllgor oedd pwy i alw fel tyst, ac yn y diwedd cefais fy ffordd. Ond mi roedd ymyrraeth fel yna yn digwydd yn weddol aml yn nyddiau cynnar y Cynulliad. Roedd pawb, gan gynnwys prif swyddogion y weinyddiaeth heb lawn sylweddoli fel roedd y drefn wedi newid. Nid oedd modd amddiffyn hen drefn y Swyddfa Gymreig wedi ethol chwe deg o aelodau oedd yn benderfynol o weithredu fel corff etholedig a fyddai'n galw'r llywodraeth i gyfrif. Ond mi roedd ein hadnoddau i wneud hynny yn hynod o brin. Un clerc a swyddog gweinyddol oedd gan y pwyllgorau, a dim adnoddau i wneud unrhyw waith ymchwil. Teimlai'r gweision sifil mai eu cyfrifoldeb pennaf oedd hyrwyddo ac amddiffyn rhaglen y llywodraeth. Cofiaf sawl sgwrs ddifyr efo Huw Brodie ac yntau yn brif swyddog yn yr Adran Amaeth. Cydymdeimlai â'n hawydd fel pwyllgor i weithredu'n annibynnol, ond gwyddai mai gwas y gweinidog yn hytrach na gwas y pwyllgor oedd o. Cofiaf drafod hynny efo fo ymhellach pan aeth Elin Jones yn Weinidog yn yr Adran Amaeth yn 2007!

Cynhaliwyd gwasanaeth ar y chweched ar hugain o Fai 1999 yn Eglwys Gadeiriol Llandaf i ddathlu agor y Cynulliad. Yn ystod y gwasanaeth canwyd emyn Lewis Valentine, sef 'Gweddi Dros Gymru'. Bu i emosiwn y foment fynd yn drech na mi, a thorrais i lawr i grio yn ystod canu'r pennill cyntaf. Bu iddo farw yn 1986 a heb gael gweld sefydlu'r Cynulliad, ond mi roedd i'r dorf ganu 'Dros Gymru'n Gwlad' fel petai yn gwneud yn iawn am hynny. Erbyn canu'r ail bennill deuthum ataf f'hun a'i chanu gydag arddeliad! Gyda'r hwyr, roedd Eirian a minnau mewn torf o rai miloedd mewn cyngerdd yn y Bae a'r Ddraig Goch yn cwhwfan yn fuddugoliaethus. Ni fyddai Cymru bydd 'run fath eto, a thasg fawr y Blaid wedi'r dathlu fyddai paratoi i fod yn llywodraethu Cymru. Dyna oedd fy mreuddwyd innau'r noson honno. Aeth fy meddyliau yn ôl i Gorwen a minnau yn fachgen un ar bymtheg oed yn gorwedd ar un o feini'r orsedd ar y llwybr i Ben y Pigyn yn y dref. Yno yr ymdynghedais y gweithiwn hyd orau fy ngallu i sefydlu Senedd i Gymru. Ni wyddwn bryd hynny pa ffurf fyddai i'r Senedd honno, na natur ei grymoedd, ond gwyddwn fod ein hunan-barch fel cenedl yn dibynnu ar sicrhau corff etholedig fyddai'n caniatáu i ni dorri ein cwys ein hunain yn y byd.

Daeth toriad yr haf y flwyddyn honno gydag ymdeimlad o ryddhad. Bu'r cyfnod ers Hydref 1998 yn fwrlwm gwleidyddol na welais ei debyg na chynt nac wedyn.

Penderfynodd Eirian a minnau, yng nghwmni fy chwaer yng nghyfraith Bethan dreulio cyfnod yn ymlacio yn ardal y Dordogne ac aros mewn pentref gwledig o'r enw St Privat des Près. Yn y cyfnod hwn cwblheais y gwaith o ddarllen ail gyfrol Richard Holmes ar fywyd a gwaith Samuel Coleridge. Mae'r ddwy gyfrol yn gampwaith gorchestol. Er yr ymlacio, nid oedd modd osgoi gwleidyddiaeth yn llwyr. Bu i Cynog a'i wraig Llinos alw i'n gweld a hwythau wedi treulio cyfnod yn teithio drwy dde Ffrainc. Buom yn trafod sawl mater ond byrdwn cais Cynog y dwthwn hwnnw oedd y dylai yntau a minnau adael San Steffan a chreu isetholiadau ym Môn a Cheredigion. Deallais ei fod eisoes wedi trafod y posibilrwydd gyda Dafydd Wigley, ond doedd Dafydd ddim yn awyddus i adael San Steffan tan y byddai etholiad cyffredinol, a hynny ddim yn debygol tan 2001-2. Rhaid cyfaddef nad oeddwn innau yn awyddus i greu isetholiadau heb eu hangen gan gofio mai cyfnod cymharol fyr oedd gennym cyn etholiad cyffredinol. Nid oeddwn dan bwysau gan yr etholaeth na'r Blaid i wneud hynny, ac mi roeddwn wedi ymladd etholiad 1999 ar y sail y byddwn yn aros yn San Steffan tan ddiwedd y tymor. Ond roedd Cynog yn daer iawn imi ailystyried, ac er i mi addo gwneud hynny, cadw at y penderfyniad gwreiddiol a wneuthum yn y diwedd. Ni welwn sut y byddai modd i'r ddau ohonom sefyll i lawr a gadael i Dafydd Wigley fod yr unig aelod o'r tri i barhau yn San Steffan. Byddai'r pwysau gwleidyddol arno yntau i fynd yr un ffordd yn ormod. Erbyn hyn, dwi'n deall fod Dafydd yn teimlo mai camgymeriad oedd iddo beidio sefyll i lawr. Ond nid wyf i'n teimlo felly.

Euthum yn ôl wedi'r gwyliau yn barod i wynebu'r her o lunio rhaglen Plaid Cymru yn y Cynulliad. Bu erthygl hynod anffodus yn y *Wales on Sunday* yn ystod wythnos yr Eisteddfod 1999 ar Ynys Môn. Cefais alwad ffôn gan un o ohebwyr y papur ar ddydd Sadwrn cynta'r Eisteddfod yn awgrymu fod rhai o aelodau'r Blaid wedi dweud wrtho mai fi fyddai Arweinydd nesaf a Phrif Ysgrifennydd cyntaf Plaid Cymru. Atebais drwy ddweud nad oedd y swydd yn wag ac nad oeddwn yn disgwyl i hynny ddigwydd yn fuan. Er hynny, gwyddwn o ymateb y gohebydd ei fod yn debyg o redeg y stori, a hynny fu ar y dydd Sul. Teimlwn yn ddigon chwithig o ganlyniad i'r erthygl gan y gallai rhai weld hyn fel ymgais i ddisodli'r Llywydd oedd wrth y llyw. Nid oedd hi'n anghyffredin i weld y wasg a'r cyfryngau yn damcaniaethu ynglŷn ag arweinyddiaeth y pleidiau, gan feddwl fod gan bobl ddiddordeb mewn 'personoliaethau' yn hytrach na pholisi. Ond ni allai fod wedi ei chyhoeddi ar amser mwy anffodus.

Erbyn mis Tachwedd 1999, roeddem fel Plaid wedi dechrau cael trefn ar ein gweithgarwch. Penodwyd staff ymchwil, swyddog cyfathrebu a rheolydd staff. Golygai hynny fod perfformiad yr aelodau yn y siambr ac mewn pwyllgorau wedi gwella'n sylweddol. Er hynny, wynebem sawl sialens wrth ymdopi â'n rôl newydd fel prif wrthblaid. Roedd y Ceidwadwyr dan arweiniad Rod Richards, a'r Rhyddfrydwyr Democrataidd dan Mike German yn ddigon parod i herio'r llywodraeth a phleidleisio yn ei herbyn ar unrhyw achlysur boed hynny o safbwynt gwrthwynebiad egwyddorol neu dactegol. Yr oeddem ni fel plaid wedi'n dal yn y canol rhywsut, yn awyddus i weld y Cynulliad yn gweithredu'n effeithiol ond ar y llaw arall am ddangos ein dannedd fel prif wrthblaid. Yn rhy aml, byddem yn penderfynu ymatal ar bleidleisiau a hynny'n golygu nad oeddem yn llwyddo ar y naill safbwynt na'r llall.

Ysgrifennwyd papur gan rywun agos atom fel plaid, 'A view from the Outside' a oedd yn *critique* eithaf damniol o'n perfformiad yn ystod misoedd cyntaf y Cynulliad. Credai'r cyfaill mai camgymeriad oedd penodi cymaint o ymchwilwyr polisi ar ein staff yn hytrach na swyddogion oedd yn deall y sin wleidyddol. Er ein bod yn gwneud cyfraniadau swmpus a deallus ar bolisi, roedd ein methiant i gael sylw yn y wasg yn amharu ar ein gallu i wneud marc. Cymharwyd hynny efo'r ffordd y bu i'r Blaid Lafur a'r Ceidwadwyr benodi staff 'gwleidyddol' i hyrwyddo eu hachos. Er y gellid dadlau efo nifer o'i gasgliadau, roedd papur ein cyfaill yn weddol agos at y gwir, gan fod nifer ohonom yn teimlo ein bod wedi colli sawl cyfle i weithredu'n effeithiol yn y flwyddyn gyntaf honno.

Mater arall achosodd gryn anesmwythyd oedd ymosodiadau ffiaidd arnom ac ar Dafydd Wigley yn arbennig gan y *Welsh Mirror*. Tra roeddem yn San Steffan, roedd sylw'r wasg arnom fel aelodau seneddol, ac o bryd i'w gilydd byddem yn cael ein holi'n galed a chaem feirniadaeth. Ond mi roedd y sylw a ddaeth yn sgil y *Welsh Mirror* yn hollol wahanol. Byddai'n ymosod yn bersonol ar Dafydd, a hynny yn gyson. Ar un ystyr, roedd hynny i'w groesawu, gan fod Llafur yn ein hystyried yn fygythiad gwirioneddol i'w hegemoni yng Nghymru. Ond roedd yr ymosodiadau yn gallu bod yn wanychol a gwn iddynt boeni Dafydd o bryd i'w gilydd. Un enghraifft ymhlith llawer oedd y pennawd 'Dafydd's Dirty Dollars'. Daeth hwnnw yn sgil y ffaith i Dafydd fod yn yr Unol Daleithiau, fel bu Gwynfor Evans yn ei dro, i godi arian i'r Blaid. Dilynwyd y pennawd ffiaidd gan ymgais y Blaid Lafur i gynnal ymchwiliad i gyllid Plaid Cymru. Roedd yr holl beth yn hollol ragrithiol, o gofio'r symiau mawr a godwyd gan Tony Blair gan wŷr cyfoethog cyn etholiad 1997. Yn amlwg y Blaid Lafur oedd yn bwydo'r *Welsh Mirror* efo straeon fel hyn, a hynny yn gyfan gwbl ddiedifar. Roedd ein poster ni yn dangos Alun Michael fel pŵdl yn ddiniwed iawn mewn cymhariaeth i'r llifeiriant o fustl ddaeth o golofnau'r papur.

Parhau i chwilio am ffordd gadarnhaol o weithredu fu'r grŵp yn ystod Hydref 1999. Bu'r profiad o weithredu fel prif wrthblaid yn ddigon poenus ar brydiau, a'r Blaid yn ceisio dygymod â'i rôl newydd a'r sylw a ddaethai yn sgil hynny. Roedd lefel y scriwtini arnom gan y wasg yn llawer uwch nag ar unrhyw gyfnod yn San Steffan a gwelais y newid byd hwnnw fel Cadeirydd y Pwyllgor Amaeth a Chefn Gwlad. Bryd hynny, roedd gan ein papurau newydd, megis y *Western Mail*, y *Daily Post*, y *South Wales Echo* a'r *South Wales Argus* yn ogystal â'r BBC a HTV nifer fawr o ohebwyr yn gweithio yn y Bae a phob un ohonynt dan gyfarwyddiadau i gael straeon i fodloni eu golygyddion a'u cynhyrchwyr. Fel y brif wrthblaid, roedd Plaid Cymru yn ffocws mawr iddynt a byddent ar ein holau bron yn ddyddiol yn gofyn am wybodaeth. Gellid dadlau fod hynny yn beth da wrth gwrs wrth i bobl Cymru ddod i wybod mwy am y corff newydd, ond nid oedd y Blaid wedi arfer efo cymaint â hynny o sylw ac nid oedd gennym systemau yn eu lle i ddelio ag o.

Ymwelais â'r Sioe Aeaf yn Llanelwedd fel Cadeirydd y Pwyllgor ddechrau Rhagfyr. Yn ystod yr ymweliad derbyniais neges ffôn fod Dafydd wedi cael triniaeth ar ei galon yn yr ysbyty ac y byddai i ffwrdd o'i waith am fis. Rhuthrais yn ôl i'r Cynulliad a chanfod, yn f'absenoldeb, fod y grŵp wedi fy enwebu fel Arweinydd dros dro. Y noson honno cefais ginio efo Cynog, Adam Price ac aelod blaenllaw o'r Blaid Lafur yng Nghaerdydd. Fe ddywedodd fod Llafur wedi colli ffydd yn Alun Michael ac yn gefnogol iawn i bleidlais o ddiffyg hyder ynddo. Pe digwyddai hynny, ac Alun yn colli'r bleidlais, buom yn trafod sut byddai cynghrair coch a gwyrdd yn gweithio. Ni wyddwn a oedd ganddo'r awdurdod i drafod cynnig o'r fath, ond o leiaf gwyddwn fod rhai aelodau yn y Blaid Lafur yn gefnogol i hynny. Yn ystod y sgwrs, cadarnhawyd mai Rhodri Morgan fyddai'r ffefryn i olynu Alun.

Ar yr wythfed o Ragfyr cynhaliwyd pleidlais ar fy enwebiad fel Arweinydd dros dro ac fe'm hetholwyd yn unfrydol. Cynhaliwyd cynhadledd i'r wasg i gyhoeddi hynny, a chefais gyfarfod efo Jocelyn, Elin a Huw Prys i drafod sut y byddwn yn gweithredu. Parhawyd â'r drafodaeth y diwrnod canlynol, ac Elin a Jocelyn yn dweud bod angen mwy o awch ar gyfraniadau'r aelodau yn y siambr. Fodd bynnag, cefais awgrym gan un neu ddau fod Helen Mary yn siomedig na chafodd ei henwebu fel Arweinydd dros dro. Yn naturiol, mae uchelgais yn beth da mewn gwleidydd, a gwyddwn y byddai'n rhaid i mi sylweddoli fod eraill yn y grŵp yn gweld eu hunain yn arweinwyr yn y dyfodol. Gelwais i weld Dafydd yn ei gartref wedi cyfarfod y Pwyllgor Gwaith ar yr unfed ar ddeg o Ragfyr. Roedd yn gweld arbenigwr ddechrau Ionawr, ac yn dilyn hynny byddem yn gwybod pryd y byddai'n debyg o ddychwelyd i'w waith. Cadarnhaodd na fyddai'n creu isetholiad yn Arfon ar gyfer sedd San Steffan.

Gwyddwn mai un o'r penderfyniadau y byddai'n rhaid i mi ei wneud oedd a ddylid cynnal pleidlais o ddiffyg hyder yn Alun Michael. Yn ein cynhadledd flynyddol ym Medi 1999 roedd Dafydd wedi datgan pe na fyddai Alun yn sicrhau fod arian Amcan Un yn ychwanegol i gyllideb y Cynulliad y byddai'n wynebu pleidlais o ddiffyg hyder. Ni chafwyd unrhyw awgrym y gallai sicrhau hynny, ac fe wnaeth Gordon Brown y Canghellor hi'n ddigon clir na fyddai ei lywodraeth yn ymateb yn gadarnhaol i unrhyw gais a wneid i'r perwyl hwnnw. Gwyddwn hefyd fod 'na gryn anniddigrwydd ynghylch perfformiad Alun fel Prif Ysgrifennydd a hynny ymhlith aelodau ei Gabinet yn ogystal â nifer ar y meinciau cefn. Cofiaf sgwrs efo Peter Law oedd yn Weinidog Llywodraeth Leol. Roeddwn yn disgwyl penderfyniad apêl ganddo ar gais cynllunio dadleuol yn f'etholaeth. Dywedodd wrthyf fod y papurau ar ddesg Alun Michael ac na châi Peter wneud penderfyniad. Yn y diwedd ac wedi pwyso arno, aeth i swyddfa Alun a mynnu cael y papurau a rhyddhau ei benderfyniad! Awgrymodd eraill o aelodau'r Cabinet nad oedd llawer o ryddid ganddynt i wneud penderfyniad hyd yn oed ar eu meysydd portffolio eu hunain.

Ar yr unfed ar hugain o Ragfyr, cyfarfûm efo Mike German, arweinydd y Rhyddfrydwyr Democrataidd, Jenny Randerson a Jocelyn. Roedd Mike yn frwd i gydweithio â ni, ac fe gadarnhaodd na fuasai yn clymbleidio efo Alun Michael. Cytunwyd y byddai Cynog ar ein rhan ni, a Chris Lines o'u hochr nhw yn trafod agenda bolisi. Ffoniodd Andrew Davies a dweud nad oedd llawer o gefnogaeth i Ron Davies yn y grŵp Llafur, ond fe ddangosodd bellter oddi wrth Alun Michael ac awgrymu y byddai'n hapus i gydweithio efo ni a thorri'n rhydd fwyfwy oddi wrth y Blaid Lafur yn Llundain. Bûm yn ystyried y posibilrwydd o gytundeb rhwng y Democratiaid Rhyddfrydol a ninnau, ond ni fyddai hynny'n ddigon a byddai'n rhaid i o leiaf saith o aelodau Llafur ddod atom i sicrhau mwyafrif. Byddai hynny yn gryn gyfrifoldeb, ac fe allai fod yn fregus, ond fe oedd yn rhaid meddwl am sawl senario i arbed y Cynulliad rhag suddo yn sgil yr anhapusrwydd efo perfformiad Alun. Bûm mewn cyfarfod yng nghartref Cynog a Llinos yn Nhalgarreg rhwng y Nadolig a'r Flwyddyn Newydd. Gwahoddwyd Ron Davies yno yn ogystal. Dywedodd Ron fod dyddiau Alun fel arweinydd Llafur wedi'u rhifo, cefnogai bleidlais o ddiffyg hyder ynddo, ac awgrymodd y gallem ei enwebu yntau fel Prif Ysgrifennydd heb iddo fod yn arweinydd Llafur. Gwyddwn na fyddai hynny'n digwydd ac ym mêr f'esgyrn sylweddolwn mai clymblaid rhwng Llafur a'r Democratiaid Rhyddfrydol fyddai'r canlyniad tebycaf yn sgil cwymp Alun Michael.

Euthum yn ôl i'r Cynulliad wedi toriad y Nadolig a chyfarfod aelodau'r grŵp fesul dau a thri a chefais drafodaethau agored ar yr opsiynau yn dilyn pleidlais diffyg hyder. Cytunai'r mwyafrif y dylem ystyried pob opsiwn ar wahân i ddealltwriaeth efo Alun Michael neu glymblaid efo'r Torïaid. Cytunwyd y byddem yn cynnal pleidlais o ddiffyg hyder pe na fyddid yn sicrhau arian Amcan Un yn ychwanegol i gyllideb y Cynulliad. Fodd bynnag, ni chafwyd yr un gefnogaeth yng nghyfarfod y Pwyllgor Gwaith. Yno bu'r drafodaeth yn negyddol a sectaidd. Roedd yr aelodau yn chwyrn yn erbyn unrhyw drafod efo Llafur, gan gynnwys Jill Evans ac Elfyn Llwyd. Ond yr hyn a'm synnodd fwyaf oedd yr agwedd negyddol tuag at aelodau grŵp y Cynulliad. Beth oedd i gyfrif tybed – eiddigedd, diffyg dealltwriaeth o'r sefyllfa neu ddiffyg addysg wleidyddol? Bûm yn pendroni llawer wedi hynny am y rhesymau posib, ac yn sylweddoli fod perygl i hollt godi rhwng yr aelodau etholedig a'r aelodau cyffredin. Yn y diwedd deuthum i'r casgliad mai dyma oedd rhai o boenau twf y Blaid! Sylweddolais y byddai unrhyw drefniant efo Llafur yn hynod o anodd ac nad oedd y Blaid bryd hynny wedi aeddfedu digon i feddwl yn nhermau clymblaid. Cefais sgwrs efo Dafydd yn dilyn y cyfarfod ac awgrymodd ei fod yn ystyried rhoi'r gorau i rai o'i gyfrifoldebau arweinyddol ond nad oedd wedi dod i unrhyw benderfyniad terfynol. Byddai yn ystyried y mater ymhellach yn dilyn gweld y meddyg ym mis Chwefror, a minnau yn cytuno na ddylid gwneud unrhyw benderfyniad cyn hynny.

Roedd Nick Bourne wedi disodli Rod Richards fel arweinydd y grŵp Ceidwadol ym mis Awst 1999. Yn y cyfnod cyn hynny, daeth un o swyddogion y grŵp – nid oes gennyf le i gredu fod Nick yn ymwybodol o hynny – ag amlen frown a gynhwysai nifer o ddogfennau a wnâi nifer o honiadau yn erbyn Rod gan ddweud, 'You can use it in any way you want.' Yr awgrym cryf oedd y dylem fynd â'r wybodaeth i'r wasg gan fod nifer o'r grŵp yn anhapus efo perfformiad Rod fel arweinydd. Gwrthodais wneud hynny. Fodd bynnag, cyfarfûm â Nick efo Jocelyn ym mis Ionawr ac yntau yn gweld nad oedd dewis ond cytuno i bleidlais o ddiffyg hyder. Y canlyniad gorau meddai oedd i Lafur a'r Democratiaid Rhyddfrydol glymbleidio gan y byddai hynny yn ei gwneud hi'n haws i ninnau fod yn wrthbleidiau effeithiol. Dywedodd na fyddai'n cytuno i glymblaid efo ni, er y byddai o bosib yn fodlon ystyried telerau hyd braich. Cofiaf ei eiriau, 'I'm not in the business of wrecking the Assembly.' Roedd ei eiriau fel chwa o awyr iach yn sgil agweddau gwrthwynebus nifer yn ei blaid. Cefais sgwrs efo Alun Michael ac yntau erbyn hyn yn llawn sylweddoli fod 'na symudiadau ar droed i'w ddisodli. Ni chefais awgrym y gwyddai sut i ymateb i'r her.

Erbyn hyn, crynhoai'r anhapusrwydd gyda pherfformiad Alun Michael o amgylch dwy ffrwd, sef ei anallu i sicrhau arian Ewropeaidd yn ychwanegol i gyllideb y Cynulliad ar y naill law, a'r anhapusrwydd ymhlith aelodau ei blaid ei hun gyda'i berfformiad fel Prif Ysgrifennydd ar y llall. O'n safbwynt ni, canolbwyntio ar ei fethiant i sicrhau'r arian ychwanegol a wnaethom. Gofynnais i Phil Williams wneud y gwaith ymchwil ar y swm y dylid gofyn amdano fel arian ychwanegol. O ganlyniad i'r parch aruthrol i Phil ar draws y Cynulliad gwyddwn na fyddai fawr neb yn dadlau yn ei erbyn! Wedi iddo bwyso a mesur yn ofalus a chymryd pob agwedd bosib i ystyriaeth, cyhoeddodd Phil y byddem angen o leiaf £340m fel arian ychwanegol bob blwyddyn yn ystod amlen ariannol Amcan Un, sef rhwng 2000 a 2006. Ysgrifennais lythyr at Alun Michael yn dweud wrtho y byddai'n wynebu cynnig o ddiffyg hyder pe na fyddai'n sicrhau'r swm am y flwyddyn gyntaf, sef £85m am ran o'r flwyddyn gyntaf. Eglurais ein safbwynt mewn datganiad ar yr ugeinfed o Ionawr, 2000. Mewn ateb, dywedodd Alun na fyddai modd sicrhau'r arian, gan amddiffyn safbwynt y llywodraeth yn Llundain, ac felly aethpwyd ati i lunio cynnig o ddiffyg hyder.

Cefais sawl sgwrs ffôn efo Alun yn y dyddiau yn arwain at y bleidlais, ond ni chefais yr argraff yn ystod y sgyrsiau rheini fod ganddo fawr i'w gynnig a fyddai'n yn ein galluogi i dynnu'r cynnig yn ei ôl. Deellais ei fod wedi cynnig trefniadau clymblaid i'r Rhyddfrydwyr Democrataidd, ond erbyn hynny yr oedd pethau wedi mynd yn rhy bell. Credai rhai, gan gynnwys Jocelyn, na fyddai Alun Michael yn rhoi'r gorau iddi hyd yn oed pe collai bleidlais o ddiffyg hyder. O ganlyniad, byddai'n rhaid i'r Cynulliad fel corff ddiddymu'r penderfyniad a wnaed ar ddechrau'r Cynulliad i ddirprwyo'i bwerau i'r Prif Ysgrifennydd. Fe wneuthum hynny'n glir i'r Blaid Lafur. Yn y cyfamser daeth Andrew Davies i'm gweld, a hynny ar ôl sicrhau nad oedd neb wedi'i weld yn dod i'm swyddfa ac nad oedd offer clustfeinio yno. Dywedodd yn glir iawn fod yr anhapusrwydd efo Alun Michael yn golygu y gwneid niwed mawr i'r Cynulliad pe na fyddid yn parhau â'r cynnig o ddiffyg hyder. Gobeithiai y byddem fel plaid yn bwrw 'mlaen â'r bleidlais. Aeth un Aelod Seneddol Llafur yn gyhoeddus gan ofyn i Alun Michael sefyll i lawr. Dywedodd John Owen Jones, aelod Canol Caerdydd, fod Alun Michael yn hynod o amhoblogaidd ac mai camgymeriad oedd ei ethol yn arweinydd.

Daeth y dydd o brysur bwyso ar y nawfed o Chwefror 2000. Dewiswyd y diwrnod hwnnw gan y byddai'n union wedi cyhoeddi cyllideb y Cynulliad ar gyfer 2001-2, a gellid gweld os oedd arian ychwanegol wedi'i sicrhau ai peidio. Cyn y ddadl, fe ddywedodd Alun na fyddai'n sefyll i lawr hyd yn oed pe collai'r bleidlais, gan mai 'Mater i'r Blaid Lafur oedd dewis ei harweinydd a'i henwebai fel Prif Ysgrifennydd.' Agorais y ddadl ar y cynnig fel Arweinydd

Dros Dro Plaid Cymru. Gwneuthum hynny ar y sail fod Alun Michael wedi methu sicrhau fod arian Amcan Un yn ychwanegol i gyllideb y Cynulliad a thu allan i setliad Barnett. Eglurais y byddai'n amhosibl i'r Cynulliad ddod o hyd i'r £340m fyddai ei angen yn flynyddol oddi mewn i'w gyllideb heb amddifadu gwasanaethau allweddol megis y gwasanaeth iechyd. Euthum ymlaen i ddweud pa mor bwysig oedd sicrhau'r arian ychwanegol at ddefnydd rhai o'r ardaloedd tlotaf yn Ewrop, megis ardaloedd gwledig gorllewin Cymru a chymoedd y de. Fe'm dilynwyd gan Nick Bourne ar ran y Ceidwadwyr a Mike German ar ran y Democratiaid Rhyddfrydol. Ceisiodd Alun amddiffyn y ffordd y gweithredodd ar Amcan Un trwy ddweud ei fod wedi sicrhau £35m ar gyfer y flwyddyn gyntaf, ond cyfaddefodd nad oedd unrhyw sicrwydd y byddai arian ychwanegol ar gael ar gyfer y blynyddoedd canlynol. Tua diwedd ei araith ac yn annisgwyl cyflwynodd lythyr i Lywydd y Cynulliad, Dafydd Elis-Thomas, gan ddweud ei fod yn ymddiswyddo fel Prif Ysgrifennydd ac y dylid ailymgynnull ar y dydd Mawrth canlynol. Edrychodd y Llywydd arnaf i ac ysgydwais fy mhen. Dwi'n cymryd fod Nick Bourne a Mike German wedi gwneud yr un modd, er na welais hynny. Dywedodd Dafydd nad oedd wedi cael arwydd gan gynigwyr y cynnig eu bod yn bwriadu ei dynnu yn ôl. Galwodd am bleidlais. Codwyd pwyntiau o drefn gan rai o gefnogwyr Alun, megis Huw Lewis a Lorraine Barrett gan ddweud nad oedd modd cynnal pleidlais gan nad oedd Prif Ysgrifennydd. Gwrthododd y Llywydd â derbyn hynny, ac yn y bleidlais cariwyd y cynnig o 31 i 27 gydag un yn ymatal sef Alison Halford.

Heb unrhyw amheuaeth, dyna'r sesiwn fwyaf trydanol i mi fod yn rhan ohoni erioed. Er bod pawb ond un o'r aelodau Llafur wedi pleidleisio o blaid Alun Michael, roedd nifer sylweddol yn dyheu i weld y cynnig yn llwyddo. Yn naturiol roedd gan Alun ei gefnogwyr brwd – rhyw hanner dwsin ohonynt – ac aethant allan o'r siambr i'w ddilyn wedi'r bleidlais. Gohiriwyd y sesiwn am awr. Wedi i ni ddychwelyd, dywedodd Andrew Davies fod y Cabinet wedi cwrdd ac wedi ethol Rhodri Morgan yn Brif Ysgrifennydd Dros Dro hyd nes y penodid un newydd. Fe'i penodwyd yn ddiwrthwynebiad ar y dydd Mawrth canlynol. Erbyn hynny roedd Dafydd Wigley wedi dychwelyd i'w gyfrifoldebau fel Arweinydd ac ef a longyfarchodd Rhodri ar ei ethol yn Brif Ysgrifennydd. Bu cryn ddyfalu at sut y gellid sicrhau sefydlogrwydd i'r corff newydd, gan fod ein profiadau yn ystod y misoedd cyntaf wedi bod yn rhai digon anodd. Codwyd nifer o gwestiynau ynglŷn â rôl Plaid Cymru a ninnau yn wynebu'r broses ddigon poenus o fod yn un o'r ddwy brif blaid yng Nghaerdydd wedi blynyddoedd o fod ar yr ymylon fel petai yng nghyd-destun gwleidyddiaeth San Steffan. Roedd bod yn ei chanol hi yn dra gwahanol.

Cawsom un o'r 'dyddiau i ffwrdd' bondigrybwyll sydd bellach yn rhan annatod o'r broses o ddatblygu strategaeth yn y byd corfforaethol yn ogystal â'r byd gwleidyddol. Mae hefyd yn gyfle i'r aelodau gael 'bondio' gan fod efo'i gilydd am gyfnod helaeth. Prin iawn oedd y cyfleoedd i drafod strategaeth yn ystod bwrlwm yr wythnos wleidyddol yn y Bae. Er ein bod yn cyfarfod yn wythnosol fel grŵp byddai gwaith yr wythnos a'r wythnos ganlynol yn mynd â'n bryd yn hytrach na thrafod ein cynlluniau yn y tymor canol heb sôn am y tymor hir. Yn ein dydd i ffwrdd gwnaeth Dafydd Wigley gyflwyniad ar opsiynau cydweithio posibl gan ystyried clymblaid, trefniant llac, neu drefniant fesul pwnc. Ni ddaethpwyd i unrhyw gasgliad pendant o ganlyniad i'r drafodaeth. Nid oedd hynny yn annisgwyl gan mai dyna oedd y tro cyntaf i ni drafod cytundeb gwleidyddol â phlaid arall ar lefel genedlaethol. Bu rhai trefniadau ar lefel llywodraeth leol o bryd i'w gilydd, ond ni allem ystyried hynny fel cynsail gan y byddai'r scriwtini ar drefniant cenedlaethol cymaint yn fwy. Er na ddaethom i gasgliad, lleisiwyd y math o safbwyntiau a glywid yn gyson ers hynny, sef sgeptigaeth ymhlith llawer o'n cefnogwyr yng nghymoedd y de i unrhyw drefniant gyda'r 'gelyn' sef y Blaid Lafur, a gwrthwynebiad egwyddorol i unrhyw drefniant gyda'r Ceidwadwyr ymhlith rhai o'n haelodau. Roedd nifer gymharol fach o'r aelodau yn gwrthwynebu trefniant efo'r Democratiaid Rhyddfrydol, a hynny mewn etholaethau lle roedd ein dwy blaid benben â'i gilydd. Fodd bynnag, er yr anawsterau amlwg, sylweddolai mwyafrif yr aelodau etholedig y byddai'n rhaid dod i drefniant rhyw ddiwrnod gan mai anodd fyddai i unrhyw blaid sicrhau mwyafrif dan y drefn gyfrannol o ethol aelodau'r Cynulliad. Bu'r trafodaethau cychwynnol hyn yn gymorth wrth inni drafod y bwriad i glymbleidio yn 2007.

Wedi ethol Rhodri Morgan yn Brif Ysgrifennydd, cafwyd sawl ebychiad o ryddhad gan y corff gwleidyddol – y *body politic* – fel petai. Roedd hi'n gyfle i gymryd gwynt ac ailgychwyn gyda'r bwriad o roi'r sefydliad newydd ar sail gadarnach. Penderfynodd Rhodri ddod â rhai o'i gefnogwyr mwyaf blaenllaw i'w Gabinet, megis Sue Essex a Carwyn Jones, pobl oedd yn ddatganolwyr brwd. Roedd Sue yn un o'r aelodau Llafur a welai fod cyfle i gydweithio lle'r oedd hynny'n bosib, ac arddelai'r math o wleidyddiaeth gynhwysol y gobeithiai llawer ei weld yng Nghaerdydd. Yn wir roedd eraill, megis Jane Hutt ac Edwina Hart yn arddel yr un meddylfryd. Fodd bynnag, roedd eraill, yn enwedig ar y meinciau cefn yn parhau'n rhan o draddodiad unoliaethol Llafur a hynny yn ei gwneud hi'n anodd i'r to newydd gofleidio'r wleidyddiaeth newydd yn llwyr.

Wedi iddo ddychwelyd i'w gyfrifoldebau fel Arweinydd, bu Dafydd Wigley yn ystyried sut y gellid rhannu'r baich arweinyddol. Gwyddai ei bod hi'n anodd iddo roi ei holl amser i waith y Cynulliad ac yntau yn parhau fel Aelod Seneddol ac am dreulio peth o'i amser yn Llundain. Yn naturiol ddigon roedd ei salwch ddiwedd 1999 wedi ei ysgwyd rhywfaint a gwyddai y byddai'n rhaid bod yn ofalus o safbwynt pwysau gwaith. Cafodd Cynog Dafis a minnau ddau gyfarfod ag o yn ystod mis Ebrill. Awgrymodd Cynog y gallai sefyll i lawr fel Arweinydd y Cynulliad a minnau gymryd yr awenau yno, tra y byddai yntau yn parhau'n Llywydd ac yn arwain yr ymgyrch i etholiadau San Steffan a ddisgwylid yn 2001 neu 2002. Yn ystod yr ail gyfarfod, aethpwyd dros yr un tir, ond y tro hwn fe awgrymodd Cynog y dylai Dafydd dderbyn efallai na fyddai'n Llywydd ar ôl etholiad San Steffan. Erbyn hyn, mae Cynog wedi difaru mynd cyn belled â hynny yn yr ail gyfarfod ac wedi cadarnhau hynny yn ei lyfr *Mab y Pregethwr*.

Ni chafwyd cyfarfod pellach, ond ddiwedd Mai penderfynodd Dafydd sefyll i lawr fel Llywydd ac Arweinydd yn y Cynulliad. Cyflwynodd ei benderfyniad i gyfarfod arbennig o grŵp y Cynulliad yn Llandudno. Dywedodd ei fod yn gwneud hynny ar sail ei iechyd a'i fod yn gweithredu yn dilyn cyngor ei feddyg y byddai'n angenrheidiol iddo leihau ei bwysau gwaith. Daeth y newydd fel sioc i nifer o'r aelodau a thalwyd llu o deyrngedau iddo. Cynhaliodd gynhadledd i'r wasg gan egluro ei safbwynt yn gyhoeddus a dweud nad oedd am wynebu'r un ffawd â'r diweddar John Smith. Eglurodd y byddai'n parhau fel Aelod Cynulliad ac Aelod Seneddol hyd ddiwedd ei dymor yn San Steffan.

Mae'n amhosibl cloriannu holl gyfraniad Dafydd Wigley i Blaid Cymru a'r mudiad cenedlaethol ehangach yn y gofod sydd gennyf. Heb unrhyw amheuaeth mae'n un o ffigyrau pwysicaf y mudiad cenedlaethol yng Nghymru ers dyddiau Cymru Fydd. Mae parch mawr iddo ar draws y sbectrwm gwleidyddol. Roedd ei ddoniau fel ymgyrchydd heb eu hail a'i allu i drosglwyddo neges yn hynod bwerus. Er y gallai fod yn fyrbwyll ar brydiau, bu'n hynod effeithiol fel lladmerydd i'r Blaid ac yn llais cryf a dylanwadol ers ei ethol i San Steffan yn 1974. Nid oedd y berthynas rhyngddo a'i gyd-aelod Dafydd Elis-Thomas ar ei gorau am gyfnod yn yr 1970au a'r 1980au ond ni rwystrodd hynny'r ddau rhag bod yn hynod effeithiol fel cynrychiolwyr y Blaid yn Llundain. Penllanw cyfnod Dafydd a'i lwyddiant pennaf fel arweinydd oedd ymgyrchoedd 1999 a'r llwyddiannau mawr a gafwyd yn etholiadau'r Cynulliad, y Cynghorau Sir ac etholiad Ewrop. Enillodd barch aruthrol yn y cyfnod hwnnw. Y teimlad a gefais oedd nad oedd yn gyfan gwbl gyfforddus yn y cyfnod wedi'r etholiadau a'r newidiadau mawr a ddaeth i'r Blaid yn sgil hynny. O edrych yn ôl mae'n ddigon posib fod y salwch a gafodd wedi golygu ei fod wedi colli ychydig o'i hyder ac mae'n hawdd deall hynny wrth gwrs. Ar lefel bersonol, bu'n gefn mawr i mi yn ystod yr ymgyrchoedd ym Môn yn 1983 ac 1987 ac yn hynod garedig tuag ataf yn ystod fy nhymor cyntaf fel Aelod Seneddol.

Bu'n rhaid ystyried a ddylwn roi f'enw ymlaen ar gyfer y Llywyddiaeth. Penderfynodd y Blaid y dylid parhau i gyfuno swyddi'r Llywydd a'r Arweinydd yn y Cynulliad. Ymgynghorais yn eang cyn gwneud penderfyniad a'i drafod gydag Eirian, y plant, cyfeillion yn y byd gwleidyddol a thu hwnt ac aelodau'r cynulliad. Unwaith y gwyddwn fod gennyf gefnogaeth nifer fawr o aelodau'r grŵp roedd y penderfyniad yn haws o lawer. Yr unig aelod a ddaeth ataf i ddweud na fuasai yn fy nghefnogi oedd Phil Williams. Gwerthfawrogwn onestrwydd Phil a'i barodrwydd i ddweud ei farn yn agored. Cyhoeddais fy mwriad i sefyll ar ôl agor y broses i enwebu, gyda Helen Mary Jones a Jill Evans a oedd erbyn hynny yn Aelod Seneddol Ewropeaidd hefyd yn sefyll.

Tynnais dîm cryf o'm cwmpas i'm cynghori ac i redeg yr ymgyrch, gyda Cynog a Jocelyn fel aelodau etholedig, Huw Prys Jones ar yr ochr cyfathrebu a Dyfed Edwards, Robat Trefor ac Elwyn Vaughan ar yr ochr ymgyrchu. Cefais gefnogaeth gan Dafydd Elis-Thomas ac Elfyn Llwyd ac awgrymiadau gwerthfawr ganddynt ar y negeseuon y dylwn eu cyflwyno. Er mwyn sicrhau fod yr aelodau nad oedd yn mynychu'r hystingau yn gallu clywed y neges, llwyddais i gael tîm dan arweiniad Bethan Wyn Jones i'w ffonio. Roedd nifer o gefnogwyr lleol, megis Ellen Parry Williams, Ann Williams, Heather Thomas, Eira Parry ac eraill yn cynorthwyo. Byddwn yn cael adroddiadau cyson o ganlyniadau'r ymgyrch honno gan Siân Thomas a gwyddwn erbyn canol yr ymgyrch fod y gefnogaeth yn gryf.

Cyflwynais faniffesto swmpus yn cyflwyno fy syniadau ar ein hamcanion cyfansoddiadol, ein safle ar y spectrwm gwleidyddol a'r angen i foderneiddio trefniadaeth y Blaid. Ar y cwestiwn cyfansoddiadol, dywedais yr hoffwn i'r Blaid fabwysiadu'r ymadrodd 'Statws Cenedlaethol Llawn'. Byddai hynny yn rhoi i Gymru statws tebyg i Iwerddon neu Ddenmarc o fewn yr Undeb Ewropeaidd. Dywedais nad oedd hi'n hawdd proffwydo a fyddai Ewrop yn datblygu ar ffurf Ewrop y Rhanbarthau ai peidio, ond y dylai Cymru ddyheu 'am ba bynnag statws a fyddai'n rhoi inni fwyaf o allu i reoli ein tynged fel cenedl'. Yn y tymor byr, byddwn am sicrhau'r un pwerau â Senedd yr Alban a diwygio fformiwla Barnett ar sail ein hanghenion. Arddelais yr egwyddor o ddinasyddiaeth bositif fel y gwerthfawrogid pawb am y cyfraniad a wnaed ganddynt yn hytrach nag o le y daethant. Cadarnheais fod y blaid i'r chwith o'r canol ar y

126

sbectrwm gwleidyddol ac ymdynghedais i seilio ein polisïau ar egwyddorion cyfiawnder cymdeithasol a chydraddoldeb. Fel Arweinydd byddwn am sicrhau fod ein polisïau yn cyd-fynd â'r egwyddorion hyn ac â'r egwyddor sylfaenol o ailddosbarthu cyfoeth yn decach.

Ar fater moderneiddio trefniadaeth y blaid, dywedais ein bod wedi tyfu'n rhy fawr i'r strwythurau a fodolai gennym. Byddai angen cefnogi gwaith ein cynrychiolyddion etholedig ar bob lefel yn ogystal â darparu gwasanaethau i'n haelodau. Canlyniad hynny fyddai'r angen i godi mwy o arian er mwyn cefnogi'r gwaith gwleidyddol a sicrhau fod gennym yr adnoddau, y technegau ymgyrchu modern a'r staff angenrheidiol i ymladd etholiadau yn fwy effeithiol. Cynigiais y dylid hollti'r swyddi o Lywydd ac Arweinydd y Cynulliad. Arweinydd y Cynulliad, fel darpar Brif Ysgrifennydd ddylai fod yn arweinydd gwleidyddol y Blaid, gyda'r Llywydd yn gweithredu fel ymgyrchydd ac yn gweithredu fel pont rhwng gwahanol adrannau'r blaid. Sylweddolais y gallai'r bwlch rhwng yr aelodau etholedig a'r aelodau ar lawr gwlad ledaenu a gwelwn rôl y Llywydd fel pont rhag i hynny ddigwydd.

Trefnwyd nifer o hystingau ar hyd a lled Cymru a roddai gyfle i'r aelodau holi'r tri ymgeisydd ar eu rhaglen a'u maniffesto. Dyna'r tro cyntaf i arweinydd y Blaid gael ei ethol ar sail un aelod un bleidlais. Mi roedd hi'n ffordd dda o gynnwys yr aelodau yn y broses, er rhaid cydnabod mai canran gymharol fach o'r aelodau a fynychodd yr hystingau. Ar ben hynny, roedd y broses yn hynod o flinedig gan fod y tri ymgeisydd yn ymddangos mewn nifer o leoliadau ar draws gwlad dros gyfnod o wythnosau, a hynny ar ben cyfrifoldebau aelod etholedig. Er hynny, mwynheais y profiad yn fawr. Er bod y cyflwyniad wedi dechrau mynd yn stêl erbyn y diwedd, roedd y cwestiynau yn fachog ac yn aml yn annisgwyl a thrwy hynny yn gorfodi rhywun i feddwl ar ei draed. Bu Jocelyn yn rhai o'r hystingau ac yn ei ffordd ddiflewyn-ar-dafod yn rhoi adborth hynod ddefnyddiol. Cofiaf mewn un hysting iddi ddweud 'you looked bored when others were speaking!' a dweud bod hynny'n ymddangos yn anghwrtais. Dysgais y wers yn ddiymdroi!

Cynhaliwyd y cyfrif yn yr Eglwys Norwyaidd ym Mae Caerdydd. Aelodau'r blaid yn lleol oedd yn gyfrifol am y cyfrif ac nid oedd amheuaeth am y canlyniad o'r dechrau. Cefais 77% o'r bleidlais, cyfanswm o 4,834 gyda Helen yn cael 798 a Jill 598. Bu dathlu mawr yng Nghaerdydd y noson honno, gyda chefnogwyr o bob cwr o Gymru, a nifer o Ynys Môn. Gwyddwn y byddai fy myd yn newid y foment y cyhoeddwyd y canlyniad. Gwireddwyd hynny yn fuan gan i mi wneud cymaint o gyfweliadau gyda'r radio a'r teledu ac â gohebwyr y papurau newydd, rhai o Lundain yn ogystal ag o Gymru. Gan fod y canlyniad wedi'i gyhoeddi yn ystod wythnos yr Eisteddfod yn Llanelli, bu cyfle i ymweld â'r maes yn fuan a'r llongyfarchiadau yn dod ataf o bob cyfeiriad. Gwyddwn fodd bynnag mai dyma oedd dechrau'r daith, ac mai am y misoedd cyntaf yn unig y byddai'r mis mêl yn parhau. Rŵan roedd y gwaith mawr ar fin dechrau.

Pen-y-Fan Bellaf, Llanddyfnan. Cartref y teulu ar ochr fy mam a lle magwyd fy nhaid, Owen Pritchard.

Teulu fy nhad. Ar y chwith mae fy ewythr Robert Coetmor, fy ewythr William, fy nain a fy nhaid yn y canol a fy nhad ydi'r ail o'r dde.

Fy nhad a minnau ar drip ysgol Sul yn yr 1950au. Sylwch ar y siwt, crys a thei.

Caradog Prichard a'i deulu tu allan i'n bwthyn ym Methesda yn yr 1960au.

Llun o'r teulu yn ystod cyfnod Dinbych. O'r chwith: Gwenllian, y fi, Owain, Eirian a Gerallt.

Ymgyrchu yn ystod etholiad Dinbych, Hydref 1974.

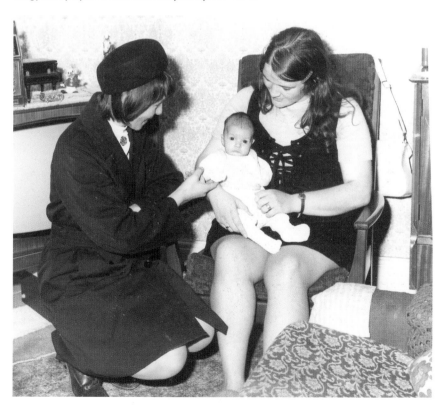

Llun o Eirian, y nyrs, taflen etholiad 1974.

Agor Swyddfa'r Blaid yn Ninbych yn yr 1970au. Dafydd Wigley'n perfformio'r seremoni.

Y teulu yn ein cartref yn Rhosmeirch. Eirian a minnau yn y cefn ac Owain, Gwenllian a Gerallt yn y rhes flaen.

Dafydd Iwan, Dafydd Wigley, Dafydd Elis-Thomas a minnau yn lansio'r ymgyrch ar gyfer etholiad 1983 ym Mhorthaethwy.

Teimlo bod angen ychydig o ddrama wrth ymgyrchu! Orig Williams a minnau yn Sioe Môn yn gynnar yn yr 1980au.

Y fi efo Ithel Gibbard, y gyrrwr ffyddlon a'r cyfaill cywir yn ystod etholiad 1987.

Dathu'r fuddugoliaeth efo Eirian yn 1987.

Cyfweliad wedi buddugoliaeth 1987.

Rhan o'r dyrfa enfawr tu allan i Neuadd y Dref Llangefni yn disgwyl am ganlyniad yr etholiad yn 1987.

Tu allan i brif fynedfa San Steffan 1987.

Rhan o'r dyrfa yn fy hebrwng i'r Senedd yn 1987.

Aelodau Seneddol y Blaid a'r SNP yn 1987. O'r chwith i'r dde, y fi, Alex Salmond, Dafydd Elis-Thomas, Margaret Ewing, Dafydd Wigley ac Andrew Welsh.

Aelodau o'r Pwyllgor Dethol Cymreig ar ymweliad â'r Unol Daleithiau. Yr ASau eraill yw Gareth Wardell, Gwilym Jones a John Smith.

Eirug Wyn, Eirian a minnau ar y trên i Lundain wedi etholiad 1992.

Ymgyrchu ym Môn.

Canfaswyr y Blaid yn ymgyrchu yn yr 1990au.

Fy mrawd, Rhisiart Arwel, Eirian a minnau'n disgwyl am ganlyniad etholiad Llywyddiaeth y Blaid, 2000.

Fy nerbyn i'r
Orsedd yn
Eisteddfod
Dinbych 2001
a'm cyfarch gan
yr Archdderwydd
Meirion Evans.

Cael yr Ewro
ar ddiwrnod ei
lansiad a minnau
ar ymweliad â'r
Almaen.

Fy nerbyn yn
Gymrawd er
Anrhydedd Prifysgol
Bangor.

Araith yr Arweinydd
yn yr awyr agored
yn Llangollen wedi
toriad i'r trydan yn y
neuadd.

Labour is willing to resume talks with Plaid Cymru on the shared understanding that the objective would be a formal coalition between Labour and Plaid Cymru

Labour recognises that such a coalition would need to be based on an agreed policy programme. Labour would enter those discussions on the basis that:

- There will be a commitment to securing a successful outcome to a referendum to be held at or before the end of this Assembly term;
- The Assembly Government will be seeking enhanced legislative competence on the Welsh Language;
- There will be an independent review of the Barnett Formula

Cynigion Llafur ar gyfer y glymblaid.

Araith wedi'r bleidlais ar glymbleidio tu allan i Neuadd Pantyfedwen, Pontrhydfendigaid 2007.

Gweinidogion Plaid Cymru wedi eu penodi yn 2007 – Elin Jones, Rhodri Glyn Thomas, Jocelyn Davies a minnau.

Gosod torch ger Porth Menin, Ypres ochr yn ochr â Alex Salmond. Fy swyddogaeth gyntaf fel Dirprwy Brif Weinidog.

Lansio gwasanaeth trên y Gerallt Gymro.

Parti dathlu fy mhen-blwydd yn 60 efo Dafydd Iwan ac Edward Morus Jones ymhlith y gwesteion.

Fy mam tua adeg ei phen-blwydd yn 90.

PENNOD 8

Ehangu Gorwelion

MEWN DATGANIAD YN dilyn f'ethol fel Llywydd, daeth cyfle i ailddatgan fy mwriad i weld y Blaid fel cyfrwng i greu Cymru gynhwysol a hyderus a fyddai'n edrych allan ar y byd o'n cwmpas. Cymerais y fuddugoliaeth fel mandad i ddechrau'r gwaith o foderneiddio'r Blaid gan edrych ar ein hamcanion, polisïau a strwythurau i'n galluogi i ymateb i anghenion Cymru yn yr unfed ganrif ar hugain. Yn sail i'r cyfan oedd yr angen i'r Blaid ddod yn blaid llywodraeth. Golygai hynny newid sylfaenol yn agwedd ein haelodau tuag at wleidyddiaeth. Cefais gyfle yn fy araith gyntaf i gynhadledd y Blaid yn Llandudno ym mis Medi i gyflwyno rhai o'r syniadau oedd gennyf ar gyfer y dyfodol. Cyn hynny, prin ddeng munud a gawn i areithio yng nghynadleddau'r Blaid, ond fel arweinydd cawn o leiaf ddeugain munud a chyfle i wneud cyflwyniad llawer mwy swmpus ar fy ngweledigaeth wleidyddol. Fy mhrif amcan oedd gosod y Blaid ar lwybr fyddai'n arwain at lywodraethu.

Yn ogystal â newid agwedd ein haelodau, rhaid oedd ymestyn ein hapêl tu allan i'n 'cadarnleoedd'. Digwyddodd hynny mewn nifer o ardaloedd yn 1999, ond teimlais y byddai'n rhaid ceisio cyflymu'r broses. Er bod trefniadau'r Blaid yn llawer gwell nag y buont, roedd rhai ardaloedd yng Nghymru ymhell ar ei hôl hi. Ym mis Ionawr 2001, ymwelais â mosg yng Nghasnewydd ar gais nifer o Fwslemiaid yn y ddinas. Cefais gyfle i gyflwyno neges y Blaid i gynulleidfa o ddau gant, y tro cyntaf i Arweinydd y Blaid wneud hynny. Cefais wrandawiad gwresog, ac yn dilyn hynny bûm yn cyfarfod grwpiau o Fwslemiaid yn Abertawe a Chaerdydd yn ogystal â chymryd rhan mewn nifer o sesiynau aml-ffydd. Cymerais bob cyfle posib i fynd â'r neges i gynulleidfaoedd newydd ledled Cymru.

Nid ymgyrchwyr yn unig oeddem bellach ond plaid a fyddai'n fodlon cymryd y cyfrifoldeb o arwain llywodraeth. Nid hawdd oedd newid diwylliant mewnol y Blaid ac fe gymerodd gryn amser i'r ddisgyblaeth angenrheidiol fyddai'n caniatáu i'r etholwyr ein cymryd o ddifri fagu gwreiddiau. I rai o'n haelodau a'n cefnogwyr hyd heddiw mae'r ddisgyblaeth hon yn anodd, gan mai rôl y Blaid iddyn nhw ydi ymgyrchu o blaid newid yn hytrach na chymryd y cyfrifoldeb o'i weithredu. Mae'r cyfaddawdu sy'n rhan hanfodol o sicrhau unrhyw newid yn y byd gwleidyddol yn ormod iddynt.

O safbwynt newidiadau cyfansoddiadol, bu'r Blaid yn ddigon aeddfed i sylweddoli mai drwy gymryd un cam ar y tro y gellid sicrhau ein hamcanion. Dyna pam y cefnogwyd y bwriad i sefydlu'r Cynulliad yn refferendwm 1997 a dyna pam y bu i'r Blaid mewn llywodraeth sicrhau refferendwm ar bwerau deddfu a gynhaliwyd yn 2011.

Un o'r camau cyntaf a gymerais fel Llywydd oedd penodi llefaryddion o blith aelodau'r Cynulliad. Gwelwn nifer ohonynt fel aelodau o'r Cabinet Cysgodol a fyddai'n paratoi ar gyfer etholiad 2003. Dyma'r tîm a benodais:

Dr Phil Williams: Datblygu Economaidd
Dr Dai Lloyd: Iechyd a Gwasanaethau Cymdeithasol
Gareth Jones: Addysg

Owen John Thomas: Yr Iaith Gymraeg, Diwylliant a Chwaraeon

Helen Mary Jones: Yr Amgylchedd, Trafnidiaeth a Chynllunio

Elin Jones: Amaethyddiaeth a Materion Gwledig

Janet Ryder: Llywodraeth Leol

Janet Davies: Tai

Brian Hancock: Busnesau Bach

Geraint Davies: Y Cymoedd

Yn ychwanegol, cymerodd Jocelyn Davies at y cyfrifoldeb o fod yn Rheolwr Busnes, ac fe gytunodd Cynog Dafis i barhau fel Cadeirydd y Pwyllgor Addysg ôl-16. Cytunodd Rhodri Glyn Thomas i gadeirio'r Pwyllgor Materion Gwledig, er i rai o'r wasg geisio dehongli hynny fel diraddiad. Dim o'r fath beth! Roedd cadeirio pwyllgor yn y Cynulliad yn gyfrifoldeb mawr a gwyddwn y gallai Rhodri gyflawni'r gwaith yn ardderchog. Nid oedd Pauline Jarman am gymryd cyfrifoldeb penodol am ei bod yn parhau i arwain Cyngor Rhondda Cynon Taf. Nid oedd Dafydd Wigley am gymryd cyfrifoldeb ffurfiol bryd hynny. Fodd bynnag fe ddaeth yn llefarydd ar gyllid yn ddiweddarach.

Cytunwyd y byddai'r Cabinet Cysgodol yn cyfarfod yn rheolaidd ac yn cymryd y cyfrifoldeb i lunio rhaglen bolisi ar gyfer etholiad y Cynulliad yn 2003. Byddid yn cael cyfarfodydd estynedig bob rhyw ddau neu dri mis i adolygu'r rhaglen bolisi. Gan ein bod wedi penodi nifer o swyddogion ymchwil yn 1999, roedd llawer o'r gwaith cefndirol yn syrthio ar eu hysgwyddau nhw. Sefydlwyd tîm i lunio strategaeth yr etholiad, gydag aelodau o'r Cynulliad a'r swyddfa ganol yn arwain y gwaith. Dyna'r tro cyntaf i ni gael cynllun proffesiynol ar lefel polisi a strategaeth. Cynog Dafis oedd yn gyfrifol am ddrafftio maniffesto ar gyfer 2003 ac fe gymerodd at y gwaith gyda'i frwdfrydedd arferol. Roedd yn treiddio i bob manylyn o bolisi ac yn cynnal nifer fawr o gyfarfodydd yn fewnol a gyda mudiadau allanol. Neilltuodd ei amser bron i gyd i'r gwaith hwn oddigerth faint a roddai i'w gyfrifoldebau fel Cadeirydd Pwyllgor. Gwyddwn fod y gwaith mewn dwylo cadarn a diogel a'm rhyddhâi innau i weithio ar y strategaeth etholiadol.

Ychydig fisoedd a gafwyd i roi trefn ar bethau cyn i storm wleidyddol ein taro'n galed a hynny yn hollol annisgwyl. Gwyddwn fod teimladau cryf yn mudferwi ynglŷn ag effaith mewnlifiad i'r ardaloedd Cymraeg a'r effaith a gâi hynny ar yr iaith a'r diwylliant brodorol. Ond fe gafodd geiriau'r Cynghorydd Simon Glyn ar raglen Sarah Dickins ar Radio Wales ym mis Ionawr 2001 gryn sylw. Dehonglwyd ei sylwadau fel ymosodiad ar Saeson a ddaethai i fyw i gefn gwlad Cymru a'r hyn a olygai hynny i'r iaith Gymraeg. Er iddo ymddiheuro os oedd wedi tramgwyddo yn erbyn unrhyw un, gwrthododd dynnu ei eiriau yn ôl. Daeth y storm a ddilynodd ei sylwadau ar adeg hynod o anodd i ni, gan ein bod yn datblygu safbwynt cynhwysol ar ddinasyddiaeth Gymreig. Gwyddwn fod cryn gydymdeimlad yn rhengoedd y Blaid ynglŷn ag effaith mewnfudo ar yr iaith, a bod hynny yn mynd tu hwnt i wrthwynebiad i ail gartrefi. Er hynny, ychydig o gydymdeimlad oedd â'r ffordd y bu i Seimon Glyn fynegi ei safbwyntiau ac yntau ar y pryd yn Gadeirydd Pwyllgor Tai Cyngor Gwynedd. Cefais nifer fawr o lythyrau yn sgil ei sylwadau. Er bod rhai yn cefnogi ei safbwynt, roedd y mwyafrif yn hynod feirniadol ac nid oes amheuaeth i'r holl sylw wneud niwed i ddelwedd y Blaid.

Bûm yn trafod yn helaeth f'ymateb fel Arweinydd i eiriau Seimon Glyn a minnau'n teimlo y dylai dynnu ei eiriau yn ôl yn ogystal ag ymddiheuro. Gan iddo wrthod gwneud, a hynny ar gais Elin Jones a oedd yn Gadeirydd y Blaid, rhaid oedd penderfynu a ddylem ei ddisgyblu. Bu sawl trafodaeth ar hynny, gan gynnwys efo Alun Ffred fel Arweinydd Cyngor Gwynedd. Gwyddem mai bach iawn oedd mwyafrif y Blaid ar y cyngor ac y byddai colli aelod yn ergyd. Er hynny, roedd hygrededd y Blaid yn y fantol. Roedd y broses fewnol yn cymryd amser gan mai yn fisol y cyfarfyddai'r Pwyllgor Gwaith. I wneud pethau'n waeth awgrymodd Seimon Glyn y gallai sefyll i'r Cynulliad yn 2003 yn erbyn aelod o'r Blaid. Yn y cyfamser, gwnaeth y pleidiau eraill yn fawr o'r anesmwythder a achosai'r sylwadau i ni. Dysgais wers fawr a chaled yn sgil yr helynt, a sylweddoli fod canfyddiad yn aml yn bwysicach na'r gwirionedd mewn gwleidyddiaeth! Ein camgymeriad oedd peidio delio efo'r mater yn fuan, tin-droi a gadael i'r stori fagu traed. Bu'n rhygnu am fisoedd, o gofio fod mudiad Cymuned wedi'i sefydlu i ymgyrchu dros hawliau cymunedau Cymraeg. Yn un o raliau Cymuned, ymosododd Seimon Glyn arnaf i yn bersonol, a hynny wrth gwrs yn achosi tyndra ychwanegol.

Awgrymais y dylem sefydlu gweithgor tai gwledig dan gadeiryddiaeth Dafydd Wigley i gymryd tystiolaeth a chyflwyno argymhellion ar ffyrdd i amddiffyn cymunedau gwledig. Gwelwn hynny fel ymateb adeiladol i'r argyfwng. Aelodau eraill y gweithgor oedd Janet Davies ein llefarydd ar dai a Simon Thomas, AS Ceredigion. Gwnaeth y gweithgor waith ardderchog gan gomisiynu ymchwil academaidd, ystyried ymchwil a fodolai eisoes ac edrych ar yr hyn a wnaed mewn lleoedd eraill megis Ardal y Llynnoedd i gynorthwyo brodorion i gael mynediad i'r farchnad dai.

Cyhoeddodd y gweithgor ei argymhellion ym mis Mehefin 2001, gan gynnwys newidiadau yn y rheoliadau cynllunio, neilltuo tir ar gyfer tai lleol, cyflwyno grantiau i frodorion i brynu tai a chynyddu'r dreth ar ail gartrefi. Beirniadwyd yr argymhellion gan Gymdeithas yr Iaith am nad oeddent yn mynd yn ddigon pell, a chan y pleidiau eraill am eu bod yn amddiffyn hawliau Cymry Cymraeg ar draul y gymuned ehangach! *C'est la vie.* Cyflwynodd Simon Thomas fesur preifat yn Nhŷ'r Cyffredin ym mis Tachwedd y flwyddyn honno a fyddai'n gweithredu argymhellion y gweithgor. Er na lwyddodd y mesur hwnnw, gweithredwyd nifer o'r argymhellion gan lywodraeth Cymru'n Un yn ddiweddarach, gan gynnwys cyfyngu ar hawl i brynu tai cyngor a sicrhau hawliau i gynyddu treth ar ail gartrefi.

Er gwaethaf ein hymdrechion, fodd bynnag, bu i'r helynt sugno ynni'r Blaid ar gyfnod go bwysig, sef y cyfnod yn arwain at etholiad cyffredinol 2001. Ond roedd problem arall yn ein hwynebu hefyd sef y ffrae fewnol ym Môn ynglŷn â dewis ymgeisydd i ymladd yr etholiad a minnau wedi penderfynu sefyll i lawr o San Steffan. Roedd dau ymgeisydd lleol cryf yn y ras, sef Eilian Williams cyfreithiwr o Gaergybi a Robat Trefor a fu'n drefnydd y Blaid yn yr etholaeth. Bu'r ymgyrchu yn galed a ffyrnig ar brydiau ac yn y gynhadledd ddewis enillodd Eilian o ddwy bleidlais. Er bod eraill, gan gynnwys Karl Davies a oedd yn Brif Weithredwr wedi ymgeisio roedd y gefnogaeth wedi polareiddio rhwng y ddau ymgeisydd lleol. Gan fod y canlyniad mor agos, gwnaeth cefnogwyr Robat gŵyn i'r swyddfa ganol ar y sail nad oedd rhai o'r canghennau wedi'u sefydlu'n gyfansoddiadol ac na ddylid fod wedi caniatáu i rai cynrychiolwyr bleidleisio. Gwrthodwyd y gŵyn wedi ymchwiliad ond roedd nifer o'r gweithwyr lleol yn anhapus. Llesteiriodd hynny'r ymgyrch ym Môn, er nad oedd neb yn credu y byddai'r sedd yn y fantol.

Ar un lefel, roedd ein gwaith yn y Cynulliad gymaint yn haws wedi i'r Blaid Lafur a'r Democratiaid Rhyddfrydol ffurfio clymblaid yn Hydref 2000. Bellach, gallem weithredu fel prif wrthblaid heb boeni am ddadsefydlogi'r sefydliad.

Wynebodd y glymblaid nifer o broblemau, gan gynnwys ymddiswyddiad Mike German fel Dirprwy Brif Weinidog yn dilyn sefydlu ymchwiliad i'w gyfnod yn gweithio i un o'n sefydliadau addysg cyn ei ethol i'r Cynulliad. Yn wir, rhaid cydnabod i'r glymblaid sefydlogi'r broses ddatganoli ar gyfnod digon bregus yn ei hanes.

Yr achosion o glwy'r traed a'r genau yn 2001 oedd un o'r digwyddiadau mwyaf torcalonnus yn ystod fy nghyfnod fel aelod etholedig. Fe ddaeth y clwy i Gymru ddiwedd Chwefror 2001 pan ddarganfuwyd yr haint mewn dafad mewn lladd-dy yn y Gaerwen ar Ynys Môn. Daeth y ddafad mewn llwyth o ogledd Loegr. Gosodwyd parth gwahardd o amgylch y lladd-dy, a gofynnwyd i'r cyhoedd beidio â mynd ar dir amaethyddol lle cedwid anifeiliaid. Gan fod cymaint o ladd-dai bychan wedi cau o ganlyniad i gyflwyno rheoliadau caeth, teithiai nifer o anifeiliaid rai cannoedd o filltiroedd i gyrraedd lladd-dy trwyddedig, a hynny yn ei gwneud hi'n fwy anodd i reoli'r haint.

Buan y gwaharddwyd symudiadau anifeiliaid, gan roi pwysau ar lif arian amaethwyr. Ond oherwydd i'r clwy ledu a chanfod tri ar ddeg o achosion positif, cafodd nifer fawr o anifeiliaid ar Ynys Môn eu difa mewn ymdrech i gyfyngu'r lledaeniad. Er bod cefnogaeth i'r gwaharddiadau a'r cynllun difa, achosodd yr haint loes ddifrifol i amaethwyr ar yr ynys nid yn unig yn economaidd ond yn gymdeithasol a seicolegol. Lleddfwyd y broblem ariannol i raddau drwy sefydlu cynllun iawndal, ond bu'r effaith seicolegol yn echrydus. Gwelodd cymaint o deuluoedd eu hanifeiliaid yn cael eu difa, anifeiliaid y bu iddynt weithio'n galed i'w magu a chreu perthynas agos â nhw.

Cafodd y dull o ddifa, sef lladd yr anifeiliaid a llosgi'r cyrff ar y ffermydd effaith fawr ar y cyhoedd yn ogystal â'r diwydiant. Roedd gweld lluniau arswydus o'r tanau ar y teledu yn nosweithiol bron yn ingol a gorfodwyd yr awdurdodau i chwilio am ffyrdd amgen i gael gwared â'r cyrff. Ar Ynys Môn, ystyriwyd nifer o safleoedd i gladdu'r cyrff, megis chwarel yn Llangaffo a safle'r Weinyddiaeth Amddiffyn ym Mona. Gan fod emosiynau yn rhedeg yn uchel, rhaid oedd dod o hyd i ddatrysiad buan. Gofynnwyd i Asiantaeth yr Amgylchedd gynghori'r Cyngor Sir ar safleoedd addas a'u hamddiffyn rhag trwytholchi. Yn sgil hynny, gwrthodwyd safle Llangaffo, a doedd y Weinyddiaeth Amddiffyn ddim yn fodlon defnyddio eu tir nhw.

Yn y diwedd, awgrymwyd safle Penhesgyn, sef y safle gwastraff yn ne'r ynys. Gweithredid y safle gan Gwmni Gwastraff Môn-Arfon a byddai'n rhaid cael caniatâd y cyfranddalwyr. Ystyriwyd nifer o sialensiau a wynebai'r cynllun sef sicrhau iawndal i'r cwmni a weithredai'r safle, yr effaith ar gario gwastraff cyffredin a rheolaeth traffig i'r safle yn ogystal â'r angen i ddiheintio'r lorïau cyn cyrraedd y safle ac ar ôl gadael. Yn wreiddiol, gwrthodwyd y safle gan gynghorwyr y Cyngor Sir.

Cynhaliwyd cyfarfod yn swyddfeydd y Cyngor Sir ar y cyntaf o Ebrill 2001 gyda Rhodri Morgan, Carwyn Jones a'r Ysgrifennydd Gwladol Paul Murphy yn bresennol. Ailddatganwyd y gwrthwynebiad i ddefnyddio safle Penhesgyn, ond buan y daeth hi'n amlwg nad oedd dewis arall mewn gwirionedd, gan fod angen safle a allai gymryd 40,000 o anifeiliaid ac a fyddai'n cael ei gymeradwyo gan Asiantaeth yr Amgylchedd. Dechreuodd y cynllun o fynd â'r cyrff i Benhesgyn yn fuan wedyn. Cyfarfûm efo trigolion Penmynydd ar yr wythfed o Ebrill, ac mi roedden nhw yn awyddus i weld y cynllun yn dod i ben. Fodd bynnag, nid oedd safle arall yn cynnig ei hun.

Un o sgileffeithiau'r clwy oedd yr effaith ar fusnesau bach a ddibynnai ar dwristiaeth. Roedd cyfnod y Pasg yn

2001 yn hynod o bryderus iddynt a chyn hynny ni wyddwn pa mor fregus oedd sefyllfa ariannol nifer o'r busnesau hyn. Caewyd y parciau cenedlaethol gan gynnwys Eryri. Cofiaf ymweld â pherchnogion siopau ym Meddgelert a chanfod y byddai colli busnes y Pasg yn ergyd ddifrifol iddynt. Heb arian yr ymwelwyr, ni allent fforddio talu rhent a threth fusnes eu siopau gan nad oedd arian wrth gefn ganddynt yn sgil misoedd llwm y gaeaf. Ym Môn, dywedodd rhai perchnogion busnes bod eu hincwm wedi gostwng 90% a byddai angen cymorth gan y llywodraeth er mwyn talu llogau banc, rhent a threthi. Yr un oedd y stori mewn cyfarfod gyda chynrychiolwyr Cymdeithas Gwestai a Bwytai Sir Benfro. Cwynodd nifer am ddiffyg cefnogaeth y banciau, rhywbeth a glywais droeon yn ystod argyfwng ariannol 2008-9 yn ogystal. Cyflwynodd y llywodraeth gynllun gwarant ar fenthyciadau a chynllun i ohirio taliadau treth fusnes.

Treuliais lawer o'm hamser yn 2001 yn ymgyrchu mewn nifer o etholaethau yr oeddem yn eu targedu ar gyfer Etholiad San Steffan a ddisgwylid ym mis Mai. Dewiswyd yr ardaloedd targed yn dilyn ein llwyddiant mewn etholaethau unigol yn etholiad cyntaf y Cynulliad. Bûm yng Nghonwy, y Rhondda, Dwyrain Caerfyrddin, Llanelli ac Islwyn. Gwyddem y byddai ychwanegu at ein pedair sedd yn dalcen caled, a rhan o'r bwriad oedd cryfhau'r drefniadaeth yn genedlaethol ac yn yr etholaethau ar gyfer etholiad y Cynulliad yn 2003. Lluniwyd rhaglen waith gynhwysfawr, a chan fod cymaint mwy o staff gennym llwyddwyd i sicrhau tîm i fod yn gyfrifol am y wasg a'r cyfryngau yn ogystal â'r rhaglen bolisi. Trefnwyd fod mentor ar gael i gynorthwyo ymgeiswyr yn yr etholaethau targed. Gohiriwyd yr etholiad tan fis Mehefin oherwydd clwy'r traed a'r genau.

Roedd canlyniad yr etholiad yn eithaf cymysg i ni. Ar y naill law, roedd cael y ganran uchaf erioed, 14.3%, bron i 196,000 o bleidleisiau ac ennill Dwyrain Caerfyrddin yn llwyddiannau, ond y siom fwyaf o ddigon oedd colli Ynys Môn. Nifer seddi sy'n cyfrif i'r cyfryngau, felly sefyll yn ein hunfan oedd y canfyddiad. Fodd bynnag hyd heddiw dyna'r canlyniad gorau erioed o safbwynt canran a nifer o bleidleisiau mewn etholiad i San Steffan.

Roedd colli Môn yn ergyd, a rhai hyd yn oed yn darogan y gallai fy ngafael ar sedd y Cynulliad fod mewn perygl yn 2003. Er nad yn hunanfoddhaol, nid oeddwn yn rhannu'r prognosis negyddol hwnnw. Bu peth beirniadaeth leol nad oeddwn wedi treulio digon o amser yn yr etholaeth yn ystod yr ymgyrch. Ond nid dyna oedd y prif reswm. Yn fy marn i, y prif resymau oedd y ffraeo mewnol yn rhengoedd y Blaid a'r ffaith fod hanes yn yr etholaeth o newid plaid pan fo'r deiliad yn sefyll i lawr. Roedd rhywbeth arall yn digwydd nad oeddem wedi ei lawn sylweddoli bryd hynny sef fod nifer o etholwyr ym Môn yn gweld Plaid Cymru yn blaid y Cynulliad yn hytrach na San Steffan. Yn dilyn etholiad 2001, fe ddywedodd rhai wrthyf, 'Dwi'n eich cefnogi chi i Gaerdydd ac Albert i Lundain!'

Yn naturiol ddigon, gwelai'r wasg ac yn sgil hynny rhai aelodau o'r Blaid ganlyniad 2001 fel adlewyrchiad ar berfformiad yr Arweinydd. Gwyddwn y digwyddai hynny, a chan mai sefyll yn ein hunfan oedd y canfyddiad, gwelai rhai eu cyfle i bigo crach trwy awgrymu y byddai'r canlyniad gymaint yn well petai Dafydd Wigley yn parhau'n Llywydd. Wedi'r cwbl, onid cynyddu'n sylweddol ddylsai cefnogaeth y Blaid yn sgil llwyddiannau 1999? O edrych yn ôl, gellid dadlau fod 2001 yn gynnydd, gan nad yw'r Blaid wedi llwyddo i wella ar y canlyniad hwnnw byth ers hynny.

Yn 2001 cynhaliwyd yr Eisteddfod Genedlaethol yn Ninbych, fy nhref enedigol. Braf oedd cael fy urddo i'r Orsedd yn enw Ieuan Dyfnan. Llanddyfnan ym Môn oedd cartref llawer o'n teulu, ac yno y magwyd fy nhaid Owen William Pritchard. Cafwyd seremoni hyfryd iawn dan arweiniad Meirion yr Archdderwydd a balch oeddwn o gael fy nheulu yn bresennol. Euthum i'r Pafiliwn fel aelod o'r Orsedd am y tro cyntaf ar y dydd Gwener ac ar ben fy nigon pan gyhoeddwyd mai enillydd y gadair oedd Mererid Hopwood a hithau'r ferch gyntaf i wneud hynny. Cefais y fraint o draddodi darlith ar Thomas Gee yn y Babell Lên yn ystod yr Eisteddfod honno a hynny dair blynedd ar ôl cyhoeddi fy nghofiant i'r gwrthrych.

Ar yr unfed ar ddeg o Fedi 2001 ymosodwyd ar Ganolfan Masnach y Byd yn Efrog Newydd ac ar y Pentagon gan grŵp terfysgol Al-Qaeda gyda bron i dair mil yn colli eu bywydau. Cofiaf gerdded i mewn i swyddfa wasg y grŵp yn y Cynulliad a gweld yr arswyd ar wyneb Anna Brychan wrth wylio'r teledu. Edrychais innau a gweld y lluniau erchyll o Ganolfan Masnach y Byd ar dân ac o fewn eiliadau'r adeilad yn cwympo. Gwyddai pawb ohonom y byddai hynny yn arwain at gyfnod ansefydlog iawn a'r alwad am ddial yn crochlefain yn uchel o sawl cyfeiriad. Erbyn mis Hydref roedd milwyr o'r Unol Dalaethau a Phrydain wedi ymosod ar Affganistan ac erbyn mis Tachwedd gyrrwyd y Taliban o Khabul. Er mai bwriad y cyrch meddid oedd dal Osama bin Laden a ystyrid yn arweinydd y mudiad a ymosododd ar Ganolfan Masnach y Byd, bu hi'n ddeng mlynedd cyn i hynny ddigwydd.

Plaid Cymru oedd yr unig blaid prif ffrwd a wrthwynebodd y rhyfel yn Affganistan. Er bod unigolion yn y pleidiau eraill yn wrthwynebus neu'n anghyfforddus efo ymyrraeth filwrol, roedd arweinwyr y pleidiau yn gytûn ar yr angen. Gan fod unoliaeth barn o fewn yr elît gwleidyddol, dioddefodd y Blaid ymosodiadau chwyrn o bob cyfeiriad o ganlyniad i'n safiad ar y rhyfel. Fel Arweinydd, roeddwn wedi dechrau dod i arfer efo gwrthwynebiad o sawl cyfeiriad. Er hynny ni phrofais y math o ymosodiadau a ddaeth i'm rhan o ran maint a chwerwder cyn hynny nac wedyn. Oes yr e-byst oedd hi, a chefais filoedd ohonynt o bob rhan o Brydain yn fy nghyhuddo o fod yn frawdwr, dyhuddwr a phob peth arall o dan haul. Arllwyswyd sen arnaf o bob cyfeiriad. Teimlwn dan warchae, rhaid cyfaddef, er fy mod yn gwbl sicr fod fy safbwynt yn un cywir. Bu i ddigwyddiadau'r wythnosau a'r misoedd hyn daflu cwmwl sylweddol dros ein cynhadledd yng Nghaerdydd ym mis Medi'r flwyddyn honno.

Yn bersonol, nid oeddwn yn gwrthwynebu ymyrraeth filwrol ar bob achlysur. Gwyddwn fod yna draddodiad o heddychwyr pur yn y Blaid, a charfan gref o'r aelodau yn gwrthwynebu unrhyw ymyrraeth filwrol beth bynnag fo'r amgylchiadau. Nid oeddwn yn un ohonynt. Roedd y dystiolaeth a welais o'r erchyllterau a gyflawnwyd ym Mosnia a rhannau o'r hen Iwgoslafia wedi cael effaith fawr arnaf. Ni allwn dderbyn na ddylid ymyrryd lle ceid achos o hil-laddiad.

Yn achos Affganistan, nid oedd yr amgylchiadau lle credwn y gellid cyfiawnhau ymyrraeth filwrol yn bodoli. Ar ben hynny, roedd y profiad o fethiannau cyrchoedd gan Rwsia yn y wlad honno rhwng 1979 ac 1989 yn profi na ddylid ymyrryd. Ni fu unrhyw wladwriaeth bwerus yn llwyddiannus mewn cyrchoedd milwrol yn y rhanbarth. Bu milwyr o Brydain yn rhan o'r ymryson milwrol yno tan 2014, sef tair blynedd ar ddeg wedi'r cyrch gwreiddiol. Ni ellir dadlau fod y cyrchoedd yn 2001 wedi llwyddo i ddileu'r gwrthwynebiad i 'werthoedd' y Gorllewin.

Un o sgileffeithiau'r rhyfel yn Affganistan oedd ymosodiadau geiriol a chorfforol ar Fwslemiaid. Rhaid canmol Rhodri Morgan am sylweddoli fod angen dod â phobl at ei gilydd i amddiffyn Mwslemiaid yng Nghymru a ddioddefai'r math yma o ymosodiadau. Galwyd cyfarfod o arweinwyr y cyrff crefyddol yng Nghymru ynghyd ag arweinwyr y pedair plaid yn y Cynulliad. Bwriad y cyfarfod oedd gwella'r berthynas rhyng-grefyddol yng Nghymru ac i lefaru ag un llais yn erbyn ymosodiadau ar unrhyw un o'r crefyddau. Soniwyd nad oedd y wasg yn helpu drwy ychwanegu at y tensiynau ac mai merched a phlant oedd yn dioddef fwyaf. Yn ychwanegol, roedd anwybodaeth am Islam yn rhemp yn y gymdeithas, a hynny yn ei gwneud hi'n anodd darbwyllo pobl nad oedd dim i'w ofni gan Fwslemiaid yng Nghymru. Cytunwyd y byddai sefydlu Cyngor Rhyng-grefyddol yn fuddiol er mwyn dod â'r byd gwleidyddol a chrefyddol at ei gilydd yn weddol reolaidd. Fe'i sefydlwyd, a bu'n gymorth mawr adeg rhyfel Irac a chyfnodau o densiwn wedi hynny.

Fe'm gwahoddwyd i gyflwyno darlith flynyddol Sefydliad Gwleidyddiaeth Cymru yn Aberystwyth ym mis Tachwedd 2001. Sefydlwyd y ddarlith yn 1999, ac ers hynny, bu'n ddigwyddiad blynyddol o bwys yn y calendr gwleidyddol. Cyflwynais ddarlith ar yr angen i droi'r Cynulliad yn Senedd. Tynnais sylw at y gwendidau amlwg yn y system o ddatganoli oedd ohoni yng Nghymru oherwydd mai corff corfforaethol oedd y Cynulliad. Rhagwelais yr angen i hollti'r cyfrifoldebau deddfwriaethol oddi wrth y llywodraeth, a'r angen i gael hawliau deddfu llawn. Dadleuais fod angen cael mwy o bwerau ar bwyllgorau'r Cynulliad yn arbennig felly i graffu ar benderfyniadau a chynigion y llywodraeth. Cyflwynais gynnig y dylai'r Cynulliad gael yr un pwerau â Senedd yr Alban gyda phwerau deddfu cynradd a phwerau trethu. Er nad oedd hynny yn mynd mor bell â beth fyddai'r Blaid yn ei ddymuno, byddai'n gam mawr i'r cyfeiriad cywir. Erbyn 2013, roedd y pwerau rheini wedi dod.

Ni allai gwyliau'r Nadolig yn 2001 ddod yn ddigon cyflym i mi. Cyfnod y Nadolig a'r Flwyddyn Newydd yw'r tawelaf yn y byd gwleidyddol, a chyfle i ymlacio ychydig. Ffarweliais â'r flwyddyn efo elfen fawr o ryddhad, gyda helyntion y mewnfudiad, clwy'r traed a'r genau a rhyfel Affganistan wedi bod yn brofiad tanllyd i mi yn ystod fy mlwyddyn gyntaf fel Arweinydd. Ar ôl y Nadolig, aeth Eirian a minnau ar daith trên hudolus o Köln i Mainz. Roedd ffrindiau wedi awgrymu'r daith i ni rai misoedd ynghynt ac ni chawsom ein siomi. Roedd yr eira'n drwchus mewn mannau a golygfeydd hyfryd gyda threfi a phentrefi bach ar hyd glannau afon Rhein a'r ffug-gestyll yn britho'r creigiau uwchben. Noswyl y flwyddyn newydd aethom i wasanaeth yn Eglwys Gadeiriol Mainz. Erbyn i ni gyrraedd roedd y Gadeirlan yn llawn a chawsom le i sefyll yn y cefn. Er i ni fod ar ein traed am awr a hanner, nid oeddem am adael gan fod naws addolgar gwirioneddol i'r gwasanaeth. Un o uchafbwyntiau'r daith oedd ymweld ag eglwys San Steffan i gael golwg ar ffenestri lliw Chagall.

Fe ddechreuodd 2002 efo'r newyddion syfrdanol braidd fod Dafydd Wigley, Cynog Dafis a Phil Williams wedi penderfynu sefyll i lawr o'r Cynulliad adeg etholiad 2003. Cyflwynodd Dafydd ei benderfyniad i'r grŵp yn ystod un o'r diwrnodau i ffwrdd – yr *away days* bondigrybwyll – a gynhaliwyd yn Llanelwedd. Dywedodd ei fod yn rhoi'r gorau iddi ar ôl deng mlynedd ar hugain ar y rheng flaen ac wedi treulio'r rhan fwyaf o'r cyfnod yn 'taro ei ben yn erbyn wal frics y sefydliad Prydeinig'. Fe ddaeth yr amser meddai i drosglwyddo'r baton i'r genhedlaeth nesaf. Yn naturiol, nid oedd hynny yn adlewyrchu ei gyfraniad sylweddol i'r byd gwleidyddol yng Nghymru, ond mewn rhyw ffordd ryfedd gallwn gydymdeimlo â'r teimladau! Yn ei sylwadau yntau, mynegodd Cynog ei farn fod gan y Blaid dîm o aelodau ardderchog a thalentog i gario'r gwaith ymlaen. Gwyddwn fod Cynog yn meddwl rhoi'r gorau iddi ers tro, ac ofer fu unrhyw berswâd arno i ailfeddwl.

Golygai penderfyniad y tri y byddai'n rhaid ailedrych ar aelodaeth y Cabinet Cysgodol. Bu ymateb y wasg i'r penderfyniad yn negyddol braidd yn yr ystyr na allai'r grŵp fforddio colli tri aelod mor flaenllaw a phrofiadol. Fodd bynnag, gwyddwn fod 'na dîm talentog o'm cwmpas a thrafodais ailwampio'r aelodaeth efo Jocelyn, Elin a Cynog. Tua'r un adeg cefais gyfarfod preifat efo Ron Davies. Bu'n ystyried ymuno â'r Blaid ers tro, ond yn hynod o nerfus ynglŷn â'r goblygiadau. Rhoddodd asesiad eithaf cignoeth o'n gobeithion yn 2003 a dweud y gellid ailethol Rhodri Morgan yn niffyg cynnig dewis amgen realistig iddo. Yn y diwedd ni ymunodd Ron efo'r Blaid bryd hynny, ac fe sefydlodd Cymru Ymlaen yn 2004 efo John Mark. Ymunodd efo'r Blaid yn 2008.

Ein tasg gyntaf yn 2002 oedd sefydlu ein hunain fel llywodraeth amgen. Roedd penderfyniad y tri i ymddeol yn gwneud y dasg honno'n anos, ond gwelais gyfle i hyrwyddo nifer o aelodau eraill i gymryd rôl flaenllaw fel llefaryddion. Lluniais raglen o ymweliadau yn ystod y misoedd canlynol, i ysbytai, ysgolion, ffatrïoedd, ffermydd ac yn y blaen. Cytunais ar raglen o areithiau i ganolbwyntio ar feysydd penodol. Cafwyd areithiau ar yr iaith, diwygio Fformiwla Barnett, yr Economi ac Iechyd a'r cyfan yn arwain i'r gynhadledd ym mis Medi. Treuliais ychydig amser yn ymgyrchu yn ystod isetholiad seneddol Ogwr wedi marwolaeth Ray Powell ddiwedd 2001. Nid oedd ein gobeithion yn uchel, ond roedd parch mawr i Bleddyn Hancock fel ysgrifennydd cyffredinol NACODS a'i waith yn ymladd dros iawndal i'r glowyr a'u teuluoedd. Daethom yn ail yn yr isetholiad a'r unig blaid i weld cynnydd yn ei chefnogaeth ers yr etholiad cyffredinol.

Ym Mehefin 2002 aeth Cynog a minnau i Wlad y Basg i ganfod sut roedd plaid genedlaethol yn gweithredu mewn llywodraeth. Trefnwyd nifer o gyfarfodydd gan un o'r chwaer bleidiau yn yr EFA sef Eusko Alkartasuna, a hithau yn un o'r pleidiau a ffurfiai lywodraeth y wlad. Roedd mewn clymblaid gyda'r blaid genedlaetholgar fwyaf, y PNV, a chanddi dri gweinidog yn gyfrifol am Addysg, yr Amgylchedd, a Chyfiawnder, Cyflogaeth a Gwasanaethau Cyhoeddus. Dioddefodd y wlad yn enbyd yn economaidd yn sgil y dirwasgiad a arweiniodd at gau'r pyllau glo a'r diwydiannau trymion yn nechrau'r wythdegau. Fodd bynnag, fe benderfynodd llywodraeth ar ôl llywodraeth ddilyn llwybr tra gwahanol i Gymru drwy fuddsoddi'n helaeth mewn arloesedd ac ymchwil a datblygiad a hybu sectorau newydd yn seiliedig ar yr agenda newydd. Erbyn 2002 mi roedd yr economi'n tyfu ar raddfa o 5% y flwyddyn a hynny'n sylweddol uwch na Chymru.

Roeddem yn awyddus i ddeall sut aeth y pleidiau cenedlaetholgar ati i hyrwyddo defnydd o'r iaith frodorol yn wyneb grym y Sbaeneg, sef y bedwaredd iaith fwyaf pwerus yn y byd gyda dros bum can miliwn yn ei siarad. Cawsom wybod ei bod yn frwydr barhaus, gyda dros chwarter y boblogaeth yn medru'r iaith ac er bod y mwyafrif o bell ffordd yn byw yng Ngwlad y Basg o fewn ffiniau gwladwriaeth Sbaen, roedd tua 50,000 o siaradwyr dros y ffin yn Ffrainc. Un fantais fawr ganddynt oedd bod cymaint o ddilyniant i'r polisi o hyrwyddo'r iaith, gan fod pleidiau cenedlaetholgar mewn grym yn ddi-dor ers ugain mlynedd. Ar un ystyr felly, roedd y camau a gymerwyd i amddiffyn y Gymraeg yn ddim llai na gwyrth o gofio mai llusgo consesiynau o lywodraeth anfoddog wnaeth y rhai fu'n ymgyrchu dros y Gymraeg ers yr 1960au. Ond y neges amlwg i mi oedd na fyddem yn gweld cynnydd sylweddol yn y broses o hyrwyddo'r iaith hyd nes byddai pleidiau cenedlaetholgar mewn grym yng Nghymru a hynny am gyfnod sylweddol. Ni fyddai bod mewn grym am un tymor yn ddigon.

Cyhoeddodd Karl Davies ei ymddeoliad fel Prif Weithredwr y Blaid yng ngwanwyn 2002 ar ôl wyth mlynedd yn y swydd. Yn ystod ei gyfnod wrth y llyw trawsnewidiwyd y Blaid fel peiriant ymgyrchu ac fe'i gadawodd mewn sefyllfa dipyn cryfach. Heb unrhyw amheuaeth byddai Karl wedi gwneud aelod etholedig ardderchog un ai fel Aelod Seneddol neu aelod o'r Cynulliad. Ond nid felly y bu yn ei hanes, ac fel llawer un arall talentog o'i flaen ac wedi hynny, ni lwyddodd i fod yn 'y lle iawn ar yr adeg iawn'. Roedd ei golli o'r maes gwleidyddol yn ergyd. Erbyn Medi 2002, roeddem wedi penodi Dafydd Trystan yn olynydd iddo, ac yntau yn fachgen ifanc disglair gydag ynni dihysbydd ac ymennydd gwleidyddol craff. Roedd ganddo sgiliau ymgyrchu arbennig ac wrth gwrs yn arbenigwr ar ddehongli data gwleidyddol. Daeth Dafydd â dimensiwn newydd i'n gwaith.

Aeth cynhadledd y Blaid yn Llandudno yn well nag yr oeddwn yn ei ddisgwyl ym mis Medi 2002. Canolbwynt fy neges oedd bod yn rhaid sicrhau pwerau cyfartal â'r Alban fel y cam nesaf tuag at hunanlywodraeth. Yn sicr roedd y sylw yn y wasg yn well, a hynny'n rhannol am fy mod wedi treulio tipyn o amser yn eu briffio o flaen llaw ynglŷn â'r prif negeseuon. Nid oedd hynny wedi digwydd o'r blaen ac yn sicr elwais o'i wneud.

Ar ddechrau 2003, cyfeiriwyd ein golygon fwyfwy at yr etholiad ym mis Mai'r flwyddyn honno. Erbyn hynny, roeddwn yn teimlo'n llawer mwy hyderus ac yn fwy cyfforddus gyda'm cyfrifoldebau. Wrth ymlacio ychydig dros y flwyddyn newydd, penderfynais y byddwn yn canolbwyntio ar yr angen i ethol llywodraeth fyddai'n gwella'r economi a chryfhau'r gwasanaeth iechyd. Byddwn yn hyrwyddo'r angen am Gonfensiwn Cyfansoddiadol – rhywbeth y gwelwyd ei golli cyn 1997 – er mwyn cytuno'r camau nesaf o safbwynt pwerau'r Cynulliad. Er y gwyddwn nad trwy arwain ar y cwestiwn cyfansoddiadol y byddid yn ennill etholiad, gwyddwn hefyd na ellid gwireddu nifer o amcanion polisi'r Blaid o dan y drefn bresennol.

Erbyn hynny roedd y Blaid yn y Cynulliad wedi cytuno i mi benodi ymgynghorydd arbennig er mwyn mireinio'r neges wleidyddol a sicrhau fod gennyf sianelydd rhyngof a'r wasg. Rhaid ei fod yn rhywun y gallai gohebwyr ymddiried ynddo er mwyn cael gwybodaeth ar safbwyntiau'r Blaid a'r Arweinydd. Penodwyd Philip Dixon i weithio yn fy swyddfa yn 2002 ond erbyn dechrau 2003 roedd y gwaith yr ymddiriedwyd iddo yn cynyddu'n sylweddol. Roedd yn gyn-offeiriad Pabyddol, yn fachgen hynod o alluog a meddwl gwleidyddol craff ganddo. Rhai misoedd ynghynt bu'n gweithio yn ein swyddfa ganol, ac awgrymwyd ei enw i mi gan Karl Davies. Un o nodweddion Philip oedd ei drylwyrder ac fe baratôdd restr o bob papur newydd cenedlaethol a lleol yng Nghymru gyda chylchrediad pob un ynghlwm. Un o broblemau'r Blaid erioed oedd diffyg gwasg Gymreig gyda mwyafrif llethol o'r etholwyr yn darllen llawer mwy ar bapurau Llundeinig a'u pwyslais ar faterion metropolitanaidd Seisnig. Ond mi roedd derbyn gwybodaeth wyddonol ar gylchrediad yn help mawr wrth osod neges wedi'i ffocysu'n llawer mwy cywir yn hytrach na pharatoi datganiadau generig.

Cefais gyfarfod efo David Jenkins, Ysgrifennydd Cyffredinol TUC Cymru yn fuan yn 2003 gyda'r bwriad o drafod ffyrdd o gydweithio ar faterion lle roedd tir cyffredin rhyngom. Yn ystod y sgwrs daeth hi'n amlwg na fyddai'r undebau yn gwneud unrhyw beth fyddai'n tanseilio'r Blaid Lafur a bod eu teyrngarwch i'r blaid honno yn absoliwt. Fodd bynnag, cefais wybodaeth ddefnyddiol ganddo ar drafodaethau mewnol Llafur ar gryfhau pwerau'r Cynulliad yn sgil argymhellion Comisiwn Richard. Byddai Rhodri Morgan yn llunio cynnwys maniffesto Llafur ar y sail o 'beth allai gael heibio Tony Blair' ac y byddai hynny yn syrthio'n fyr o gyfartaledd efo'r Alban. Er iddo ddweud y byddai'n cydweithio efo ni pe byddem yn ffurfio llywodraeth, nid oedd yn rhagweld y digwyddai hynny yn 2003. Y cyfan a wnaeth y sgwrs oedd cadarnhau'r teimlad cryf a oedd gennyf eisoes, sef fod gafael y mudiad llafur – y blaid a'r undebau – ar y sector gyhoeddus yng Nghymru yn gadarn iawn. Yr unig ffordd i lacio hwnnw oedd i'w curo mewn etholiad.

Bu'r cyfnod yn arwain i'r etholiad yn un digon cadarnhaol ar lawer ystyr. Roedd penodiad Philip Dixon wedi rhoi min ar ein dull o gyfathrebu negeseuon a'r wasg yn llawer mwy parod i wrando arnynt. Roeddwn wedi penodi Natalie Drury fel Cynorthwyydd Personol cyn hynny a bellach roedd gennym dîm hynod o effeithiol yn rhedeg fy swyddfa. Gwyddai Natalie bopeth oedd i wybod am straeon y Cynulliad ym mhob plaid am ei bod yn berson hynod o gymdeithasol a chlust dda ganddi i wrando. Bu'r intel a gasglwyd ganddi yn help mawr ar fwy nag un achlysur! Teimlwn fod yna wendidau yn llywodraeth Rhodri Morgan y gallem eu hescploitio megis rhestrau aros hir yn yr ysbytai, helyntion y corff addysg ELWA, ffioedd myfyrwyr a gwendid yr economi. Roedd aelodau'r Pwyllgor Gwaith a'r Cynulliad yn hynod gefnogol i'r syniad o sefydlu Confensiwn Cyfansoddiadol wedi'r etholiad, a thipyn mwy o undod yn y rhengoedd.

Yn lleol fodd bynnag, roedd penderfyniad rhai o gynghorwyr y Blaid i gynghreirio efo Annibynwyr i ddisodli Goronwy Parry fel Arweinydd Cyngor Sir Môn wedi achosi tipyn o gythrwfl ychydig wythnosau cyn yr etholiad ac ni allai'r amseru fod yn waeth. Er mai naw o gynghorwyr swyddogol oedd gennym allan o ddeugain, cafodd Bob Parry ddigon o gefnogaeth i'w ethol yn Arweinydd. Ofnwn mai simsan iawn fyddai gafael y Blaid ar yr awenau gan ein bod yn gwbl ddibynnol ar ewyllys da'r Annibynwyr a bod perygl y diflannai hwnnw megis cicaion Jona gynt. Roedd gennyf barch mawr i Bob fel Arweinydd UAC ac wedi cydweithio ag o ar sawl achlysur digon anodd, ond nid oeddwn yn cefnogi'r symudiadau a wnaed, er na fynegais y farn honno'n gyhoeddus. Ar un ystyr yn wleidyddol, gallwn fod wedi ymfalchïo yn y ffaith fod yr unig Dori ar y cyngor wedi ei ddisodli, ond roedd cymhlethdodau gwleidyddiaeth fewnol y cyngor yn gwneud hynny yn anodd. Cefais gryn sioc pan gefnogwyd Goronwy fel Arweinydd gan rai o'r aelodau Llafur, ond dim ond un o sawl sioc oedd honno!

Er bod lle i gredu ein bod yn dechrau gwneud marc yn wleidyddol ym misoedd cynnar 2003, nid oedd y polau piniwn yn dangos unrhyw gynnydd yn ein cefnogaeth. I'r gwrthwyneb yn wir, roeddent yn darogan y gallem golli rhai o'r seddi a enillwyd yn 1999. Ar un lefel, byddai cadw etholaethau megis Islwyn a'r Rhondda yn dipyn o gamp, a byddai colli dim ond ychydig o gefnogaeth ar bleidlais y rhestr yn rhoi rhai o'r seddi hynny mewn perygl. Daliem i gredu y gallem gadw gafael ar ein seddi a chynyddu hyd yn oed pe caem ymgyrch gref. Credem, a hynny yn anghywir fel y digwyddodd hi, na fyddai gwleidyddiaeth San Steffan yn taflu cysgod drosom. Yn 2003, roeddem hanner ffordd drwy ail dymor Tony Blair a rhywfaint o gynnydd yn y gefnogaeth i'r Torïaid wedi'r cyfnod hesb iddynt ers 1997, a hynny er gwaethaf cyfnod trychinebus Iain Duncan Smith wrth y llyw.

Cynhaliwyd etholiad 2003 ar y cyntaf o Fai a bu'r canlyniadau yn ergyd, efo'r Blaid yn colli pum sedd. Roedd pedair ohonynt yn rhai etholaeth, Islwyn, y Rhondda, Llanelli a Chonwy ac un ar restr y De Ddwyrain. Mae fy nyddiadur o'r cyfnod hwnnw yn dangos fy mod wedi paratoi f'hun y gallem golli Islwyn a'r Rhondda ond roedd colli Llanelli (o 21 pleidlais) a Chonwy (o 72 pleidlais) yn dipyn o glec. Ac ar ben hynny, roedd colli cymaint o ganran o'r bleidlais yn ergyd ychwanegol. Er fy mod wedi cadw Môn gyda thipyn llai o fwyafrif, nid oedd hynny fawr o gysur. Pan euthum i'r cyfrif ym Mhlas Arthur toc wedi hanner nos, soniais wrth Eirian y byddai'n rhaid i mi ystyried ymddiswyddo yn fuan wedi i bob canlyniad ddod i mewn. Siarsiodd fi i beidio gweithredu'n fyrbwyll. Ffoniais Huw Prys o'r cyfrif ac fe ddywedodd yntau na ddylwn ymddiswyddo, fod 'problemau'r Blaid' yn llawer ehangach na'm safle i, a bod gennyf gyfrifoldeb i'r rhai a'm cefnogodd i ddal ati. Ond bu'r pwysau a fu arnaf yn y dyddiau a ddilynodd yn affwysol, a'r wasg yn darogan y byddwn yn dod o dan gryn bwysau i sefyll i lawr.

Cefais sawl sgwrs ffôn efo aelodau blaenllaw o'r Blaid ac fe dderbyniais lythyrau a negeseuon o bob rhan o Gymru a phob un yn ymbil araf i ddal fy nhir ac aros ymlaen fel Arweinydd. Crybwyllodd ambell un y dylwn aros ymlaen tan ddiwedd naturiol fy nghyfnod fel Arweinydd yn 2004 a gwneud penderfyniad terfynol bryd hynny. Ar ôl dychwelyd i'r Cynulliad bu dau gyfarfod o'r grŵp ar y dydd Mawrth a'r dydd Mercher canlynol ac fe siaredais efo pob aelod ac ni chafwyd unrhyw awgrym y dylwn fod yn ystyried fy sefyllfa. Cododd Leanne Wood, a oedd yn aelod newydd yn cynrychioli rhestr Canol De Cymru bryd hynny, fater yr arweinyddiaeth yn y cyfarfod ar y dydd Mercher ac ni chafwyd ymateb negyddol pan ddywedais mai fy mwriad oedd aros ymlaen 'ar hyn o bryd'. Ond fe surodd pethau o fewn dim o amser.

PENNOD 9

Tro ar Fyd

DYDD IAU'R WYTHFED o Fai 2003, a hynny toc wedi naw'r bore gofynnodd Dr Dai Lloyd, Cadeirydd Grŵp Aelodau'r Cynulliad a gâi sgwrs. Daeth i'm swyddfa gan edrych yn anghyfforddus. Yr oedd yn hynod o nerfus ac yn aflonydd yn ei sedd. Yn amlwg roedd ganddo neges i'w chyflwyno, ond ni wyddai sut i wneud hynny. Yn y diwedd mynnais ei fod yn dweud ei neges ac fe ddywedodd fod chwe aelod o'r grŵp yn credu y dylwn sefyll i lawr erbyn y gynhadledd y flwyddyn honno. Oherwydd amserlen ethol arweinydd, golygai hynny byddai'n rhaid i mi roi'r gorau iddi fwy neu lai yn syth er mwyn caniatáu'r amser i gynnal yr etholiad. Gwyddwn arwyddocâd y nifer o chwech, a bod hynny yn golygu nad oedd gennyf fwyafrif o'r aelodau yn gefnogol. Cymerais Dai ar ei air a dywedais wrtho nad oedd gennyf ddewis ond ymddiswyddo. Gadawodd fy swyddfa braidd yn llechwraidd, ac yntau wedi cyflwyno neges na fyddai unrhyw arweinydd yn dymuno ei chlywed.

Siaredais â Jocelyn wedi'r cyfarfyddiad efo Dai ac yr oedd hi wedi cael ychydig o'r cefndir. Bu cyfarfod yn nhŷ Helen Mary'r noson cynt, efo Janet Ryder, Janet Davies a Dai yn bresennol. Y nhw mae'n debyg, dros bryd o gyrri, a benderfynodd y dylai Dai gyflwyno'r neges, ond gwyddent y byddai'n rhaid cael dau arall i gytuno efo nhw. Cyfaddefodd

Elin Jones ei bod hi bryd hynny yn cytuno efo safbwynt Dai ond ni wn i sicrwydd hyd heddiw pwy oedd y llall er bod enwau wedi eu crybwyll o bryd i'w gilydd. Penderfynais nad oedd modd imi barhau ac yr oeddwn am ei gwneud hi'n glir pam fy mod wedi penderfynu ymddiswyddo gan imi wneud datganiad ychydig ddyddiau ynghynt y byddwn yn aros. Ffoniais Huw Prys a oedd ar daith trên ac fe fynnodd ddod i Gaerdydd yn syth. Dros ginio efo Philip penderfynais y byddwn yn gwneud datganiad yn y swyddfa ganol yn Park Grove am bump o'r gloch.

Yn naturiol ddigon yr oedd y staff gan gynnwys Natalie a Cath Adams, rheolwr y staff ac eraill yn hynod o emosiynol gan fethu â deall agwedd y chwech. Daeth Leanne i'm gweld yn flin fod hyn wedi digwydd. Daeth Dafydd Elis heibio a gofyn a oedd modd i mi ohirio unrhyw benderfyniad, gan ddweud ei fod yn flin iawn efo'r chwech. Cefais air efo Elfyn Llwyd, Pauline Jarman a Brian Hancock a'r tri yn cynnig eu cefnogaeth yn frwd. Erbyn hynny fodd bynnag, roedd y penderfyniad wedi'i wneud. Aeth Philip â mi i Stiwdio Arlunio Eirian yn y ddinas er mwyn torri'r newydd iddi. Cytunodd y byddai'n dod gyda mi i Park Grove erbyn pump.

Erbyn i mi gyrraedd y swyddfa ganol, roedd nifer fawr o ohebwyr yno ac fe gariwyd fy natganiad yn fyw ar y BBC. Yn y datganiad hwnnw, eglurais fy mod wedi ymgynghori'n helaeth ar ôl yr etholiad ac wedi cael cefnogaeth eang i barhau fel arweinydd tan o leiaf cynhadledd 2004. Y farn gyffredinol oedd y dylem gymryd amser fel plaid i gymryd stoc, gwneud asesiad manwl o'r canlyniadau a gweithredu'r newidiadau pellgyrhaeddol oedd eu hangen i sicrhau y gallem wynebu sialensiau'r blynyddoedd nesaf. Fodd bynnag, eglurais fod Cadeirydd y grŵp wedi dod i'm gweld y bore hwnnw a bod hanner y grŵp yn dweud y dylwn sefyll i lawr ynghynt. Golygai hynny nad oedd modd gwneud y newidiadau angenrheidiol heb gefnogaeth mwyafrif yr aelodau yn y Cynulliad ac nad oedd gennyf ddewis ond ymddiswyddo. Diolchais i aelodau cyffredin y Blaid, aelodau etholedig, y staff ac Eirian a'r teulu am eu cefnogaeth. Nid oeddwn am ateb cwestiynau'r wasg ac euthum i'r tŷ roeddwn yn ei ddefnyddio yng Nghaerdydd i ymdawelu wedi'r storm.

Cefais lu o lythyron a negeseuon yn dilyn y cyhoeddiad a phob un yn datgan cefnogaeth, sioc a'r mwyafrif yn flin efo'r ffordd y bu'n ofynnol i mi roi'r gorau iddi. Y diwrnod canlynol aeth Eirian a mi am baned dawel i fwyty'r Plan yn Arcêd Morgan yng Nghaerdydd. Ar ôl deall fy mod yno, daeth y rheolwr a'i wynt yn ei ddwrn, datgan ei gefnogaeth a dweud y dylwn ymladd yn ôl a pheidio â gadael i'r chwech reoli dyfodol y Blaid. 'Stand up to them' oedd ei eiriau. Ni ddisgwyliais ymateb mor gadarn, a dyna'n wir oedd y farn gyhoeddus hefyd. Cariwyd nifer o straeon yn y wasg am y cyfarfod cyrri yng nghartref Helen a bu lluniau'r pedwar a ddisgrifiwyd yn y *Mirror* Cymreig fel y 'Curry Plotters' yn y papurau am ddyddiau. Pennawd y *Western Mail* oedd 'Stabbed in the back'. Achosodd hyn beth poendod iddynt, a buont yn hynod amddiffynnol, gan awgrymu un ai fod Dai wedi mynd yn rhy bell yn y cyfarfod efo fi, neu fy mod i wedi camddehongli ei neges. Yn hytrach na dal yn ôl, gwneuthum ddatganiad arall yn rhestru'r digwyddiadau arweiniodd at fy mhenderfyniad a hynny gam wrth gam.

Euthum ymhellach na'r datganiad gwreiddiol gan ddweud fod y wasg wedi cael gwybod am hanes y cyfarfod yn nhŷ Helen a bod Dai wedi bod yn fy ngweld. Yr oedd y digwyddiadau yma yn cael eu cydgordio, gyda nifer o aelodau nad oeddent yn aelodau presennol o'r Cynulliad mewn cysylltiad â'i gilydd ac yn barod i wneud cyfweliadau yn holi pa mor ddoeth oedd hi i mi barhau o dan yr amgylchiadau. Doedd hi ddim yn help chwaith fod Helen wedi datgan yn fuan ei bod yn ystyried sefyll am yr arweinyddiaeth.

Buasai peth trafod yn rhengoedd y Blaid ynglŷn â'r bwriad i hollti cyfrifoldebau'r Llywydd ac Arweinydd y Blaid yn y Cynulliad a bod y pwysau gwaith yn ormod i un person ymgymryd â'r ddwy swydd. Yn sgil fy mhenderfyniad i, fe holltwyd y swyddi, ac o ganlyniad agorwyd enwebiadau am y ddwy swydd. Yn naturiol, doedd neb yn disgwyl i mi ystyried sefyll unwaith yn rhagor. Treuliais amser maith yn ystyried fy opsiynau ac a allwn i mewn gwirionedd redeg ymgyrch gredadwy i fod yn Arweinydd yn y Cynulliad. Fe'm calonogwyd gan y gefnogaeth a gefais yn dilyn f'ymddiswyddiad. O hollti'r ddwy swydd, rhoddwyd cyfle i mi ystyried y mater. Yn naturiol, pe byddai'r Blaid wedi penderfynu cadw'r un drefn ag etholiad 2000, ni allwn fod wedi hyd yn oed ystyried ailsefyll. A dyna'r cyntaf o nifer o gamgymeriadau a wnaeth y rhai oedd yn elyniaethus i mi.

Aeth Eirian a minnau i ffwrdd sawl tro yn y ddeufis yn dilyn yr ymddiswyddiad, penwythnos fan hyn a fan draw a chael mwynhad o wneud hynny. Rhaid cyfaddef fod cefnogaeth Eirian wedi bod yn gwbl allweddol yn ystod fy holl yrfa wleidyddol. Yr oedd yn gefn i mi bob tro y gwnawn benderfyniad, a hyd oed pan yr anghytunem ar y ffordd ymlaen, bu ei chefnogaeth yn ddi-syfl. Buom yn trafod y syniad o gynnig fy hun unwaith yn rhagor yn ystod y penwythnosau gan bwyso a mesur yn ôl ac ymlaen, weithiau o blaid a thro arall yn gweld y peryglon. Dros gyfnod y Sulgwyn aethom i Rouen, dinas a gysylltir efo Jeanne D'Arc. Roeddem wedi bod yno droeon, yn cael bendith wrth fynd i'r Gadeirlan enfawr yno. Byddai Eirian wrth ei bodd yn egluro sut yr aeth Monet ati i wneud degau o luniau o'r eglwys ar adegau gwahanol, ar dymhorau gwahanol ac mewn golau gwahanol. Eisteddodd y ddau ohonom ar fainc gerrig tu allan i'r eglwys a thynnu rhestrau o blaid ac yn erbyn sefyll. Tua'r diwedd, edrychodd y ddau ohonom ar ein gilydd gan ddod i'r un casgliad sef y byddwn yn caniatáu i'm henw fynd ymlaen.

Ni chyhoeddais fy mwriad am beth amser. Cyhoeddodd Dafydd Iwan a Cynog Dafis eu bod yn ymgiprys am y Llywyddiaeth a Helen Mary a Rhodri Glyn yn dangos diddordeb yn y swydd yn y Cynulliad. Gelwais y tîm fu'n trefnu'r ymgyrch yn 2000 at ei gilydd, sef Dyfed Edwards, Elwyn Vaughan a Huw Prys. Wedi cael paned a sgwrs, eglurais fy mwriad a'm rhesymeg. Bu cryn dawelwch, gan fod neb yn disgwyl cyhoeddiad o'r fath. Ond o wrando ar fy rhesymeg, cadarnhaodd pob un ohonynt eu cefnogaeth, gan wybod fod gennym fynydd i'w ddringo i sicrhau llwyddiant. Ni wyddai'r un ohonom am enghraifft flaenorol fyddai'n gynsail i ni, ond taflwyd popeth i'r ymdrech! Ni wyddwn beth fyddai ymateb Rhodri Glyn, ond pan soniais wrtho beth oedd fy mwriad, wfftiodd at y syniad gan gerdded i ffwrdd braidd yn sarrug. Gallwn gydymdeimlo ag o, gan y gwyddem y byddai'r ddau ohonom yn debyg o bysgota am gefnogaeth yn yr un pwll.

Cyfarfu'r tîm yng Nghastell Deudraeth a thrafod yr ymgyrch efo Dafydd Elis. Roedd o wedi datgan ei gefnogaeth lwyr i'm bwriad ac yn barod i wneud datganiad i'r perwyl. Penderfynwyd y byddem yn trefnu ymgyrch ffonio drylwyr ac yn defnyddio'r meddalwedd diweddaraf i ddadansoddi'r data. Trafodwyd y *pitch* a chytuno y byddwn yn pwysleisio fy mhrofiad, y weledigaeth oedd gennyf i sicrhau senedd 'go iawn', fy mharodrwydd i weithio'n galed a'm gwybodaeth eang o'r Blaid. Ffoniwyd Elfyn Llwyd o'r cyfarfod hwnnw ac fe gytunodd ar unwaith i ddatgan ei gefnogaeth yn gyhoeddus. Yn y daflen o dan y pennawd '@md@ni 2003' a luniwyd ar gyfer yr ymgyrch cefais eiriau o gymeradwyaeth gan gynnwys Elfyn, Gareth Jones, Mohammad Asghar, Liz Saville, cynghorwyr megis Morfudd Jones o Ruthun, Fflur Hughes o Langefni a'r diweddar annwyl Janice Dudley o Gastell-nedd.

Treuliais lawer o'm hamser yn cysylltu ag aelodau a swyddogion pwyllgorau etholaeth a threfnu ymweliadau. Synhwyrais yn weddol fuan nad oedd yr un lefel o gefnogaeth gennyf yn 2003. Cofiaf drefnu ymweliad ag aelodau'r Blaid yn y Fenni a hynny ar gais aelod a oedd yn gefnogwr brwd i mi. Roeddwn yn adnabod y gynulleidfa yn dda, a gwyddwn o'r cwestiynau a gefais yn dilyn f'anerchiad byr nad oedd y mwyafrif yn gefnogol. Dywedodd rhai aelodau a fu'n gefnogol yn 2000 mewn ffordd ddigon cwrtais na allent fy nghefnogi'r tro hwn. Pan ddaeth canlyniadau'r ymgyrch ffonio yn ôl, roedd cwymp yn y gefnogaeth ers 2000, ond fe'm calonogwyd o wybod fod digon yn parhau i sicrhau fy mod yn y ras. Gan nad oedd Dafydd Wigley wedi datgan ei gefnogaeth yn gyhoeddus i unrhyw ymgeisydd, roedd cryn ddyfalu ynglŷn â lle'r safai mewn gwirionedd. Pan gadeiriodd gyfarfod i Helen Mary yn Eisteddfod Meifod, roedd hynny yn arwydd eithaf cryf o'i safbwynt. Treuliais weddill y mis Awst hwnnw yn ymweld â phob Sioe Amaethyddol ranbarthol o bwys, gan ddiweddu yn Sioe Meirion yn Nolgellau ar y seithfed ar hugain o'r mis.

Trefnwyd hystingau mewn saith lleoliad ar hyd a lled Cymru rhwng y cyntaf a'r nawfed o Fedi. Gan fod hystingau'r ddau etholiad yn digwydd yr un noson, roedd y cyfarfodydd yn hynod o faith ac o ganlyniad yn eithaf dirdynnol. Roedd y tensiwn yn amlwg, yn arbennig wrth gerdded i mewn i'r sesiynau a nifer o'r aelodau yn dewis peidio cyfarch yr ymgeiswyr rhag ofn dangos ochr yn rhy amlwg. Trefnwyd i gyfrif y pleidleisiau fel y gellid cyhoeddi enwau'r buddugwyr ychydig ddyddiau cyn y gynhadledd flynyddol yng Nghaerdydd. Roedd yr awyrgylch yn y neuadd gyfrif yn drydanol, a chefnogwyr Helen yn gwbl grediniol mai hi fyddai'n ennill y tro hwn. Daeth hi'n amlwg o ddechrau'r cyfrif ei bod yn hynod o agos rhwng y ddau ohonom, a Rhodri Glyn yn y trydydd safle. Gan nad oedd unrhyw ymgeisydd wedi ennill ar y rownd gyntaf, aethpwyd i ailgyfrif gan ddosbarthu ail ddewis cefnogwyr Rhodri rhwng Helen a minnau. Fe enillais o drwch blewyn ar yr ail gyfrif, a mawr fu'r dathlu. Fe'm coronwyd y 'comeback kid' gan y *Western Mail*. Roeddwn wedi cyflawni rhywbeth a oedd hyd y gwyddwn yn ddigynsail mewn gwleidyddiaeth, sef ennill brwydr ar ôl ymddiswyddo. Yn amlwg, nid oedd y wasg yn disgwyl canlyniad o'r fath. Yn breifat, roeddent wedi dod i'r casgliad mai Dafydd Iwan a Helen fyddai'r buddugwyr, ac mi roedd y bwcis yn darogan hynny. Y fi oedd ffefryn y bwcis pan gyhoeddais fy mwriad i sefyll, ond Helen oedd ar y blaen ganddynt tua'r diwedd.

Sut y bu imi lwyddo? Credaf fod cyfuniad o resymau. Roedd rhai aelodau yn flin ynglŷn â'r ffordd cefais fy nhrin yn dilyn yr etholiad, eraill yn hoffi'r cyfeiriad yr oeddwn am lywio'r Blaid. Ond roedd trefn f'ymgyrch yn ffactor pwysig. Roedd gennyf dîm o weithwyr cwbl ymroddedig, oedd yn defnyddio'r dulliau mwyaf proffesiynol ar y pryd i gasglu data a chyflwyno negeseuon. Bu'r paratoi, y cynllunio a'r gweithredu yn gampus ac mewn etholiad clos, gwnaeth hynny'r gwahaniaeth.

Enillodd Dafydd Iwan y frwydr i fod yn Llywydd y Blaid yn eithaf cyfforddus. Gwyddai'r ddau ohonom fod gwaith mawr o'n blaenau i geisio gwella clwyfau'r ymgyrch. Mae colli etholiad mewnol yn siom, gan i rywun deimlo'n ddigon naturiol ei fod ef neu hi wedi cael ei wrthod yn nhŷ ei gyfeillion. Er ei siom, gwyddwn na fyddai Cynog yn cario ei glwyfau am gyfnod maith. Bellach, roedd wedi ymddeol o'r rheng flaen, a chyfle ganddo i gyfrannu mewn ffyrdd eraill. Ond yn achos Helen, roedd y siom o golli'r ail waith, a hynny ar ôl disgwyl ennill yn ergyd ddifrifol. Gwyddwn y cymerai rai misoedd iddi ddygymod â'r sefyllfa, ac roeddwn yn hapus iddi gymryd amser i ffwrdd. Ni roddais bwysau arni i gymryd cyfrifoldeb yn y grŵp yn ystod y cyfnod hwnnw. Gwyddwn hefyd fod Rhodri Glyn yn siomedig a threuliais amser yn ceisio adfer perthynas efo rhai o aelodau'r grŵp oedd wedi cefnogi'r ddau. Yn rhyfedd iawn, daeth pethau i drefn yn weddol fuan, er bod tensiynau yn parhau ac yn codi i'r wyneb bob yn hyn a hyn.

Y sialens a wynebai Dafydd Iwan a minnau oedd sut i rannu'r cyfrifoldebau arweinyddol. Ar un ystyr, Dafydd oedd prif arweinydd y Blaid, ond yn ymarferol edrychai'r wasg i Arweinydd y Cynulliad i ateb dros ein cyfeiriad gwleidyddol. Gan mai ychydig o amser allai Dafydd ei roi i'w swydd, ac nad oedd ganddo adnoddau staff nac adnoddau ymchwil, bu'n anodd iddo a gallwn gydymdeimlo'n fawr â'i sefyllfa. Dafydd hefyd fyddai'n rhoi safbwynt y Blaid mewn cyfweliadau set ar y cyfryngau, ac roedd dan anfantais gan na allai fod yng nghanol y berw gwleidyddol yn y Bae ac yn Llundain. Bu'r wasg yn hynod ddilornus o'r 'anghenfil pedwar pen' yn arwain y Blaid gan gynnwys y Llywydd, yr Arweinydd yn y Cynulliad, yr Arweinydd yn San Steffan a'r Arweinydd yn Senedd Ewrop! Nid oedd awydd y Blaid i gael 'arweinyddiaeth gynhwysol' yn tycio. Mater arall a achosodd densiwn oedd penodi prif lefarwyr y Blaid. Gan mai'r Llywydd oedd yn dewis, a minnau yn dewis y Cabinet Cysgodol yn y Bae, y perygl oedd dewis dau lefarydd ar yr un pwnc. Ar y cyfan, llwyddodd Dafydd a minnau i ddod i ddealltwriaeth, ond mi roedd yr holl drafod mewnol yn sugno egni.

Yn sicr, mae gan Dafydd le amlwg yn serchiadau'r aelodau drwy Gymru. Gwnaeth ei arweiniad yn ystod y cyfnod o ymgyrchu dros yr iaith a phoblogrwydd ei ganeuon gwleidyddol sicrhau ei fod yn ffigwr pwysig yn y mudiad cenedlaethol. Bu hefyd yn gyn-ymgeisydd seneddol ac yn gynghorydd ar Gyngor Sir Gwynedd yn ogystal â sefydlu Cwmni Sain. Er bod gennyf barch mawr i'w gyfraniad, gwyddwn ei fod yn wynebu cyfnod anodd fel Llywydd. Erbyn 2006, newidiwyd cyfansoddiad y blaid gan gadarnhau mai Arweinydd y Cynulliad oedd arweinydd gwleidyddol y blaid ac o hynny allan y Llywydd fyddai'n arwain yr adain wirfoddol.

Penderfynais mai buddiol fyddai newid cyfrifoldebau aelodau'r Cynulliad yn amlach nag a wnaed yn y gorffennol. Byddai hynny yn galluogi'r aelodau i gael profiad mewn gwahanol feysydd a dod â golwg ffres ar gyfeiriad polisi. Gofynnais i Dai Lloyd fod yn gyfrifol am lywodraeth leol yn hytrach nag iechyd fel rhan o'r patrwm hwnnw. Fodd bynnag, gwelodd rhai hynny fel ymgais i dalu'r pwyth yn ôl iddo am fod yn rhan o'r 'cynllwyn' i'm disodli. Ond nid dyna oedd fy mwriad o gwbl a chwarae teg i Dai, er yn siomedig, cymerodd ei gyfrifoldebau newydd o ddifri. Heb ei fai, heb ei eni, ond ni all neb ddadlau mai dal dig yw un o'm ffaeleddau. Mae bywyd yn llawer rhy fyr i hynny.

Tua diwedd 2003, roedd gwaith Comisiwn Richard ar y cyfansoddiad yn dod i'w derfyn ac fe ddisgwylid am ei argymhellion yn eiddgar. Daeth un aelod o'r Comisiwn ataf yn breifat cyn cyhoeddi'r adroddiad. Dywedodd wrthyf ym mis Tachwedd fod y Comisiwn ar fin gwneud ei benderfyniad terfynol ar yr argymhellion, a'r disgwyl oedd y byddai'n argymell pwerau deddfu, pwerau trethu, cynyddu aelodaeth y Cynulliad i wyth deg a newid y drefn bleidleisio i'r bleidlais sengl drosglwyddadwy (STV). Gwelais Rhodri

Morgan tua'r un cyfnod ac yr oedd o'n disgwyl gweld y Comisiwn yn argymell pwerau deddfu. Cyhoeddwyd yr adroddiad ym mis Mawrth 2004 ac mi roedd yr adroddiad a gefais gan aelod o'r Comisiwn ychydig fisoedd ynghynt yn agos iawn i'w le. Yr unig wahaniaeth oedd mai 'dewisol' oedd yr argymhelliad ar bwerau trethu, a hynny yn adlewyrchu gwahaniaeth barn ymhlith yr aelodau. Yr oedd croeso brwd i'r argymhellion gan y datganolwyr, a byddai gweithredu'r argymhellion erbyn 2011 yn gam mawr ymlaen.

Cafwyd ymateb gelyniaethus i'r argymhellion mwyaf pellgyrhaeddol gan y mwyafrif o aelodau seneddol Llafur o Gymru. Ond y siom fwyaf oedd ymateb llugoer Rhodri Morgan ei hun. Yn wreiddiol, cyhoeddodd erthygl yn dweud ei fod yn cynhesu i'r syniad o bwerau deddfu er yn eithaf gelyniaethus i weddill yr argymhellion. A dweud y gwir, nid oedd arweinyddiaeth y Blaid Lafur wedi disgwyl argymhellion mor radical gan y Comisiwn ac fe'i rhoddwyd ar y droed ôl wrth geisio llunio ymateb. Wedi cyfnod o ymgynghori mewnol, cyhoeddwyd ymateb Llafur mewn dogfen 'Gwell Llywodraethiant i Gymru' ym mis Awst 2004. Ynddo, roedd cynnig i ganiatáu mwy o ddeddfau fframwaith yn San Steffan yn hytrach na chyflwyno pwerau deddfu cynradd a gwrthodwyd argymhellion Richard ar bwerau trethu a'r cynllun i leihau nifer yr aelodau seneddol yn Llundain. Cadarnhaodd hyn y dybiaeth fod grym yr aelodau seneddol yn llawer cryfach nag aelodau'r Cynulliad ymhlith rhengoedd y Blaid Llafur.

Fel y gellid disgwyl ymatebais yn chwyrn yn erbyn cynnwys dogfen Llafur. Ond rhaid cofio mai cynnar oedd hi ym mywyd y corff Cymreig newydd. Fel person cwpan hanner llawn, roeddwn yn ffyddiog y byddid yn cyrraedd y nod o gael senedd ddeddfwriaethol ymhen ychydig flynyddoedd ac y byddai rôl y Blaid yn y broses yn allweddol.

Ofnai nifer o'm cyd-aelodau y byddai unrhyw lywodraeth yn Llundain yn mynnu cael refferendwm fel rhan o'r broses, ond am reswm na allaf ei lawn esbonio, roeddwn yn ffyddiog y byddai'n frwydr y gallem ei hennill. Cofiaf siarad â Jocelyn yn sgil ymateb llugoer Llafur i adroddiad Richard a gwyddai hi yn well na neb pa mor anobeithiol oedd ceisio gweithredu oddi mewn i weithdrefnau cymysglyd a gwantan y Cynulliad gwreiddiol, a hithau yn digalonni o'n gweld yn gorfod ymdopi â nhw am gyfnod amhenodol.

Gan fod Llafur wedi penderfynu llywodraethu heb fwyafrif yn yr ail Gynulliad, mi roedd modd i'r gwrthbleidiau gynghreirio o bryd i'w gilydd a'u curo mewn ambell bleidlais. Roedd gennyf berthynas bersonol dda efo Nick Bourne, arweinydd y Ceidwadwyr yn y Cynulliad, a Mike German, arweinydd y Democratiaid Rhyddfrydol. Byddem yn cwrdd fel tri arweinydd er mwyn dod i gytundeb ar bynciau lle gallem guro'r llywodraeth ac ennill consesiynau. Oherwydd ein bod yn cydweithio mor dda, mentrais agor sgwrs ar y posibiliadau o gydweithio ymhellach. Ym mis Mehefin 2004, cefais gyfle i sgwrsio efo Nick wrth i'r ddau ohonom deithio i Abertawe i gael ein briffio ar Adroddiad Clywch cyn ei gyhoeddi. Gofynnais a fyddai'n cefnogi pwerau deddfu pe cynhelid refferendwm ar y pwnc, ac fe ymatebodd yn ddigon cynnes. Gwyddwn y gallai dod i ddealltwriaeth ar y gwasanaeth iechyd fod yn dipyn o her, ond synnais o'i glywed yn dweud na ragwelai unrhyw broblem gan nad oedd yn gefnogol i gynlluniau i breifateiddio'r gwasanaeth. Wedi agor cil y drws fel hyn, cytunodd y ddau ohonom i gyfarfod ymhellach i weld a fyddai modd cael dealltwriaeth ar rychwant eang o feysydd polisi.

O hynny i ddiwedd 2004 cyfarfu'r tri ohonom yn weddol reolaidd a gan fod y ddealltwriaeth rhyngom yn gwella, cytunwyd y byddem yn gofyn i aelodau o'n staff gyfarfod i roi mwy o gig ar yr asgwrn ac i roi ystyriaeth fanwl i'r meysydd a allai fod yn faen tramgwydd rhyngom. Cyfarfu tri aelod o staff gyda'i gilydd ym mis Awst 2004 ac ystyried nifer o feysydd megis iechyd, addysg, tai fforddiadwy, materion gwledig, trafnidiaeth, diwylliant, cyllid Ewrop, y cwangos a newidiadau cyfansoddiadol. Dyma blannu'r hadau a ddaeth i'w llawn ffrwyth wedi etholiad 2007.

Ar fater y cyfansoddiad, cydnabu Nick fod nifer o'i aelodau yn elyniaethus i'r syniad o roi mwy o bwerau i'r Cynulliad er bod y mwyafrif yn sylweddoli nad oedd y sefyllfa a fodolai bryd hynny yn gynaliadwy. Hoffai drafod ymhellach o fewn ei blaid. Gwyddai fod nifer o aelodau seneddol Ceidwadol, megis David Davies a fu'n weinidog yn llywodraeth John Major yn ffafrio pwerau trethu yn ogystal â phwerau deddfu. Byddai ymlyniad y Ceidwadwyr i'r defnydd o gynlluniau PFI ym maes iechyd yn faen tramgwydd, ond cytunwyd y byddid yn adolygu'r sefyllfa. Cytunwyd ar yr angen i sefydlu comisiwn annibynnol i asesu'r angen cynyddol am addysg cyfrwng Cymraeg gan fod 'na lusgo traed mewn ymateb i'r galw gan rai awdurdodau lleol. Ar fater tai, cytunwyd mai'r flaenoriaeth fyddai sicrhau tai i bobl leol ac i edrych ar gynlluniau megis y rhai a weithredid yn rhai o'r Parciau Cenedlaethol yn Lloegr. Cefnogwyd y syniad o gael Oriel Gelf Genedlaethol. Yn rhyfeddol, daeth y tri ohonom i'r casgliad bod digon o dir cyffredin yn y cyfarfodydd cychwynnol i barhau efo'r trafodaethau ac i fireinio'r rhaglen bolisi a gweld a ellid dod i gytundeb llac cyn etholiad 2007.

Yn y Cynulliad roedd gallu Llafur i sicrhau mwyafrif i'w rhaglen bolisi yn gwanio wrth i Peter Law AC Blaenau Gwent ymbellhau. Bu Peter yn ddraenen go bigog yn ystlys y llywodraeth ers dyddiau'r glymblaid gyda'r Democratiaid Rhyddfrydol. Yn y cyfnod hwnnw, nid oedd ei wrthwynebiad yn costio'n ddrud gan fod gan y llywodraeth ddigon o fwyafrif. Ond wedi etholiad 2003, ac yntau wedi ei wrthod gan ei blaid ei hun mewn ymgais i fod yn ddirprwy Lywydd y Cynulliad, dechreuodd weithredu'n fwyfwy annibynnol, a gallem ddibynnu arno o bryd i'w gilydd i bleidleisio efo ni. Roedd yn gymeriad hynod o hoffus, wedi dysgu Cymraeg ac ar un cyfnod bu'n aelod o Fwrdd yr Iaith. Un o'r pethau roedd yn fwyaf balch ohono oedd i Flaenau Gwent bleidleisio IE yn refferendwm 1997, a hynny er waetha'r ffaith fod gweddill cymoedd Gwent wedi pleidleisio yn erbyn.

Tua diwedd 2004 cyhoeddodd Rhodri Morgan fwriad y llywodraeth i gymryd pwerau oddi ar Gyngor y Celfyddydau a diddymu Bwrdd yr Iaith. Er bod 'na gytundeb mewn egwyddor i edrych ar ddyfodol cyrff anetholedig – roeddwn i wedi cyfrif dros ugain ohonynt yn y maes iechyd yn unig – teimlem fel gwrthbleidiau nad oedd y cynlluniau a gyflwynwyd ar y celfyddydau a'r iaith yn gwneud fawr o synnwyr ac yn wir y byddent yn niweidiol. Ni allem weld sut y gallai ymyrraeth wleidyddol uniongyrchol ym maes y celfyddydau fod yn fanteisiol. Rhaid i'r celfyddydau fod mewn sefyllfa i arbrofi mewn ffyrdd a fyddai'n anghyfforddus i wleidyddion. Ac mi roedd y bwriad i ddiddymu Bwrdd yr Iaith a sefydlu rheoleiddiwr diddannedd sef 'y Dyfarnydd' yn syniad eithaf gwallgof a hurt. Gweithiodd y tair gwrthblaid yn hynod o lwyddiannus i wrthod y cynlluniau hyn ac yn hytrach na cholli pleidlais, penderfynodd y llywodraeth dynnu eu cynigion yn eu hôl.

Gwyddwn fod yna anniddigrwydd ynghylch y ffaith nad oedd gan Fwrdd yr Iaith bwerau cryf i weithredu yn erbyn cyrff cyhoeddus a oedd yn gwrthod cydymffurfio â'r angen i ddarparu gwasanaethau drwy gyfrwng y Gymraeg. Ym mis Hydref 2005 bu imi drafod dyfodol y Bwrdd yn gyfrinachol efo Meirion Prys Jones y Prif Weithredwr. Dywedodd wrthyf fod y Bwrdd wedi'i syfrdanu gan gynlluniau'r llywodraeth ac mai swydd ddiddim fyddai'r Dyfarnydd. Credai Meirion bryd hynny y dylid cryfhau'r ddeddfwriaeth drwy greu swydd Comisiynydd Iaith a chyflwyno mesurau cryfach i warchod y cynlluniau iaith. Fe'm cyflwynodd i bapur a oedd wedi ei baratoi gan yr Athro Colin Williams ar Gomisiynwyr Iaith a'r gwaith a wneid ganddynt yn Iwerddon a Chwebéc. Rhaid oedd cadw'r gwaith o reoleiddio a hyrwyddo ar wahân fodd bynnag. Pe trosglwyddid y cyfrifoldeb o reoleiddio i'r Comisiynydd, gyda phwerau i gosbi, byddai'n rhaid penodi corff arall i hyrwyddo'r iaith neu ganiatáu i'r llywodraeth wneud hynny.

Teimlwn yn hynod anghyfforddus i mi gael fy mherswadio i bleidleisio yn erbyn Deddf 1993 hyd yn oed ar y trydydd darlleniad. Gwyddwn y byddai'n rhaid i'r Blaid ymladd yn y Senedd i gryfhau'r mesur wrth iddo fynd drwy weithdrefnau'r Senedd ac i gynnig gwelliannau ar yr adegau priodol. Ond wedi cyrraedd diwedd y broses, gwyddwn nad oedd dim arall y gallem ei wneud. Roedd y ffaith y gallwn fynd drwy fy ngyrfa wleidyddol heb gefnogi mesur i gryfhau sefyllfa'r iaith yn pwyso'n drwm arnaf. Felly, roeddwn yn benderfynol pe byddai'r Blaid mewn llywodraeth y byddwn yn sicrhau fod mesur i gryfhau'r Gymraeg yn rhan o unrhyw ddealltwriaeth, ynghyd â chynlluniau i ehangu addysg cyfrwng Cymraeg a sefydlu Coleg Ffederal er mwyn cynyddu'r nifer o gyrsiau cyfrwng Cymraeg yn y Sector Addysg Uwch. Siaredais yng nghynhadledd flynyddol Cymdeithas yr Iaith yn 2006 gan amlinellu'r camau y byddai llywodraeth Plaid Cymru yn eu gwneud i gefnogi a chryfhau'r iaith. Yn yr araith honno dywedais mai amcan deddf newydd fyddai sicrhau statws swyddogol i'r iaith, creu swydd Comisiynydd Iaith a sefydlu Uned Bolisi Iaith yn adran y Prif Weinidog. Gwyddwn mai ychydig a gredai y byddem yn llwyddo i weithredu'r cynlluniau rheini, ond cefais wrandawiad digon gwresog a llythyr o ddiolch yn dilyn yr araith. O chwi o ychydig ffydd!

Gan na allai'r llywodraeth ddibynnu ar gefnogaeth Peter Law, methiant fu'r ymgais i ddiwygio Cyngor y Celfyddydau ac i ddiddymu Bwrdd yr Iaith. Efo llwyddiannau felly dan ein het, aeth y gwrthbleidiau ati i fod hyd yn oed yn fwy beiddgar. Cyrhaeddodd y cydweithio ei benllanw drwy herio'r gyllideb. Yr oeddem wedi cydweithio rhywfaint yn arwain i'r drafodaeth ar y gyllideb ddrafft yn 2004, ond erbyn 2005 roeddem yn barod i herio go iawn ac i wneud hynny ar y cyd. Ychwanegwyd enwau'r ddau aelod annibynnol, John Marek a Peter Law i'r gwelliant a osodwyd yn enw'r gwrthbleidiau. Mae'n werth dyfynnu'r gwelliant yn llawn.

Mae'r Cynulliad Cenedlaethol:
1) yn gresynu nad yw'r gyllideb ddrafft a osodwyd yn y Swyddfa Gyflwyno ddydd Mawrth 27 Medi 2005 gan y Gweinidog Cyllid: yn dechrau mynd i'r afael â'r bwlch cyllido hanesyddol rhwng sefydliadau addysg uwch yng Nghymru a sefydliadau tebyg yn Lloegr; yn cynnwys darpariaeth ddigonol i gynorthwyo pobl sy'n talu'r dreth gyngor o ganlyniad i'r ymarfer ailfandio ac i liniaru'r pwysau ar awdurdodau lleol; yn cynnwys darpariaeth ddigonol ar gyfer cronfa ysgolion bach; yn cynnwys darpariaeth ddigonol i ddatblygu gwasanaethau rheilffyrdd yng Nghymru; yn cynnwys darpariaeth ddigonol ar gyfer gwasanaethau rheng flaen addysg.
2) yn cyfarwyddo'r Gweinidog Cyllid i gyflwyno cyllideb ddrafft ddiwygiedig sy'n rhoi sylw i'r materion a godir yn (1) uchod.

Pan gynhaliwyd y bleidlais ar y pedwerydd o Hydref 2005, trechwyd cyllideb ddrafft y llywodraeth ar welliant y gwrthbleidiau o un bleidlais, a dyna'r tro cyntaf i hynny ddigwydd ers sefydlu'r Cynulliad chwe blynedd ynghynt. Mi roedd hi'n foment hanesyddol. Mae'n amlwg nad oedd y llywodraeth wedi ystyried y posibilrwydd y gallent golli'r blediais tan yn gymharol hwyr yn y dydd, ac nid oeddent wedi hyd yn oed ystyried cynnal trafodaethau gyda'r gwrthbleidiau cyn hynny. Mae'n wir fod y gyllideb wedi'i hystyried gan bwyllgorau'r Cynulliad, ond mater o drefn oedd hynny mewn gwirionedd ac ychydig o fân newidiadau a ragwelid o ganlyniad i'r trafodaethau rheini. Yn fuan wedi'r bleidlais cafodd Nick, Mike a minnau wahoddiad i drafod efo Rhodri Morgan a Sue Essex y Gweinidog Cyllid. Roedd Sue yn berson hynod o gynnes ac yn cynrychioli'r math gorau o wleidyddiaeth gynhwysol y gobeithiai llawer ei weld yn sgil sefydlu'r Cynulliad. Fodd bynnag, bu i'r peiriant llywodraethol a grym y traddodiad llafurol a allasai fod yn gul ac unllygeidiog ar brydiau ddod ar draws ei greddfau naturiol. Ei dymuniad hi fyddai wedi bod i drafod efo llefaryddion cyllid y gwrthbleidiau, ond gwyddem fod dyfodol y cydweithio rhyngom yn y fantol, ac o ganlyniad mynnwyd mai gyda'r arweinwyr y byddai'r trafodaethau yn digwydd.

Llusgodd y trafodaethau ymlaen am rai wythnosau. Yn naturiol ddigon, roedd yn rhaid sicrhau fod pob gwrthblaid a'r aelodau annibynnol yn cael rhywbeth o'r trafod, a byddem yn adrodd yn ôl i John Marek a Peter Law yn rheolaidd. Yn y diwedd, gwyddem mai'r prif amcan oedd sicrhau mwy o gyllid i'r prifysgolion a rhoi cymorth ariannol i bensiynwyr oedd yn dioddef yn sgil trefn ailfandio'r dreth gyngor. Yn y diwedd fodd bynnag daethpwyd i gytundeb gydag arian ychwanegol yn mynd i'r prifysgolion dros dair blynedd a chymorth i bensiynwyr efo grantiau ar gyfer insiwleiddio eu tai. Bu peth arian ychwanegol i'r sector addysg yn gyffredinol. Er nad oedd y symiau yn enfawr, fe ddangoswyd bod modd sicrhau consesiynau drwy gydweithio. Fe ddysgwyd gwersi o'r profiad a bu hynny'n gymorth yn y blynyddoedd a ddilynodd.

Erbyn cyllideb 2006, a blwyddyn arall o gydweithio ar draws y pleidiau, trechwyd y llywodraeth unwaith yn rhagor ar ddiwedd y ddadl ar y gyllideb ddrafft. Y tro hwn, yr oedd Sue Essex wedi bod yn ddigon craff i sylweddoli mai hynny fyddai'r canlyniad ac wedi cadw arian wrth gefn yn barod am y trafodaethau fyddai'n dilyn. Erbyn hyn, mi roedd Nick a Mike am fynd gam ymhellach a hyd yn oed dymchwel y llywodraeth ar y gyllideb derfynol a ffurfio llywodraeth amgen pe byddai Rhodri Morgan yn colli pleidlais o hyder. Gwyddwn mai camgymeriad fyddai hynny, gan mai yn dilyn etholiad y gellid sefydlu credinedd symudiad o'r fath. Ar ben hynny, nid oedd y trafodaethau mewnol yn y Blaid wedi bod yn ddigon aeddfed i ni fedru symud mor gyflym. Mewn ateb i gwestiwn yn y gynhadledd i'r wasg a drefnwyd ar y cyd rhwng y tri arweinydd, awgrymodd Nick y byddai dymchwel y llywodraeth yn opsiwn. Fe roddais i ateb llawer yn fwy gofalus, gan sicrhau nad oeddwn yn croes-ddweud Nick ar y naill law, ond yn ceisio cadw'r ddysgl bleidiol yn wastad ar y llall. Teimlwn fy mod yn cael fy ngwthio i gongl. Aeth pethau'n waeth pan ddywedodd cyfeillion yn y wasg (mi roedd gennym rai o'r rheini) wrthyf fod un o'r gwrthbleidiau yn briffio'n galed yn ein herbyn gan awgrymu ein bod yn 'ofni'r frwydr'. Ni allwn gredu mai Nick fyddai tu ôl i'r briffio yma, a deallais ymhen hir a hwyr mai'r Democratiaid Rhyddfrydol oedd yn gyfrifol.

Er ein bod ein tri wedi dechrau trafod efo'r llywodraeth, ac efo syniad eithaf da o'r arian fyddai'n cael ei neilltuo ar gyfer ein gofynion, roedd y briffio preifat gwrthgefn yn fwy na allwn ei stumogi. O ganlyniad gwneuthum yn glir i'r ddau arall na allwn barhau i drafod efo nhw oherwydd bod yr ymddiriedaeth a oedd yn angenrheidiol i'r broses wedi ei niweidio. Euthum i drafod efo Rhodri Morgan fy hun a dod i gytundeb ar fwy o arian i awdurdodau lleol ar gyfer addysg, mwy o arian i'r prifysgolion ac i ofalwyr maeth. Roedd cyfanswm y consesiynau oddeutu £21m. Bu pryder ers blynyddoedd fod angen cau'r bwlch cyllido rhwng prifysgolion yng Nghymru a Lloegr a bu'r arian a gafwyd yn 2005 a 2006 yn gymorth i leihau'r bwlch hwnnw os nad ei gau'n llawn.

O edrych yn ôl, trueni o'r mwyaf fod y ffrae ar drafodaethau'r gyllideb yn 2006 wedi digwydd. Gwyddwn fod yn rhaid i mi droedio'n hynod o ofalus wrth drafod y syniad o glymbleidio'n gyhoeddus, ac efallai y dylwn fod wedi gwneud hynny'n fwy clir cyn y gynhadledd i'r wasg. Gobeithiwn na fyddai fy mhenderfyniad i ddod i gytundeb unigol efo Rhodri Morgan wedi rhoi ergyd farwol i'r syniad wedi'r etholiad, er fy mod o'r farn y byddai ymddiriedaeth lwyr yn hanfodol i drefniant rhwng tair plaid.

Er bod pethau'n ymddangos yn llawer gwell o fewn y grŵp yn y Cynulliad, gwyddwn o bryd i'w gilydd fod yna feirniadaeth o'r cyrion yn erbyn f'arweinyddiaeth. Gan mai bach oedd y 'gymdeithas' genedlatholgar, nid oes fawr yn digwydd heb fod straeon yn cyrraedd yn ôl. Gwyddwn fod tri neu bedwar o'r hoelion wyth nad oeddent yn aelodau etholedig yn cwrdd ac yn gweithio i'm disodli. Eu problem oedd nad oedd ymgeisydd credadwy ganddynt mewn golwg, ac o bosib gobeithient greu digon o ansefydlogrwydd fel y byddwn yn ymddiswyddo. Mewn cyfweliad ar raglen *Dragon's Eye* ym mis Chwefror 2004 awgrymodd yr holwr Simon Morris fod yna anesmwythyd ymhlith rhai aelodau ynglŷn â'm harweinyddiaeth, ac mae gennyf le i gredu, er nad oes gennyf dystiolaeth uniongyrchol, mai o'r ffynhonnell honno y deilliodd y briffio yn f'erbyn. Bu'r holl beth yn ffrwtian am sbel, ac yn wir yn ddigon i'm digalonni ar brydiau. Ni wn pam na wnaed ymdrech i siarad â mi am eu pryderon, ac yr oedd y trafod llechwraidd yn fater o siom. Deuthum i'r casgliad nad oeddent wedi gallu derbyn y ffaith fy mod wedi ennill yr ail frwydr yn 2003 a bod angen gwneud rhywbeth yn eu tyb hwy i unioni'r gamwedd honno. Awgrymodd Dafydd Elis wrthyf yn ystod un o gyngherddau Bryn Terfel yn y Faenol fod rhywrai wedi gofyn iddo a fyddai'n fodlon cymryd drosodd. Ni holais pwy oeddynt, ond cefais y teimlad fod rhywbeth yn y gwynt.

I raddau cynyddodd y pwysau yn dilyn etholiad cyffredinol 2005. Er i Tony Blair ennill trydydd etholiad o'r bron, roedd ei fwyafrif i lawr i 66 ac fe gynyddodd y pwysau arno yntau i sefyll i lawr. Collwyd Ceredigion i'r Democratiaid Rhyddfrydol ac o ganlyniad y Blaid yn dychwelyd i San Steffan efo un sedd yn llai. Er mai'r twf yn y gefnogaeth i'r Democratiaid Rhyddfrydol a ffactorau lleol oedd i gyfrif am y golled, teimlai fy ngelynion mai'r arweinydd ddylai ysgwyddo'r bai. Fe gymerodd ddeuddeng mlynedd i adennill y sedd, a hynny gyda'r ymgeisydd ifanc brwdfrydig a galluog Ben Lake.

Yn anffodus i'r cynllwynwyr chwaraeasant un cerdyn hynod o wael ym mis Medi 2005. Byddwn yn briffio gohebwyr cyn pob cynhadledd flynyddol yn sôn am brif themâu'r gynhadledd ac yn rhoi amlinelliad o'r hyn y byddwn yn ei ddweud yn f'araith, ac un ohonynt oedd Martin Shipton o'r *Western Mail*. Er bod Martin yn gwrando'n astud a gwneud nodiadau yn ôl ei arfer, ni soniodd am y stori a fyddai'n ymddangos ar dudalen flaen y papur y diwrnod canlynol. O dan y pennawd 'Super-El to the rescue!' dywedwyd fod Dafydd Elis i'w gyflwyno fel 'Renaissance Man' i arwain y Blaid yn etholiad 2007 ac y byddwn innau yn sefyll i lawr i'w ganiatáu i wneud hynny. Yn ôl y stori roedd 'leading Plaid Cymru figures' yn arwain y cynllun i achub y blaid o ganlyniad i 'three disastrous years for Plaid'. Tu fewn i'r papur roedd Martin wedi ysgrifennu erthygl hir yn ei enw ei hun yn lambastio fy nghyfnod fel arweinydd a dweud fod yn rhaid cael newid neu byddai'r blaid yn wynebu cyfnod tywyll iawn. Ei frawddeg gyntaf oedd 'If a political party ever needed rescuing, it is Plaid Cymru in 2005.' Yn ddiddorol iawn, ni enwyd un o'r 'leading Plaid figures' ac nid oedd unrhyw awgrym fod Dafydd Elis yn ystyried sefyll. Yn wir i'r gwrthwyneb, tua diwedd yr erthygl flaen roedd Martin yn cydnabod fod Dafydd wedi cadarnhau na fyddai'n debyg o sefyll fel arweinydd. Ond wrth gwrs, roedd y ffaith fod rhai o'r hoelion wyth yn amlwg wedi dweud wrth Martin eu bod yn ceisio perswadio Dafydd Elis i sefyll yn ddigon o reswm iddo redeg y stori fel *spoiler* ddiwrnod cyn y gynhadledd, a rhoi esgus iddo agor llafn y gyllell a'i throi. Gwyddwn nad oedd ganddo fel gohebydd lawer o feddwl ohonof er ei fod bob amser yn hynod o gyfeillgar wyneb yn wyneb.

I mi, roedd pethau wedi mynd yn rhy bell rŵan. Petai'r rhai oedd am gael gwared ohonof wedi dod i siarad â mi a chyflwyno eu pryderon, mae'n bosib y gallai pethau fod wedi bod yn wahanol. Ond mi roedd y ffaith eu bod wedi briffio aelod o'r wasg gyda'u cynllun yn fwy na allwn ddioddef. O'r funud y darllenais y stori penderfynais na fyddwn yn ildio 'run fodfedd ac fe newidiais gynnwys f'araith yn y gynhadledd yn Abertawe os cofiaf i'w gwneud hi'n berffaith glir y byddwn yn arwain y Blaid i'r etholiad yn 2007. Heb unrhyw amheuaeth, dyna un o'r areithiau gorau a wneuthum fel arweinydd a chefais ganmoliaeth o sawl cyfeiriad a hyd yn oed gan rai o'm beirniaid mwyaf croch. Yn wir, fe dynnodd y gynhadledd honno rhyw fath o linell dan y ffraeo ac fe wnaeth fy mhenderfyniad clir i aros fyd o les i mi ac i'r blaid. Gallem baratoi tuag at yr etholiad heb unrhyw fygythiad i'm safle o hynny 'mlaen.

Bu llawer o drafod mewnol ar y posibilrwydd o fynd i glymblaid yn dilyn yr etholiad. Dangosai'r polau piniwn yn eithaf cyson fod Llafur yn debyg o golli seddi ac y byddai'n rhaid iddyn nhw ystyried clymblaid i aros mewn grym. Cedwais y trafodaethau efo Nick Bourne a Mike German yn hynod gyfrinachol, er bod un neu ddau aelod o'r grŵp yn ymwybodol ohonynt. Ond tan y gwyddwn fod digon o dir cyffredin rhyngom, ni fentrwn drafod yn eang yn fewnol. Fodd bynnag, codwyd y mater yn annisgwyl braidd mewn cyfarfod o'r Pwyllgor Gwaith a gyfarfu yn Llanbedr Pont Steffan ym mis Gorffennaf 2004. Y bwriad oedd trafod ein strategaeth ar gyfer etholiad 2007. Cyn i'r drafodaeth ddechrau cododd Adam Price y syniad o glymblaid. O hynny ymlaen roedd pob aelod am fynegi barn, efo Dafydd Elis, Elfyn, Elin Jones, Adam Price, Rhodri Glyn, Dafydd Iwan a minnau yn agored i'r syniad, ac ar yr ochr arall Alun Cox, Syd Morgan, Jill Evans, Dyfan Jones, Janet Ryder, Dai Lloyd a Janet Davies yn erbyn. Ni fynegodd gweddill yr aelodau farn y naill ffordd na'r llall. Er fy mod wedi synnu fod cymaint yn agored i'r syniad, dangosodd y drafodaeth fod y blaid yn hynod ranedig ar y pwnc a byddai angen tipyn o waith perswadio ar ambell un. Ceisiodd Dai Lloyd fynnu pleidlais ar y mater, ond credai'r mwyafrif mai agor y drafodaeth a wnaeth y cyfarfod hwnnw ac y dylid ystyried y pwnc yn fanylach mewn cyfarfodydd dilynol. Gohiriwyd hynny tan fis Medi.

Er i'r trafodaethau mewnol ffrwtian rhyw ychydig, ni chafwyd trafodaeth fanwl ar y syniad o glymblaid tan y cyfarfod o'r Cyngor Cenedlaethol ym mis Ebrill 2005. Sefydlwyd mudiad o'r enw Dewis gan Cynog, Dafydd Wigley ac eraill i ddadlau o blaid clymblaid ar y sail na ddylid caniatáu i Lafur lywodraethu yn ddi-dor. Cyhoeddwyd dogfen ganddynt a ddefnyddiodd arwyddair Cyngor Caerdydd yn destun sef 'Deffro Mae'n ddydd/Awake 'Tis Day'. Yng nghyfarfod y Cyngor cyflwynwyd y syniad o glymblaid gyda'r Torïaid a'r Democratiaid Rhyddfrydol gan Cynog. Dadleuodd fod angen newid cyfeiriad ar wleidyddiaeth yng Nghymru ac i wneud hynny byddai angen disodli'r Blaid Lafur. Rhaid cyfaddef ar unwaith fod y drafodaeth a ddilynodd yn danbaid, gyda theimladau cryf ar y naill ochr a'r llall. I nifer, roedd y syniad o gydweithio efo'r Torïaid yn anathema tra dadleuai eraill nad oedd ffordd ymlaen heb i Lafur sylweddoli nad oedd ganddi'r hawl ddwyfol i reoli'r wlad. Er bod Dafydd Wigley yn cefnogi'r symudiad ac wedi siarad tua diwedd y drafodaeth, yn synhwyrol iawn fe geisiodd leihau'r tensiwn drwy ddadlau ychydig yn dymherus o blaid y cynnig. Yn y diwedd, gwrthodwyd cynnig Dewis ac yn ei le lluniwyd cynnig amgen gan y Cadeirydd John Dixon a minnau dros ginio oedd yn gosod canllawiau i unrhyw drafodaeth ar glymblaid yn hytrach na chefnogi neu wrthod y syniad. Y cyfaddawd yma achubodd y sefyllfa, a gallai'r ddwy ochr hawlio rhyw fath o fuddugoliaeth. Gwn fod Cynog wedi ei glwyfo gan fod rhai oedd wedi cytuno i siarad o blaid ei gynnig wedi dewis peidio â gwneud, ond gwyddwn i fod rhai ohonynt yn ystyried eu gyrfa wleidyddol oddi mewn i'r blaid yn bwysicach na dim, ac yn amharod i 'bechu' rhai o'u cyfeillion amlycaf. Y peth pwysicaf o'm safbwynt i oedd nad oedd y bwriad o glymblaid wedi ei wrthod, er y gwyddwn fod brwydr fewnol o'm blaen pe codai'r cyfle wedi etholiad 2007.

Erbyn hyn, roedd gwell hwyliau ar y blaid wrth symud tuag at etholiad 2007. Roedd y ffraeo mewnol ynglŷn â'r arweinyddiaeth tu cefn i ni am y tro, a'r arolygon barn yn eithaf calonogol. Gyda Llafur mewn tipyn o anhrefn yn Llundain gyda'r brwydro mewnol rhwng Tony Blair a Gordon Brown, adlewyrchai hynny ar gefnogaeth Llafur yng Nghymru. Nid oedd y Ceidwadwyr wedi codi rhyw lawer yn sgil ethol David Cameron fel arweinydd yn Llundain yn 2005. Un o'r pethau na chafodd ddigon o sylw gan academyddion gwleidyddol yw cymaint o effaith a gaiff poblogrwydd neu amhoblogrwydd y pleidiau Llundeinig ar wleidyddiaeth Cymru. Yn niffyg gwasg gref yng Nghymru caiff y mwyafrif o'r etholwyr eu newyddion o Lundain, a chaiff hynny ei adlewyrchu yn y gefnogaeth i'r pleidiau. Pitw yw cylchrediad y *Western Mail* a'r *Daily Post* o'u cymharu â'r *Mirror*, yr *Express*, y *Mail* a'r *Sun* heb sôn am y papurau trymion fel y *Times*, y *Telegraph* a'r *Guardian*. O safbwynt y BBC, mae gwylwyr y prif fwletinau newyddion o Lundain gymaint yn fwy na rhai bwletinau newyddion BBC Wales neu S4C a does dim syndod felly fod cydberthynas weddol agos rhwng gwleidyddiaeth Cymru a gwleidyddiaeth Lloegr. Er bod y gefnogaeth i Lafur gymaint yn fwy yng Nghymru nag yn Lloegr, mae'r 'tueddiadau' gwleidyddol yn debyg iawn. Gwelwyd hynny ar ei fwyaf cignoeth yn Etholiad Cyffredinol San Steffan yn 2019. Er bod modd gwneud sylwadau yn y fan hon sy'n wybyddus i lawer, ychydig o astudiaethau penodol a wnaed i'r ffenomena. Wyneba unrhyw blaid genedlaetholgar yng Nghymru broblemau mawr wrth geisio llwyfan i'w hymgyrchoedd hyd yn oed yn oes y cyfryngau cymdeithasol.

O ganol 2006 ymlaen penderfynwyd y byddem yn rhyddhau cyfres o ddatganiadau polisi ar wahanol feysydd bob rhyw ddeufis. Yn aml iawn nid y polisi terfynol a ryddhawyd ond yn hytrach syniadau y byddid yn eu mireinio cyn iddynt ymddangos yn y maniffesto. Gan nad oedd y pleidiau eraill yn ein dilyn, caem y maes yn gyfan gwbl i ni ein hunain. Bob tro y byddem yn rhyddhau syniad polisi, yn naturiol byddai'r wasg yn mynd at y pleidiau eraill am ymateb. Canlyniad hyn oedd ein bod ni yn cael ein gweld yn cyflwyno syniadau newydd a ffres a'r pleidiau eraill yn ymddangos yn negyddol. Erbyn hyn roedd Alun Shurmer wedi ymuno â'r tîm i arwain strategaeth y wasg ac mi roedd ei brofiad o weithio yn San Steffan a chyda Transport for London yn hynod o werthfawr. Yn ogystal roedd gan Alun feddwl gwleidyddol craff a'r gallu i weld gwerth stori a sut i'w chyflwyno. Ochr yn ochr â phrofiad Alun, deuai llawer o'r syniadau polisi drwy Adam Price. Chwaraeodd Adam rôl amlwg yn y trafodaethau ar ein maniffesto fel Cyfarwyddwr Etholiadau. Deuai syniadau newydd ganddo yn gyson, a ninnau'n gallu dewis y gorau ohonynt, gan hepgor y rhai y credem nad oeddynt yn ymarferol! Ond dyna werth cael rhywun efo meddwl creadigol yn rhan allweddol o'r tîm. Yn y gynhadledd wanwyn yng Nghaerfyrddin penderfynwyd newid logo'r blaid o'r triban traddodiadol i'r pabi Cymreig ac fel arwydd o ailfrandio modern defnyddid yr enw Plaid i'n disgrifio er yn cadw'r enw Plaid Cymru - the Party of Wales fel ein henw swyddogol. Dyna'r gynhadledd hefyd pryd y gwnaed y penderfyniad swyddogol mai'r Arweinydd yn y Cynulliad oedd Arweinydd y Blaid, er bod cytundeb ar hynny llawer ynghynt.

Yn niwedd Gorffennaf a dechrau Awst 2006 penderfynais wneud taith gerdded ar draws Cymru gan ddechrau ym Môn a diweddu yn Eisteddfod Abertawe. Y bwriad oedd ymweld â nifer o'n hetholaethau targed a chodi ymwybyddiaeth o'n hymgyrch ar gyfer 2007. Honnodd rhai fy mod yn ceisio efelychu taith hir Mao Zedong yn Tsieina yn yr 1930au tra hoffwn i ei gweld yn efelychu rhai o deithiau Gerallt Gymro. Dechreuodd y daith drwy gerdded o swyddfa'r Blaid yn Llangefni i Fangor yng nghwmni Dafydd Iwan ac aelodau lleol. Cynhaliwyd teithiau yn Arfon, Meirion, Ceredigion,

Caerfyrddin, Penfro, y Cymoedd, Caerffili, Casnewydd a Chaerdydd cyn cyrraedd yr Eisteddfod ar ddydd Llun y seithfed o Awst. Cafwyd sylw gweddol i'r teithiau yn y wasg am ei fod yn gyfnod eithaf tawel am straeon gwleidyddol, ac oherwydd ffresni'r syniad. Ymunodd criw da o aelodau wrth i ni deithio drwy'r etholaethau. Cofiaf fynd i'r gwasanaeth fore Sul i'r eglwys yn Llanbadarn Fawr a'i chysylltiadau efo Gerallt Gymro, Dafydd ap Gwilym a'r Esgob William Morgan. Ymgasglodd tyrfa dda tu allan i babell y Blaid yn yr Eisteddfod a phawb mewn hwyliau da.

Am y tro cyntaf ers sefydlu'r Cynulliad, mi roedd hi'n ymddangos ein bod yn gosod yr agenda wleidyddol. Teimlid fod Llafur dan dipyn o warchae am fod ffigurau aros y gwasanaeth iechyd yn arswydus o uchel, diffyg cynnydd mewn addysg a'r economi mewn trafferthion. Ymddangosai mai dim ond y ni oedd efo syniadau newydd a ffres a nifer o ddatganiadau yn ymddangos yn rheolaidd trwy weddill 2006. Gwyddem hefyd mai ychydig o anoracs gwleidyddol sy'n darllen maniffestos o glawr i glawr ac o ganlyniad rhaid oedd cytuno ar ryw hanner dwsin o bynciau fyddai'n dal sylw'r cyhoedd. Yn naturiol, byddai'n rhaid sicrhau y gellid gweithredu pob cynnig polisi oddi mewn i bwerau'r Cynulliad a hynny yn sgil y newidiadau a gyflwynwyd gan Ddeddf Cymru 2006. Cynnwys y ddeddf honno oedd gweithredu addewidion Llafur ar lefel Brydeinig yn dilyn cyhoeddi Papur Gwyn 2005 ar wella llywodraethiant yng Nghymru. Y prif amcanion – sef ymateb i rai o argymhellion Comisiwn Richard – oedd i wahanu'r Cynulliad fel corff oddi wrth y llywodraeth, cynnwys camau lle gellid symud i refferendwm ar bwerau deddfu a rhwystro aelodau rhanbarth rhag sefyll fel ymgeiswyr ar gyfer etholaethau unigol. Ym mis Awst 2006 fe'm gwahoddwyd gan yr Ysgrifennydd Parhaol, Jon Shortridge, i gyfarfod efo fo a swyddogion eraill yn y gwasanaeth sifil i drafod ein cynlluniau polisi yn sgil y pwerau newydd ac i drafod eu cost debygol. Erbyn hynny, gwnaed digon o waith gennym i gynnal trafodaethau ystyrlon ar nifer o feysydd megis gofal personol, treth incwm leol, grantiau i helpu prynwyr tai tro cyntaf, trefn gyllido ar gyfer myfyrwyr, gwella darpariaeth gofal plant, diwygio trethi busnes, amrywio trethi corfforaethol a chynigion ar wella effeithlonrwydd ynni. Cynhaliwyd y cyfarfod cyntaf ym mis Hydref 2006 a'r tîm a ddewisais i fynd efo mi oedd Rhodri Glyn fel dirprwy arweinydd y grŵp, Eurfyl ap Gwilym ac Alun Shurmer. Yn naturiol rhaid oedd i'r trafodaethau a gynhaliwyd a'r casgliadau y daethpwyd iddynt aros yn gyfrinachol. Serch hynny, gellir dweud mai'r unig gynnig lle'r oedd y gwasanaeth sifil yn amheus y gellid ei weithredu o gwbl oedd hwnnw ar amrywio trethi corfforaethol.

Yn fy araith i'r gynhadledd flynyddol ym Medi 2006 trawais nodyn hynod obeithiol drwy ddatgan mai nod y Blaid oedd ffurfio llywodraeth ac amlinellais rai o'n cynigion polisi, megis grantiau i helpu pobl ifanc i brynu tai, deddf iaith newydd, gwella darpariaeth gofal plant, ffyrdd o gryfhau'r economi, gwella cysylltiadau trafnidiaeth rhwng y de a'r gogledd, lleihau'r defnydd o ynni ac ymateb i her newid yr hinsawdd. Er mwyn gweithredu nifer o'r cynlluniau byddai angen sicrhau refferendwm i sefydlu Senedd ddeddfwriaethol. A dweud y gwir dyna'r gynhadledd gyntaf i mi deimlo'n hollol hyderus y byddem yn gweld gweithredu nifer o'r cynigion polisi y cyfeiriais atynt a gwyddwn erbyn hynny fod 'na griw o'm cwmpas a rannai'r weledigaeth honno.

Ar ddechrau 2007, gwyddwn fy mod yn wynebu un o gyfnodau mwyaf cyffrous fy ngyrfa wleidyddol. Erbyn hynny, roedd gennym uned ymgyrchu effeithiol yn y swyddfa ganol dan arweiniad Geraint Day, mwy o arian i wario ar yr etholiad nag erioed a rhaglen bolisi hynod o ddeniadol. Gwyddwn erbyn hynny ein bod yn debyg o gynyddu ein cynrychiolaeth yn y Cynulliad o ddeuddeg i bedwar ar ddeg neu bymtheg a hynny yn ein rhoi mewn sefyllfa gref i negodi clymblaid pe byddai'r cyfle yn codi. Yr hyn a oedd yn allweddol bwysig oedd ein bod yn cadw gafael ar ein hail safle ymhlith y pleidiau ac argoelai popeth y byddai hynny'n digwydd. Er mwyn sicrhau'r proffil uchaf posib i'n cynigion polisi roedd yn rhaid blaenori nifer bach ar gyfer y gwaith ymgyrchu. Bu trafod manwl ar hynny yn y Pwyllgor Gwaith a'r Cyngor Cenedlaethol ac yn y diwedd cytunwyd ar 'Saith i '07'. Y rheini oedd cynllun i dorri'r defnydd o ynni, gofal plant fforddiadwy, gliniadur i bob plentyn un ar ddeg oed, lleihau dyledion myfyrwyr, grantiau cartrefi cyntaf, torri trethi busnes a gwasanaeth iechyd cymunedol newydd. Yn naturiol, roedd llawer mwy yn y maniffesto ei hun ar bolisi iechyd, addysg, yr economi, deddf iaith, polisïau ar yr amgylchedd a'r angen am bwerau deddfu cynradd. Ond fe weithiodd y saith yn gampus fel ffordd o ymgyrchu poblogaidd, ac am y tro cyntaf yn ein hanes, roedd etholwyr cyffredin yn adnabod ein polisïau wrth drafod ar stepen y drws! Yn wir roedd y bwriad i roi gliniadur am ddim i blant ysgol yn gynnig marmaitaidd efo cymaint yn ei wrthwynebu ag a oedd yn ei gefnogi! Ond o leiaf roedd y mwyafrif yn gwybod amdano. Erbyn hyn, fe'i gwelaf fel cynnig cyn ei amser gan fod cymaint o blant heb gyfrifiadur yn ystod cyfnod Covid-19 a hynny wedi cael cryn effaith ar eu gallu i ymdopi efo gwersi ar-lein. Er ein bod o blaid diwygio'r drefn o gyllido'r Cynulliad, y Fformiwla Barnett fondigrybwyll, anodd oedd gwerthu hynny i'r etholwr mwyaf deallus, gan mai ychydig hyd yn oed o blith y gwleidyddion a wyddai sut y gweithredai'r fformiwla mewn gwirionedd.

Wrth i ni agosáu at yr etholiad ei hun ym mis Mai, treuliodd y wasg fwy o amser yn trafod y posibilrwydd o glymblaid. Roedd hynny yn anodd i'r Blaid Lafur gan y rhagdybiai y byddent yn colli seddi ac ni allent fforddio cydnabod hynny. Roedd gennyf ymateb parod gan ddweud y byddai'r posibilrwydd o glymblaid yn dibynnu ar y rhifyddeg wedi'r etholiad ac y byddwn yn gwneud unrhyw benderfyniad yn seiliedig ar yr hyn fyddai orau i Gymru. Oherwydd sensitifrwydd y pwnc, penderfynais y byddwn yn trafod y posibiliadau gydag un o'm cyfeillion gorau, Byron Williams, a oedd bryd hynny yn gyfarwyddwr Gwasanaethau Cymdeithasol Cyngor Môn. Er ei fod yn greadur hynod o wleidyddol ac yn sosialydd brwd, ni châi arddel ei deyrngarwch i'r Blaid oherwydd ei swydd, ond gwyddwn y cawn ei gyngor yn breifat. Yn naturiol byddai rhai ar y chwith yn y Blaid yn hynod o nerfus ynglŷn â'r posibilrwydd o glymblaid yr enfys, ac roedd cael barn rhywun fel Byron yn bwysig. Wedi trafod y syniad am beth amser, cytunai y byddai'n rhaid cadw pob opsiwn yn agored a hynny yn rhoi llawer mwy o hyder i mi wrth drafod yn gyhoeddus. Bu farw Byron yn 2008 yn llawer rhy gynnar a minnau'n colli cyfaill y gallwn droi ato'r tu allan i ferw'r byd gwleidyddol yn y Bae. Ond rwy'n siŵr y byddai Byron wedi ymfalchïo yn y ffaith fod ei ferch, Anna Haf, wedi ymuno â staff y Blaid yn ddiweddarach.

Gan ein bod wedi colli'r sedd seneddol ym Môn ers 2001, teimlai'r tîm lleol gan gynnwys f'asiant John Wynne Jones y dylwn dreulio canran weddol uchel o'm hamser yn ymgyrchu yn yr etholaeth. Deuthum i gytundeb i dreulio tua hanner f'amser yn ymgyrchu adref a hanner yn ein hetholaethau targed. Roedd ein gobeithion o adennill Conwy a Llanelli yn uchel a hyd yn oed ennill seddi ychwanegol ar y rhestr. Euthum i'r cyfrif yn Neuadd Plas Arthur Llangefni noson yr etholiad yn dawel hyderus y byddwn yn cadw Môn, ac fe lwyddais i wneud hynny drwy gynyddu fy mwyafrif o 2,255 i 4,392. Daeth newyddion da o Gonwy a Llanelli, ac ar y dechrau mi roedd pryder y gallem golli un o'n seddau rhanbarth a methu cynyddu mewn un arall; roedd hi'n hynod o agos! Ond i'r gwrthwyneb i'r hyn a ddigwyddodd yn 2003, fe gadwyd yr ail sedd ranbarth yn y De Orllewin ac ennill sedd ychwanegol yn y De Ddwyrain o drwch blewyn. Gyda chynnydd o dair sedd, y canfyddiad oedd iddi fod yn etholiad da i'r Blaid. Gan fod Llafur wedi colli pedair sedd ac i lawr i chwe aelod ar hugain, mynnais fod y grŵp newydd yn cyfarfod yn y Senedd yng Nghaerdydd ar y p'nawn dydd Gwener a gobeithiwn gael sêl bendith i agor trafodaethau efo'r pleidiau eraill ar ffurfio llywodraeth.

PENNOD 10

I Lywodraeth

CAMGYMERIAD MAWR OEDD trefnu cyfarfod o'r grŵp yng Nghaerdydd yn union wedi'r etholiad yn 2007. Fy mwriad oedd sicrhau y cawn ryddid i drafod efo'r pleidiau eraill, ond cyfarfod blêr iawn a gafwyd. O edrych yn ôl, hawdd sylweddoli nad oedd gan ein haelodau fawr o ddiddordeb mewn trafod efo pleidiau y buont yn ymladd yn ffyrnig yn eu herbyn ers wythnosau. Gan ychwanegu blinder affwysol at y darlun, cefais dipyn o anhawster i'w cael i gytuno. Er hynny, rhoddwyd rhyddid i ni drafod efo pob plaid, gyda nifer yn datgan eu hanfodlonrwydd i gynghreirio neu glymbleidio. Gobeithiwn y byddai'r hinsawdd yn gwella wrth i'r etholiad ymbellhau a'r trafodaethau ddechrau o ddifri.

Rhaid cyfaddef fod y pleidiau eraill wedi darllen pethau yn llawer gwell na mi ar y dechrau, gan adael i lwch yr etholiad setlo cyn meddwl am ddechrau trafod. Ar y dechrau teimlai Nick Bourne y dylid caniatáu i Lafur geisio ffurfio llywodraeth gan mai nhw oedd y brif blaid o ran niferoedd. Ond yn y diwedd cytunodd i gyfarfod efo mi a Mike German yn gyfrinachol yn Aberystwyth lle buom yn trafod y syniad o ffurfio clymblaid yr enfys. Gan fod cymaint o waith i'w wneud ar raglen bolisi y gallem gytuno arni, penodwyd timoedd o'r tair plaid i wneud y gwaith caib a rhaw. Arweiniwyd tîm y Blaid gan Adam Price, a David

Melding a Jenny Randerson yn cynrychioli'r Torïaid a'r Democratiaid Rhyddfrydol.

Cafwyd trafodaethau hefyd gyda'r Blaid Lafur, ond ar y dechrau nid oedd ganddynt unrhyw ddiddordeb mewn clymblaid. Rhyw drefniant llac 'hyder a chyflenwi' oedd ganddynt mewn golwg, neu opsiwn Seland Newydd gyda gweinidogion yn rhan o'r llywodraeth ond tu allan i'r gweithdrefnau ffurfiol. Nid oeddwn i'n gefnogol i'r naill drefniant na'r llall am na fyddai hynny yn adlewyrchu ein cryfder yn y Cynulliad. Cynigion ar gyfer pleidiau llawer llai oeddent mewn gwirionedd. Arweiniwyd y trafodaethau efo Llafur gan Jocelyn Davies. Er i mi gael cyfarfodydd cychwynnol efo Rhodri Morgan, cefais yr argraff nad oedd yn rhoi llawer o stôr ar y trafodaethau ac mai ei brif amcan oedd sicrhau clymblaid efo'r Democratiaid Rhyddfrydol. Gwyddwn wrth gwrs nad oedd hynny'n debygol, gan fod Mike German a'i dîm yn gweithio'n galed ar glymblaid yr enfys.

Datblygodd y trafodaethau i'r pwynt y byddai'n rhaid penderfynu pa opsiwn i'w ddilyn. Trefnwyd cyfarfod o'r grŵp ar ddyddiad fy mhen-blwydd sef Mai'r ail ar hugain. Yn y cyfarfod hwnnw, cyflwynwyd canlyniad y trafodaethau ar yr enfys gan Adam a'r trafodaethau efo Llafur gan Jocelyn. Adroddwyd fod Rhodri Morgan wedi bod yn cyfarfod aelodau seneddol Llafur yn San Steffan ac wedi'n beirniadu ni yn hallt, a hynny yn cadarnhau fy nheimlad i nad oedd o, bryd hynny beth bynnag, yn ffafrio trefniant efo'r Blaid. Buom yn trafod yn hir iawn gan ystyried y ddau opsiwn yn hynod o ofalus gan wybod fod 'na risgiau sylweddol yn y naill a'r llall. Yn y diwedd, pleidleisiodd yr aelodau 10-5 i dynnu allan o'r trafodaethau efo Llafur a pharhau'r trafodaethau ar glymblaid yr enfys. Gan fod rhai o aelodau'r grŵp yn anhapus efo'r penderfyniad aethant yn gyhoeddus, sef Helen Mary Jones, Leanne Wood, Nerys Evans a Bethan Jenkins. Gan eu bod wedi rhyddhau datganiad mor sydyn wedi'r cyfarfod, roedd hi'n amlwg fod hynny'n rhywbeth wedi ei drefnu ymlaen llaw. Er hynny, gwyddwn nad oeddynt yn gytûn ar y ffordd ymlaen, gyda rhai yn hapus i wneud trefniant efo Llafur a'r gweddill yn well ganddynt i barhau fel gwrthblaid. Jocelyn oedd yr aelod arall i bleidleisio yn erbyn a chanddi emosiynau cymysg. Ar y naill law fe welai hi drefniant efo Llafur fel cyfle i wireddu breuddwyd llawer ar y chwith drwy sicrhau cynghrair flaengar 'coch a gwyrdd'. Ar y llall sylweddolai fod yr enfys yn cynnig rhywbeth llawer mwy pendant, gyda chytundeb cynhwysfawr ar bolisi a chyfle i weithredu nifer o bolisïau a goleddwyd gennym ers degawdau. Ni allai neb wrthwynebu rhaglen lywodraeth yr enfys gan ei bod yn cynnwys nifer fawr o'r hyn a oedd yn ein maniffesto. Beirniadodd Jocelyn benderfyniad y pedair i fynd yn gyhoeddus, gan ddadlau y gallai hynny danseilio ein hygrededd yn y trafodaethau a ddilynai. Ar ben hynny, roedd ei theyrngarwch llwyr i'r Blaid yn golygu na wnâi ddim i'n niweidio'n gyhoeddus.

Yr oeddwn i wedi dod i'r casgliad fod clymblaid yr enfys yn cynnig rhywbeth llawer mwy na'r trefniant llac a braidd yn llugoer efo Llafur. Un o 'mhrif amcanion oedd dangos i bobl Cymru y gellid ymddiried yn y Blaid fel plaid llywodraeth yn hytrach na bod yn wrthblaid barhaol. Y llall wrth gwrs oedd gwireddu nifer fawr o amcanion polisi a oedd hyd hynny yn ddim byd ond dyheadau ar bapur. Credwn hefyd y byddai cyfnod mewn llywodraeth yn gyfle i'n haelodau sylweddoli mai dim ond drwy fod mewn llywodraeth y gallem sicrhau ein breuddwyd o Gymru rydd, rhywbeth mae'r SNP wedi ei ddangos droeon yn y blynyddoedd diwethaf. Nid rhywbeth sy'n digwydd i ni yw rhyddid, ond rhywbeth mae'n ofynnol i ni ei arwain.

Nid mater i'r grŵp yn y Cynulliad yn unig oedd trefniant fel hyn. Rhaid oedd sicrhau cefnogaeth ein Pwyllgor Gwaith. Er y byddai hynny'n ddigon yn gyfansoddiadol, credwn y byddai angen cefnogaeth ehangach i sicrhau llwyddiant unrhyw gytundeb ac o ganlyniad cefnogwn gynnal cynhadledd arbennig. Yr oeddwn eisoes wedi rhoi adroddiadau ar y trafodaethau i aelodau'r Pwyllgor Gwaith, a gwyddwn fod nifer o'r aelodau yn elyniaethus i'r enfys, ac y byddai unrhyw bleidlais yn hynod o agos. Ar y llaw arall, o ystyried y gefnogaeth amlwg ymhlith trwch yr aelodau i weld arweinydd y Blaid yn Brif Weinidog Cymru, gallwn fod yn weddol hyderus y byddai cynhadledd arbennig yn cymeradwyo'r trefniant.

Ni chafwyd cyfle i roi'r cynnig, fodd bynnag. Yn oriau mân y bore ar Fai'r pedwerydd ar hugain fe dderbyniais neges destun gan Mike German gyda'r geiriau trydanol 'No deal sorry Ieuan. Thanks for all the effort you put into making the programme work.' Yr oedd wedi cyflwyno'r enfys i'w bwyllgor gwaith yn Llandrindod a chan fod y bleidlais yn gyfartal, bu'n rhaid i'r Cadeirydd Rob Humprhreys fwrw ei bleidlais yn erbyn. Yn anffodus, er bod Mike yn ymddangos yn hyderus y byddai ei gynnig yn llwyddo, yr oedd eraill megis Kirsty Williams ac Alex Carlile wedi bod yn gweithio'n dawel yn y cefndir i'w drechu. Gwyddwn y byddai hyn yn ergyd farwol i'r enfys. Byddai wedi bod yn ddigon anodd arwain clymblaid o dair plaid ar y gorau, ond gydag un ohonynt yn bartner anfoddog byddai bron yn amhosibl.

Er nad oeddwn yn barod i gyflwyno'r enfys i gyfarfod o'n Cyngor Cenedlaethol yn Aberystwyth y dydd Sadwrn canlynol sef y chweched ar hugain o Fai, gwyddwn o'r gefnogaeth a gefais yno y byddai wedi'i gymeradwyo gyda mwyafrif llethol o blaid. Fel arfer, disgwylid cynulleidfa o ryw saith deg. Ond yr oedd yr ystafell ddarlithio fawr yn yr Hen Goleg yn orlawn a rhai cannoedd wedi ymgynnull. Cyn cerdded i mewn, sefais am ennyd wrth gerflun T E Ellis a ystyriwn yn brif symbylydd Cymru Fydd, y mudiad byrhoedlog hwnnw a gynheuodd dân yn ein hymwybyddiaeth genedlaethol yn dilyn canrifoedd o drwmgwsg. Yr oedd y symbolaeth yn amlwg. Wedi cyrraedd y neuadd ddarlithio, cefais gymeradwyaeth frwd a churo dwylo am gyfnod maith. Yr oedd awyrgylch y cyfarfod yn ymdebygu i gyfarfod diwygiad, a phawb a gefnogodd ein bwriad i sefydlu clymblaid yr enfys yn derbyn cymeradwyaeth frwd, a'r rhai prin a siaradodd yn erbyn ar y droed ôl. Cyfarfu cynhadledd arbennig y Democratiaid Rhyddfrydol ar yr un diwrnod ac er iddynt gymeradwyo'r enfys ac ymdrechion gan Jenny Randerson ac Aled Roberts, arweinydd Cyngor Wrecsam, i geisio adfywio'r trafodaethau roedd y niwed a achoswyd yn ormod.

Cofiaf fynd i gyfarfod efo Rhodri Morgan yn swyddfa ysblennydd art-deco Parc Cathays i drafod ei gynnig hyder a chyflenwi ac yntau mewn tipyn o wewyr. Ni soniodd air am y trafodaethau efo ni, gan ddefnyddio'r achlysur fel sesiwn gyffesol i ddatgan ei siom ym mhenderfyniad y Democratiaid Rhyddfrydol i wrthod ei gynnig i glymbleidio. Mae'n amlwg fod rhywrai yn y blaid honno wedi ei gamarwain yn ddybryd gan nad oedd gan Mike German unrhyw fwriad i ffurfio clymblaid ag o, a'r intel oedd gan Lafur yn hynod wallus. Felly roedd y Democratiaid Rhyddfrydol wedi siomi Llafur yn ogystal â ni. Er mai clymblaid efo nhw oedd yr opsiwn a ffafriai Rhodri, gwyddem fod rhai yn ei Gabinet yn ffafrio cytundeb efo ni, nid yn unig am fod perthynas dda ar lefel bersonol rhyngom ond oherwydd nad oeddent yn gallu ymddiried yn llwyr yn y Lib Dems.

Wedi iddi ddod yn amlwg nad oedd clymblaid yr enfys yn debygol, symudodd y Blaid Lafur yn gyflym i ailbenodi

Rhodri fel Prif Weinidog. Yn amlwg, teimlent y byddai hynny'n rhoi mantais iddynt wrth negodi ymhellach. Nid oeddwn mewn sefyllfa i wrthwynebu'r penodiad gan y byddai'n rhaid ffurfio llywodraeth hyd yn oed pe byddai ddim ond dros dro. Gwyddwn hefyd bod y niferoedd gan y gwrthbleidiau i symud pe na fyddai Llafur yn gweithredu'n gymodlon. Penododd Rhodri weinidogion i'r Cabinet ond gwyddai pawb nad oedd modd iddynt wneud penderfyniadau o bwys gan mai rhywbeth i lenwi tan cael sefydlogrwydd oedd eu penodiad.

Unwaith i'r trafodaethau ar yr enfys ddod i ben, newidiodd safbwynt Llafur tuag atom. Digwyddodd dau beth arwyddocaol. Yn gyntaf cyflwynodd Jocelyn bapur i mi a dderbyniodd gan Jane Hutt yn cadarnhau y byddent yn fodlon cydweithio efo ni ar sail cynnal refferendwm ar bwerau deddfu i'r Cynulliad a chyflwyno deddf iaith newydd. Dyna, fe gredent, fyddai'r abwyd a fyddai'n ein cymell i drafodaethau ystyrlon. Yn ail dywedodd Edwina Hart mewn cyfweliad teledu y byddai hi yn fodlon eistedd mewn Cabinet fyddai'n cynnwys Ieuan Wyn Jones ar un amod, sef na fyddwn yn ei disodli fel Gweinidog Iechyd! Ffoniais Rhodri i dderbyn cadarnhad fod Edwina yn siarad ar ei ran. Wedi iddo gadarnhau hynny trefnwyd i gael cyfarfod yn ei swyddfa yn Nhŷ Hywel. Er nad oedd y swyddfa mor grand â honno ym Mharc Cathays, gwyddwn fod y cyfarfyddiad yn llawer mwy arwyddocaol. Ar y dechrau siaradai Rhodri mewn iaith braidd yn afloyw, gan ddweud ei fod yn barod i drafod nifer o opsiynau, gan gynnwys opsiwn mewn (cymerais mai clymblaid oedd hynny) neu opsiwn mas (rhywbeth yn llai na chlymblaid). Pan ofynais iddo ba opsiwn a ffafriai gwrthododd roi ateb pendant a dechreuais deimlo'n hynod o anghyfforddus. Ni wyddwn i ba gyfeiriad yr oedd am fynd a'i amwyster yn achosi penbleth. Ar ôl tin-droi am ychydig funudau, agorwyd drws yr ystafell ac i mewn daeth Jane Hutt a Jocelyn. Yr oeddent ill dwy wedi hofran tu allan gan ofni na fyddai Rhodri yn glir wrth fynegi ei safbwynt! Wedi iddynt gyrraedd defnyddiwyd y gair clymblaid am y tro cyntaf ac o hynny ymlaen esmwythawyd llwybr y trafodaethau. Trefnwyd y byddem yn sefydlu dau dîm i weld a ellid cytuno ar raglen llywodraeth, a Rhodri a minnau yn cyfarfod bob hyn o hyn i asesu cynnydd.

Arweiniwyd ein tîm negodi ni gan Jocelyn a dau aelod o staff sef Alun Shurmer ac Alun Evans. Jane Hutt a arweiniai ar ran Llafur gyda Mark Drakeford bryd hynny yn ymgynghorydd arbennig yn chwarae rhan allweddol. Fy mhenderfyniad i oedd y dylai unrhyw gytundeb fod ar sail dogfen gynhwysfawr fyddai'n cynnwys naratif clir ar y meysydd polisi y byddem yn eu gweithredu. Byddai hynny yn osgoi unrhyw amwyster mewn dehongliad yn nes ymlaen. Yr oeddwn wedi darllen y cytundebau a wnaed yn yr Alban a Chymru rhwng Llafur a'r Democratiaid Rhyddfrydol ac wedi synnu braidd mai rhestr hir o bwyntiau bwled oedd y cyfan. Treuliodd timoedd negodi'r ddwy blaid rai wythnosau'n drafftio'r rhaglen gan ddod i mewn ag arbenigwyr a llefarwyr polisi pan fyddai angen. Cawsom ein synnu at barodrwydd Llafur i dderbyn nifer helaeth o'n cynigion polisi a deall wedyn bod eu cwpwrdd yn eithaf llwm o safbwynt syniadau newydd wedi deuddeng mlynedd o fod mewn llywodraeth! Teimlai rhai aelodau blaenllaw megis Jane Davidson ac Edwina Hart fod rhai o'n safbwyntiau polisi ni fel chwa o awyr iach ac roeddent yn falch o'r cyfle i'w gweithredu.

Y cymal a achosodd fwyaf o drafferth oedd hwnnw'n ymwneud â'r bwriad i gynnal refferendwm ar bwerau deddfu. Gan mai hwnnw oedd yr ymrwymiad a'i gwnâi yn werth i mi a'r Blaid ystyried dod i gytundeb efo Llafur a hepgor y wobr o ddod yn Brif Weinidog Cymru, teimlwn fod yn rhaid hoelio'r geiriad yn gadarn. Yr oedd y papur a gyflwynwyd gan Jocelyn yn ddiamwys ar y pwynt, ond ni chytunwyd ar y geiriau terfynol heb drafodaeth hir, arteithiol ar brydiau, nifer o iteriadau a sawl fersiwn. Mae'r geiriau terfynol yn adlewyrchu'r broses anodd o ddod i gytundeb. Gwyddwn hefyd y byddai'n rhaid cael addewid gan y Blaid Lafur i ymgyrchu o blaid pwerau deddfu mewn refferendwm, gan y byddai ei chynnal heb ymrwymiad o'r fath yn ddiwerth. Dyna pam roedd yr ymrwymiad y byddai'r ddwy blaid yn ymgyrchu yn ddidwyll o blaid canlyniad llwyddiannus i'r refferendwm mor allweddol. Gan nad oedd y naill blaid na'r llall am gynnal refferendwm pe byddai'r polau piniwn yn dangos mwyafrif clir yn erbyn, cytunwyd y byddem yn monitro'r farn gyhoeddus cyn sbarduno'r broses. Gan fod pob un o'r polau yn dangos mwyafrif clir o blaid pwerau ychwanegol i'r Cynulliad roeddwn yn ffyddiog y gallem lwyddo.

Y darn o'r cytundeb a achosodd y drafodaeth fwyaf ymhlith y wasg oedd y bwriad i sefydlu Confensiwn Cyfansoddiadol cyn symud i refferendwm. Y teimlad gan rai oedd mai tacteg gan Lafur i oedi pethau oedd hynny a'n bod ni wedi'n twyllo. Ond fy nghynnig i oedd hwnnw. Teimlwn fod sefydlu Confensiwn yn yr Alban cyn refferendwm 1997 wedi cynorthwyo'r drafodaeth gyhoeddus, ac am na ddigwyddodd hynny yng Nghymru bu'n canlyniad ni'n anghyfforddus o agos. Y perygl mwyaf i'r cymal oedd ymdrech gan rai o aelodau seneddol Llafur i lastwreiddio'r ymrwymiad drwy geisio newidiadau munud olaf. Gofynnodd Rhodri a fyddwn yn fodlon cyfarfod Peter Hain a oedd yn Ysgrifennydd Cymru. Gan fod disgwyl i'r ddau ohonom fod mewn digwyddiad yn safle Alwminiwm Môn ddiwedd yr wythnos honno, fe gytunais. Arweiniwyd

Peter a minnau i stafell fechan ar goridor rheolwyr y cwmni ac yno ac fe ddangosodd sgript amgen a fyddai'n gwanhau'n sylweddol yr ymrwymiad i refferendwm. Gwrthodais dderbyn y geiriad newydd a mynnais gadw at y ffurf yr oeddwn wedi'i gytuno efo Rhodri. Synnais nid yn unig at yr ymyrraeth gan rywun nad oedd yn rhan o'n trafodaethau ond fod Rhodri wedi cytuno i hynny. Yr unig gasgliad y gallwn ddod iddo fod Rhodri dan bwysau difrifol yn fewnol o du'r aelodau seneddol ac awgrymodd hynny i mi nad oedd ganddo law rydd ym mhopeth y ceisiai ei gyflawni. Gwelais hynny fwy nag unwaith yn ystod y blynyddoedd oedd i ddod.

Yn ogystal â'r cynnwys ar bolisi, yr oedd angen adran a fyddai'n crynhoi ein patrwm o weithredu fel dwy blaid ac yn cynnwys manylion llywodraethiant. Rhaid oedd sicrhau fod pob penderfyniad ar bwyntiau o bolisi a chyflwyniant o raglen y llywodraeth wedi ei gytuno o flaen llaw, er mwyn sicrhau fod cyfrifoldeb ar y cyd yn gweithio'n effeithiol. Sefydlid pwyllgorau o'r Cabinet ar y cyd rhwng y ddwy blaid i drafod materion strategol a chyllidol. Mater arall y cytunwyd arno oedd yr angen i ddod i gonsensws ar bob mater o bolisi ac ar gyllid, neu fel arall gallai Llafur ein trechu drwy bleidlais pe codai unrhyw anghydfod.

Penderfynais mai doeth oedd imi deithio drwy Gymru i gyfarfod aelodau'r Blaid ac egluro ein safbwynt ar y trafodaethau. Dyna'r penderfyniad gorau a wnes yn y cyfnod hwnnw. Heidiodd cannoedd o aelodau i'r cyfarfodydd a phob un ohonynt yn llawn i'r ymylon. Rhaid dweud nad oeddent yn gyfarfodydd hawdd, efo rhai wedi eu siomi nad oedd yr enfys yn parhau ar y bwrdd, eraill yn elyniaethus i'r syniad o gydweithio efo unrhyw blaid a chanran wedi dod efo meddwl agored. Ceisiais gadw mewn cof fod angen perswadio pobl a ddaeth i'r cyfarfodydd o safbwyntiau gwahanol iawn i'w gilydd. Credaf i mi lwyddo i wneud hynny drwy fod yn gwbl agored a gonest ynglŷn â'r hyn y ceisiwn ei gyflawni. Er bod 'na ganfyddiad nad ydi gonestrwydd a gwleidyddiaeth yn gyfystyr â'i gilydd, o'm profiad i, enillir llawer mwy drwy fod yn onest. Daeth llawer un ataf ar ddiwedd ein cyfarfodydd i ddiolch am hynny a dweud fy mod wedi ateb eu hamheuon.

Wedi dod i gytundeb ar y rhaglen bolisi, awgrymais y dylem ysgrifennu'r ddogfen derfynol efo naratif clir a darllenadwy, a'r math o ddogfen y gallai'r cyhoedd ei defnyddio i farnu a oeddem yn cadw'n gair. Gofynnwyd i Gwenllïan Lansdown o'r Blaid a Victoria Winkler a gynrychiolai Llafur i weithio ar y cyd i ysgrifennu'r ddogfen. Cafwyd dogfen y gallem ymfalchïo ynddi, ac yr oedd gan Gwenllïan steil ysgrifennu ardderchog. Y hi a awgrymodd 'Cymru'n Un' fel teitl i'r ddogfen a hwnnw'n awgrym ysbrydoledig. O hynny allan adnabuwyd y glymblaid fel Llywodraeth Cymru'n Un.

Nid oeddwn yn fodlon agor trafodaeth ar bwy fyddai yn cael eu penodi fel gweinidogion hyd nes y byddai'r trafodaethau ar bolisi wedi'u cwblhau. Unwaith digwyddodd hynny, symudais i swyddfa yn adeilad y llywodraeth ym Marc Cathays. Yn eironig ddigon arweiniai'r swyddfa i fflat Ysgrifennydd Cymru yn y dyddiau cyn datganoli. Daeth geiriau John Redwood – nad oedd wedi aros dros nos yng Nghymru yn ei gyfnod fel gweinidog – i'r cof. Gallwn ddweud wrthyf fy hun fy mod yn gwneud gwell defnydd o'r cyfleusterau!

Ond yr oedd un cam arall angenrheidiol cyn y gallwn selio'r fargen, sef derbyn cymeradwyaeth ein Cyngor Cenedlaethol mewn sesiwn arbennig. Cadarnhawyd y trefniant gan y Blaid Lafur mewn cynhadledd arbennig ar nos Wener y chweched o Orffennaf. Bu'r drafodaeth yno yn eithaf tanbaid yn ôl pob sôn gyda Don Touhig, Aelod Seneddol Islwyn yn datgan mai 'trap' oedd y glymblaid ac yn hunanladdiad i'w blaid. Er hynny, cefnogwyd y glymblaid gyda mwyafrif sylweddol. Pan gyfarfu ein haelodau ni, rai cannoedd ohonynt, ym Mhontrhydfendigaid y diwrnod canlynol, teimlwn fod rhywbeth rhyfedd yn y gwynt, gyda'r Blaid yn croesi trothwy go bwysig a hanesyddol. Agorais y cyfarfod drwy gyflwyno'r achos o blaid y glymblaid a threuliais y rhan fwyaf o'r amser yn amlinellu'r prif bwyntiau polisi. Teimlais na fyddai rhethreg flodeuog yn tycio, er yn naturiol rhaid oedd pwyso rhai botymau a fyddai'n apelio i'r ffyddloniaid. Rhaid oedd apelio i'r pen yn ogystal ag i'r galon a cheisio argyhoeddi'r aelodau fod 'na fanteision clir i ni fel plaid ac nid y lleiaf ohonynt oedd sicrhau'r refferendwm ar bwerau deddfu.

Siaradodd y mwyafrif o ddigon o blaid y glymblaid, a hyd yn oed y rhai a fynegodd amheuon yn tueddu i ganolbwyntio ar fanylion polisi yn hytrach na'r egwyddor, a'r ffaith y dylem fod yn wyliadwrus o fwriadau Llafur – mater o ymddiriedaeth yn eu tyb hwy. Siaradodd Jocelyn Davies fel aelod o'r tîm negodi yn wych a'i meddwl miniog a chraff yn tawelu ofnau llawer o'r amheuwyr. Roedd ei chyfraniad yn bwysig fel merch o'r cymoedd, gan mai yno roedd yr elyniaeth i Lafur ar ei chryfaf. Pan ddaeth y bleidlais, cafwyd fod 92% o'r aelodau o blaid, ac yr oedd teimlad gorfoleddus wrth i dyrfa fawr ymgasglu tu allan i'r neuadd i wynebu'r wasg a'r cyfryngau. Canlyniad y bleidlais oedd y byddai Plaid Cymru yn mynd i lywodraeth am y tro cyntaf ers ei sefydlu wyth deg a dwy o flynyddoedd ynghynt.

PENNOD 11

Bywyd Gweinidog

CYTUNODD RHODRI A minnau y byddem yn cyfarfod yn ei gartref drannoeth ein cyfarfod ym Mhontrhydfendigaid i ddechrau'r broses o roi popeth at ei gilydd. Fodd bynnag, cefais alwad ffôn yn dweud fod Rhodri wedi ei gymryd yn sâl ac y byddai yn yr ysbyty am rai dyddiau. Yn ddiweddarach, fe ddaeth i'r amlwg fod rhwystr ar ddwy o'i rydwelïau a bu'n rhaid gosod stentiau i'w hagor. Yn amlwg bu'n rhaid gohirio'r trafodaethau. Fodd bynnag, aethpwyd ymlaen â'r bwriad i'm penodi yn Ddirprwy Brif Weinidog. Yn dilyn Deddf Cymru 2006, roedd pob gweinidog yn Llywodraeth Cymru yn Weinidog y Goron, ac o ganlyniad rhaid oedd cael sêl bendith y Frenhines i'r penodiad. Ar ôl i hwnnw gyrraedd, sylweddolais fod fy statws yn dra gwahanol yng ngolwg y gwasanaeth sifil. Daeth un o'r swyddogion i'm stafell ar ail lawr Tŷ Hywel a dweud 'Llongyfarchiadau Weinidog'. Er imi geisio ei berswadio i'm galw yn Ieuan neu hyd yn oed Mr Jones methiant fu pob ymdrech, ac o hynny ymlaen cyfeiriwyd ataf yn y trydydd person, sy'n deimlad rhyfedd ar y naw! Eglurodd rhywun wrthyf mai'r bwriad yw cyfarch y swydd yn hytrach na'r unigolyn, a bod y swydd yn parhau er gall y deilydd newid. Ymhen amser byddai rhai yn fy ngalw'n 'DFM', er i Eirian deimlo'n hynod o chwithig pan y'i gelwid hi'n 'Mrs DFM'! Cyn gallu gweithredu'n swyddogol rhaid oedd tyngu llw, a chefais wneud hynny o flaen y Barnwr Roderick Evans ac yntau yn fy llongyfarch yn fawr ar fy mhenodiad.

Fy nyletswydd gyntaf oedd cynrychioli'r llywodraeth mewn seremoni goffadwriaethol ym Mhasschendale yng Ngwlad Belg. Teithiais i'r seremoni mewn car swyddogol yng nghwmni Alex Salmond a oedd newydd ei benodi'n Brif Weinidog yr Alban. Buom yn trafod ein profiadau cynnar o fod mewn llywodraeth a chytuno i gadw mewn cysylltiad fel y datblygai pethau. Cawsom sawl cyfle yn ystod y blynyddoedd nesaf i gyfnewid profiadau a bu hynny'n hynod o werthfawr. Yr oedd hi'n foment hynod o deimladwy pan fu i'r ddau ohonom osod torchau wrth Borth Menin yn Ypres i goffáu'r bechgyn o Gymru a'r Alban a fu farw yn ystod y Rhyfel Byd Cyntaf. Yr oedd y Frenhines yn bresennol yn y seremonïau coffadwriaethol ac fe ddywedwyd wrthyf y byddai'n dymuno cwrdd yn dilyn fy mhenodiad. Cawsom sgwrs fer pan fu iddi hi fy llongyfarch a dymuno'n dda i mi. Yn anffodus ni chefais gyfle'r diwrnod hwnnw i ymweld â bedd Hedd Wyn ger Boezinge.

Yr ail ddigwyddiad o bwys oedd cynrychioli'r llywodraeth mewn cyfarfod o Gyngor Prydain ac Iwerddon yng nghastell Stormont ym Melffast. Fe'm croesawyd wrth ddrws y castell gan Martin McGuiness ac Ian Paisley, a minnau'n sylweddoli arwyddocâd y foment wrth i'r broses ddatganoli yng Ngogledd Iwerddon symud i gyfnod newydd. Corff a sefydlwyd i feithrin gwell cysylltiadau yn dilyn yr 'helyntion' oedd y Cyngor. Nid oedd ganddo rym i wneud unrhyw benderfyniad, gyda'i weithgareddau yn hynod o ffurfiol. Darllenai'r gweinidogion a gynrychiolai pob gwlad ddatganiad o sgript a baratowyd o flaen llaw ac ni chaed fawr o gyfle i gael trafodaeth ystyrlon. Yr oedd Gordon Brown yno fel Prif Weinidog, ac yn ôl yr hyn a ddeellais wedyn, yn ymwelydd anfoddog. Mae'n debyg fod Ian Paisley wedi bygwth canslo'r digwyddiad oni bai ei fod yn dod ac mai dyna oedd yr unig reswm iddo gytuno. Mater arall a achosodd dipyn o densiwn oedd y ffaith nad oedd Gordon Brown am ymddangos wrth ymyl Alex Salmond yn y llun swyddogol. Bu tipyn o symud 'nôl a blaen ac yn y diwedd fe dynnwyd llun swyddogol gyda phellter arwyddocaol rhwng y ddau!

Er nad oedd cyfle i gael trafodaethau yn ystod sesiynau ffurfiol y Cyngor, roedd cyfle yn y sesiynau anffurfiol a thros ginio neu swper. Gan fod Martin McGuiness a minnau yn Ddirprwy Brif Weinidogion, tueddem i eistedd nesaf i'n gilydd yn ystod y prydau bwyd. Cefais sgyrsiau difyr iawn efo fo ar achlysuron felly. Ym Melffast dros ginio cefais sgwrs efo fo ar ei daith wleidyddol o wrthdaro gwaedlyd i ddemocratiaeth a'i fod wedi dod i'r casgliad mai drwy ddulliau democrataidd o berswâd y câi weld Iwerddon unol rhyw ddydd. Fe'i holais am lwyddiant Sinn Féin fel plaid wleidyddol, ac fe briodolodd hynny i weithredu cymunedol, gyda phwyslais cryf ar ddarparu gwasanaethau cymunedol mewn canolfannau cynghori. Aliniai eu cryfder gyda'u gwreiddiau dwfn yn y cymunedau yr oeddent yn eu cynrychioli. Yr oedd ganddo ddiddordeb mawr yn ein safbwynt ar ddeddfwriaeth yn ymwneud â'r Gymraeg ac yn holi sut y gallent hwythau wneud rhywbeth tebyg o blaid y Wyddeleg. Gwyddwn fodd bynnag fod ganddo dalcen caled o'i flaen gan y gwrthwynebai'r unoliaethwyr unrhyw ddeddfwriaeth ieithyddol. Deuthum i adnabod Martin yn dda yn ystod y pedair blynedd nesaf ac fe'i cefais yn berson diwylliedig a diddorol.

Pan ddychwelodd Rhodri i'w waith cawsom gyfle i drafod cyfansoddiad y llywodraeth. Erbyn hyn roedd y ddau ohonom mewn swyddfeydd cyfagos ym Marc Cathays gyda chyfle i drafod yn breifat heb fod y wasg tu allan i'r drws yn disgwyl cael eu briffio'n gyson. O edrych ar gryfder y ddwy blaid, teimlwn y dylem ni gael o leiaf dair sedd yn y Cabinet ac un dirprwy. Daeth Llafur i'r un casgliad o weld y rhifyddeg, ac fe gytunwyd ar y nifer yn ddidrafferth. Ond mater cwbl wahanol oedd cytuno ar y portffolios. Yr oedd ystyriaethau gwahanol mewn lle rŵan. Teimlais fod 'na nerfusrwydd ymhlith yr aelodau Llafur a weithredai fel gweinidogion dros dro fel petai, gan y gwyddent na fyddai rhai ohonynt yn cadw eu lle yn y weinyddiaeth newydd, neu os byddent, byddai'n rhaid eu symud i swyddi gwahanol. Yn achos y Blaid, unwaith yr adroddais mai pedair swydd a fyddai gennym, gwelwyd ychydig o safleoli'n digwydd er bod hynny yn eithaf cynnil, rhaid cyfaddef!

Yn f'achos fy hun, bûm yn pendroni a ddylwn gymryd portffolio yn ychwanegol at fy swydd fel Dirprwy Brif Weinidog. Yr oedd manteision ac anfanteision o gymryd y naill lwybr neu'r llall. Yn y diwedd penderfynais y byddai'n well fy mod mewn sefyllfa i wneud penderfyniadau mewn adran benodol, yn hytrach na chadw trosolwg dros holl waith y llywodraeth yn unig. Yr anfantais oedd y byddai llai o amser gennyf i gymryd rhan mewn meysydd eraill ac efallai yng ngwaith y Blaid. Wedi ychydig o drafod cytunwyd y byddwn yn gyfrifol am adran yr Economi a Thrafnidiaeth. Yn dilyn hynny dechreuodd y trafodaethau dwys ar weddill y portffolios. Gan fod Elin Jones wedi gwneud marc fel llefarydd ar faterion gwledig ac oherwydd ei chefndir yn y maes, awgrymais y dylem gymryd y portffolio hwnnw a'i phenodi hi fel gweinidog. Yr adran arall oedd yr iaith, diwylliant a chwaraeon. Yr oedd cyfrifoldeb dros yr iaith yn bwysig, ond gan mai bach oedd cyllideb yr adran, ac felly heb bennaeth adrannol hŷn, dadleuais dros gynnwys twristiaeth. Mynnais y byddai angen gwas sifil profiadol i redeg yr adran. Roeddwn yn awyddus i benodi Jocelyn i swydd yn y llywodraeth, nid yn unig oherwydd ei gallu diamheuol fel gwleidydd, ond hefyd i sicrhau fod gweinidogion Plaid Cymru yn cynrychioli gwahanol ardaloedd a gwahanol gefndiroedd. Fy nymuniad oedd ei phenodi i'r Cabinet, ond gwrthododd ystyried hynny ac yn y diwedd fe'i penodwyd yn is-weinidog yn gyfrifol am dai. Rhodri Glyn Thomas, dirprwy arweinydd y Grŵp, a benodwyd yn Weinidog Cabinet yn gyfrifol am yr Iaith, Diwylliant, Chwaraeon a Thwristiaeth.

Gwyddwn y byddai'n rhaid i Rhodri Morgan geisio cadw'r ddysgl yn wastad yn ei grŵp drwy gadw unrhyw aflonyddwch mor isel â phosib. Symudwyd Carwyn Jones i swydd y Cwnsler Cyffredinol a Brian Gibbons i fod yn gyfrifol am Lywodraeth Leol. Yr unig un a adawodd y llywodraeth yn llwyr oedd Huw Lewis, a bu Huw yn ddraenen go fawr yn ystlys y glymblaid o hynny ymlaen. Dywedodd Brian Gibbons wrthyf nad oedd yn or-hapus o orfod symud o'i swydd fel Gweinidog yr Economi, gan mai honno oedd y swydd o bob un a chwenychai yn y llywodraeth!

Cyn y gellid symud i weithredu fel llywodraeth rhaid oedd penodi ymgynghorwyr arbennig, sef y swyddogion sy'n hanfodol i sicrhau fod popeth yn rhedeg yn esmwyth. Yn ogystal â rhoi cyngor i weinidogion roeddent yn gyfrwng i fod yn sianel rhwng gweinidogion a gweision sifil a rhwng y ddwy blaid. Bûm yn pendroni llawer ynglŷn â phenodiadau posib, ac yr oeddwn eisoes wedi cael sgwrs efo Simon Thomas a oedd yn gyfrifol am lunio rhaglenni polisi'r Blaid a'n maniffestos dros gyfnod eithaf maith. Roedd ganddo ddiddordeb, cyflwynais ei enw fel ein prif ymgynghorydd ac fe gytunwyd arno ar unwaith. Teimlwn y byddai'n rhaid i ni fel plaid gael arbenigwr/wraig yn y maes cyfathrebu er mwyn sicrhau ein bod ni'n cael y credyd dyladwy i'n gweithgareddau. Alun Shurmer fyddai'r penodiad amlwg gan ei fod eisoes yn gweithio i'n grŵp yn y Cynulliad a chanddo brofiad helaeth yn y maes. Ond yr oedd Alun wedi penderfynu ymgeisio am swydd y tu allan i'r byd gwleidyddol a chlywais si y byddai gan Rhuanedd Richards ddiddordeb yn y swydd. Yr oedd ganddi swydd bwysig yn uned wleidyddol y BBC yn y Bae a gyrfa ddisglair o'i blaen ym marn llawer. Yn ogystal â bod yn ohebydd craff roedd ganddi wybodaeth drylwyr o faterion Cymreig. Fe'i ffoniais a hithau ar ei gwyliau yn yr Eidal. Yr oedd wedi derbyn y swydd o fewn ychydig ddyddiau o drafod telerau a minnau'n hynod o falch y byddai'n ymuno â'r tîm. Ond pan gyflwynais ei henw i Rhodri Morgan, yr oedd yn amharod i gadarnhau'r penodiad. Prif swyddog cyfathrebu'r Llywodraeth Lafur oedd Jo Kiernan y cyn-ohebydd efo HTV Cymru a theimlai Rhodri mai hi ddylai siarad ar ran y glymblaid. Yr oedd gennyf feddwl o alluoedd Jo fel gohebydd, ond teimlais na allwn gytuno i benodiad Llafur siarad ar ran y ddwy blaid. Mynnais y dylid penodi Rhuanedd ac fe gefais fy ffordd, a hyd heddiw credaf mai dyna un o'r penodiadau gorau a wneuthum. Bu perthynas Simon a Mark Drakeford a oedd bryd hynny yn brif ymgynghorydd Rhodri Morgan yn allweddol i lwyddiant y glymblaid, a pherthynas Rhuanedd a Jo Kiernan, ill dwy yn ohebwyr profiadol yn ein galluogi i sicrhau cydbwysedd sylw i'r ddwy blaid.

Yn ogystal â sicrhau fod perthynas dda rhwng y ddwy blaid, rhaid oedd sicrhau fod y gwasanaeth sifil yn sylweddoli fod yna wahaniaeth rhwng llywodraeth fwyafrifol a chlymblaid. Gan fod holl rym y llywodraeth yn draddodiadol yn gorwedd yn swydd y Prif Weinidog, rhaid oedd iddynt sylweddoli y byddai'n rhaid rhannu gwybodaeth am bob agwedd o waith y llywodraeth efo mi. Un enghraifft o le roedd swyddfa'r Prif Weinidog yn awyddus i gadw pethau'n dynn oedd awgrym gan y pennaeth Lawrence Conway y dylai weithredu fel pennaeth fy swyddfa innau yn ogystal. Gwrthodais y cynnig gan fynnu fod gennyf staff yn gweithio i mi a bod fy swyddfa breifat yn gwbl ar wahân. Cytunwyd i hynny. Ar y dechrau, fy mhrif ysgrifennydd preifat oedd rhywun nad oedd ganddo brofiad o redeg swyddfa breifat. Ei brif gyfrifoldeb cyn hynny oedd ar faterion cyfansoddiadol ac ar ôl ychydig fisoedd dychwelodd i'w briod faes. O hynny ymlaen, bu'r berthynas efo swyddogion fy swyddfa breifat yn hynod o dda.

Teimlais fod 'na ymdrech i lastwreiddio rhai o'r trefniadau llywodraethiant drwy gyfuno dau o'r pwyllgorau a sefydlwyd i sicrhau fod y Blaid yn cael mynediad i drafodaethau ar bolisi yn ogystal ag ar faterion cyllidol. Dyna oedd ffordd y gwasanaeth sifil o geisio sicrhau mai drwy swyddfa'r Prif Weinidog y dylid gwneud y prif benderfyniadau. Efallai mai dyna oedd y safbwynt cyfansoddiadol cywir, ond nid oedd hynny yn adlewyrchu'r drefn na'r wleidyddiaeth newydd. Bu'n dipyn o frwydr i sicrhau fod pob agwedd o waith y llywodraeth yn cael eu rhannu rhwng swyddfeydd Rhodri a minnau. Yr unig gyfaddawd y cytunais iddo oedd bod yn rhaid i unrhyw gais oedd gennyf i gael briff ar bynciau polisi tu allan i feysydd portffolio gweinidogion y Blaid fynd drwy swyddfa Rhodri.

Yn y dyddiau cynnar cefais ymweliadau gan nifer o swyddogion yn f'adran er mwyn fy mriffio ar eu rhaglenni gwaith. Yn anffodus, nid oedd rhai ohonynt wedi llawn sylweddoli fod rhaglen Cymru'n Un yn dra gwahanol i'r hyn yr oeddynt wedi arfer ag o. Yn yr Adran Drafnidiaeth, bu'n rhaid i mi bwysleisio wrthynt fod blaenoriaethau ein llywodraeth ni yn golygu newid cyfeiriad, yn arbennig o safbwynt gwella cysylltiadau rhwng y de a'r gogledd a gwella'r ffordd ar draws Blaenau'r Cymoedd. Yn amlwg roedd gan y peirianwyr ffordd restr o brosiectau yr hoffent eu gweld yn cael blaenoriaeth, a bu'n dipyn o frwydr i'w cael i weithredu yn unol â rhaglen y llywodraeth. Cyn penderfynu ar ein rhaglen, fodd bynnag, gofynnais i'r swyddogion gyflwyno rhestr o bob cynllun ffordd oedd ganddynt ar y gweill, yr amserlen a'r gost. Un prynhawn, treuliais rai oriau mewn swyddfa ym Mharc Cathays yn gwneud nodyn o bob cynllun ac ystyried a oeddent yn flaenoriaeth bellach. Sylwn fod y swyddogion yn hynod o nerfus wrth imi restru'r cynlluniau gan sylweddoli fod newidiadau ar y gweill. Pan fyddai'r swyddogion yn dod i'm gweld yn ddiweddarach, sylwais fod cost ac amserlen rhai o'r cynlluniau yn gallu newid yn sylweddol! Wrth i mi gyfeirio'n ôl at fy llyfr nodiadau, cawsant dipyn o sioc a bu'r llyfr hwnnw yn gymorth amhrisiadwy yn ystod fy nghyfnod fel gweinidog.

Gwyddwn hefyd nad oedd gan y llywodraeth, yn wir unrhyw lywodraeth, record dda ar gadw'n agos at amserlen na chost gwelliannau ffyrdd. Amlygwyd hynny mewn cynlluniau tebyg i hwnnw ar ffordd osgoi'r Porth yn y Rhondda. Pan gyhoeddwyd y cynllun yn wreiddiol, amcangyfrif y gost oedd £30m. Pan agorwyd y ffordd rai blynyddoedd yn ddiweddarach y gost o gwblhau'r gwaith oedd £98m. Er bod rhai cynlluniau yn rhedeg yn hwyr o ganlyniad i amgylchiadau nad oedd modd eu rhagweld a'r gost yn cynyddu am resymau yn ymwneud â phroblemau daearegol, yr oedd rhai o'r problemau yn gysylltiedig â diffygion wrth reoli prosiect. Yr oeddwn yn awyddus i osgoi problemau tebyg, ac fe ofynnais i'r swyddogion edrych yn fanwl ar delerau cytundebau er mwyn sicrhau fod modd cadw gwell rheolaeth ar yr amserlen a'r gost. Y ddau gynllun mawr ar y gweill i wella'r ffyrdd rhwng y de a'r gogledd oedd y rheini rhwng y Bontnewydd ar Wy a Chwm-bach a ffordd osgoi Porthmadog. Llwyddwyd i'w cynnwys yn y rhaglen waith, ac er na chwblhawyd y gwaith arnynt cyn i mi adael y llywodraeth dwi'n hynod o falch ohonynt. Er nad yw ffordd osgoi Caernarfon a Bontnewydd yn cael ei hystyried yn ffordd rhwng de a gogledd fel y cyfryw, mae honno yn ffordd brifwythiennol yn y gogledd-orllewin a da gweld honno ar y gweill erbyn hyn. Gwyddwn fodd bynnag fod mwy o waith i'w wneud, er enghraifft ffordd osgoi Llanfair-ym-Muallt, gwelliannau ger Rhaeadr a darnau rhwng Allt-mawr a Llyswen. Er imi roi rhaglen ar waith i edrych ar y rhain, ni aethpwyd ymlaen i'w gweithredu ar ôl 2011. Yn wir, gwyddwn y byddai wedi cymryd ugain mlynedd a mwy i wneud yr holl welliannau angenrheidiol i gael ffordd dda yn cysylltu'r gogledd a'r de!

Ond yr oedd gwella'r ffordd Blaenau'r Cymoedd rhwng Bryn-mawr a Hirwaun yn gontract go sylweddol. Ar wahân i'r ffaith fod y ffordd bryd hynny yn beryglus a nifer o ddamweiniau angheuol wedi bod arni, teimlais fod hwn yn gynllun pwysig gan fod lefelau uchel o amddifadedd yn y cymoedd a bod angen gwella cysylltiadau er mwyn rhoi cyfle i'r economi ffynnu. Nid oedd digon o gyllid ar gael yng nghoffrau'r llywodraeth i gwblhau'r gwaith, a gofynnais i'r swyddogion edrych ar y posibilrwydd o ddenu arian Ewropeaidd i gydariannu'r cynllun. Cafwyd fod y prosiect yn gymwys, ac fe ddechreuwyd ar y gwaith o baratoi cynlluniau manwl.

Yn bendifaddau, y cynllun i wella'r M4 o gwmpas Casnewydd oedd yr un mwyaf dadleuol ar fy rhaglen. Ers rhai blynyddoedd, bu dadlau ffyrnig ynglŷn â ffordd liniaru'r M4, a'm rhagflaenydd Andrew Davies yn llygad y storm. Ar y naill law dadleuai pobl fusnes yr ardal, yn enwedig y cwmnïau logisteg fod diffygion y ffordd, yn enwedig drwy dwneli Brynglas yn llesteirio economi de

Cymru tra dadleuai amgylcheddwyr fod difetha tir Lefelau Gwent a'i bwysigrwydd i fywyd gwyllt yn annerbyniol. Ac mi roedd cost y ffordd, bryd hynny o gwmpas £800m yn fwy na allai cyllideb Llywodraeth Cymru ei gario. Edrychwyd ar sawl opsiwn, yn cynnwys cyllido'r ffordd drwy fenthyca ar gynllun preifat a thalu drwy dollau. Ond er mwyn sicrhau na fyddai gyrwyr yn osgoi'r tollau byddai'n rhaid codi tollau ar yr M4 bresennol yn ogystal. Gan nad oedd hynny yn ymarferol o ystyried y gwrthwynebiad i'r tollau ar Bont Hafren, daethpwyd i'r casgliad fod y cynllun yn anfforddadwy. Fodd bynnag, gwyddwn y byddai ei hepgor yn codi storm a gofynnais i'm swyddogion edrych ar gynllun amgen. Cynhaliwyd arolwg manwl o'r opsiynau. Yn y diwedd cyflwynwyd cynllun i brynu tir a gariai ffordd drwy hen safle gwaith dur Llan-wern, gwella'r ffordd honno a'i chysylltu gyda'r ffordd ddosbarthu ddeheuol. Byddai hynny yn cynnig ffordd amgen i leihau pwysau trafnidiaeth ar yr M4 gan osgoi niweidio'r amgylchedd.

Fodd bynnag gan fod yna gymaint o amser ac elw gwleidyddol wedi'i fuddsoddi yn yr M4 gan y Blaid Lafur, teimlwn fod yn rhaid i mi sicrhau na fyddai ffrae wleidyddol yn codi yn sgil fy mhenderfyniad i hepgor y cynllun gwreiddiol. Trefnais i gyfarfod Rhodri a threulio tipyn o amser yn trafod y gwahanol opsiynau. Mynegodd bryder ei fod wedi'i gamarwain ynglŷn â'r cynllun a chytunodd nad oedd dewis gennym ond ei wrthod. Teimlais fod hwn yn fater mor bwysig fel y byddai angen penderfyniad Cabinet i'w gadarnhau. Gwnaed hynny ar ôl cyfarfod bywiog, gyda nifer yn mynegi pryder nad oedden nhw wedi cael yr holl wybodaeth cyn cytuno i'r cynllun gwreiddiol. Nid oedd y cyfarfod a gefais efo David Rosser, a oedd bryd hynny yn gyfarwyddwr y CBI yng Nghymru, a Martin Mansfield TUC Cymru yn un hawdd. Penderfynais y dylid eu briffio cyn gwneud datganiad cyhoeddus. Er nad oedd Martin yn mynegi safbwynt y naill ffordd na'r llall, roedd David yn hynod o flin ac yn sicr yn adlewyrchu barn ei aelodau. Er imi geisio egluro rhagoriaethau ein cynllun amgen, ni thyciai hynny. Ond yr oedd gennym gynllun cysylltiadau cyhoeddus da wrth law, ac er i'r gymuned fusnes yn y deddwyrain fynegi gwrthwynebiad chwyrn i'r penderfyniad, nid oedd yr ymateb mor negyddol ag yr ofnwn y gallai fod.

Gyda'r cynlluniau i wella rhannau o'r A470 a'r A487 ar y gwell trois fy ngolygon i wella gwasanaethau rheilffyrdd rhwng y de a'r gogledd. Fel teithiwr rheolaidd ar y trên i Lundain, gwyddwn fod y gwasanaeth hwnnw, er ei ffaeleddau, gymaint yn well na'r gwasanaeth i'n prifddinas yng Nghaerdydd. Roedd y daith i Lundain yn hynod gyfforddus, gyda gwasanaeth bwffe da a chyfleusterau i weithio yn ddi-dor. Yr oedd cyflwr y stoc ar y gwasanaeth i Gaerdydd yn wael, yn aml heb ddim bwffe a'r byrddau mor fach a chul fel yr oedd gweithio yn llafurus ac anodd. Pa genedl arall efo owns o hunan-barch fyddai'n caniatáu'r ffasiwn wasanaeth i'w phrifddinas? Yr oeddwn yn benderfynol fod angen gwasanaeth mwy rheolaidd, gwell stoc a chyfleusterau i gael bwyd a diodydd poeth. Gwaetha'r modd, nid oedd y cwmni a weithredai'r gwasanaeth yng Nghymru a'r Gororau sef Trenau Arriva yn fodlon ychwanegu at y gwasanaethau yr oeddent wedi ymrwymo iddynt yn barod dan y cytundeb a wnaed yn 2003, a hwnnw heb gymryd ystyriaeth o'r cynnydd yn nifer y teithwyr yn y cyfamser. Ar wahân i'r ffaith fod y stoc yn wael, roedd nifer o'r gwasanaethau ar adegau brys yn orlawn a llawer o deithwyr wedi'u gorfodi i sefyll am ran helaeth o'r siwrnai. Er imi gael cyfarfodydd efo Prif Weithredwr y cwmni nid oeddent yn fodlon symud. Gwyddwn fodd bynnag fod gennyf gefnogaeth pennaeth tîm rheilffyrdd y llywodraeth,

Tim James, a'i gydweithiwr brwdfrydig Dave Thomas. Soniodd Tim y gallem hysbysebu gwasanaeth mynediad agored y gallai unrhyw gwmni trenau ymateb iddo gan ei fod yn ychwanegol i ryddfraint Arriva. Cytunais i hynny, ac unwaith y clywodd Arriva am ein bwriad, dychwelodd y Prif Weithredwr i'r bwrdd negodi ac o fewn dim yr oeddent wedi cael hyd i drên *inter-city* a dynnid gan injan fyddai'n ateb y galw, ac wedi cael hyd i slot ar y lein rhwng Bangor a Chaerdydd. Gan mai trac sengl oedd rhwng Wrecsam a Chaer, cyfyngai hynny ar y gallu i gael slotiau ychwanegol, ond cymaint oedd awydd Arriva i rwystro cwmni arall rhag rhedeg gwasanaeth, buan yr aildrefnwyd slotiau! Er bod yn rhaid cynnig cymhorthdal ychwanegol i sicrhau'r gwasanaeth, credwn ei fod yn fuddsoddiad da yn ein rhwydwaith cenedlaethol.

Yr oedd un o'r cerbydau gyda gwasanaeth dosbarth cyntaf, a hynny'n bennaf i'r gymuned fusnes, a hwnnw'n gerbyd bwyta. Yr oedd y cerbydau ail ddosbarth yn cynnig gwell cyfleusterau na'r trenau arferol, gyda gwell byrddau a gwasanaeth bwffe da. Gofynnwyd i mi am enw addas i'r trên, a phenderfynais ar y Gerallt Gymro. Byddai'r gwasanaeth yn cychwyn o Gaergybi am hanner awr wedi pump y bore a chyrraedd Caerdydd am ddeg ac yn dychwelyd o Gaerdydd i'r gogledd ychydig wedi pump y prynhawn. Er mwyn sicrhau gwasanaeth cyflym, dim ond yn y prif orsafoedd fyddai'r trên yn aros. Buan iawn yr enillodd y gwasanaeth ei blwyf gan ateb amheuon rhai swyddogion eraill na fyddai digon o deithwyr i sicrhau gwasanaeth llwyddiannus. Unwaith cafodd y gwasanaeth ei hysbysebu, daeth nifer o deithwyr o bob rhan o'r ynysoedd hyn i'w ddefnyddio ac i flasu bwyd godidog y cogydd yn yr unig gerbyd bwyd a fodolai drwy Brydain! Cefais sawl neges yn fy llongyfarch ar y fenter hon. Gan mai hwn oedd yr unig wasanaeth cyflym a chyfforddus rhwng y de a'r gogledd, yr oeddwn yn awyddus i ychwanegu ato ac ymhen amser cyflwynwyd ail wasanaeth cyflym ganol dydd. Fodd bynnag er i'r Gerallt Gymro oroesi fy nghyfnod fel gweinidog, diddymwyd yr ail wasanaeth yn fuan wedi i mi sefyll i lawr.

Y darn olaf yn y jig-so de i'r gogledd oedd y gwasanaeth awyr rhwng y Fali ym Môn a Chaerdydd. Cyflwynwyd y gwasanaeth cyntaf ddechrau Mai 2007, ac fe'i hadnewyddwyd yn 2010, a phery hyd heddiw. Yr oeddwn yn hynod o gefnogol i'r gwasanaeth hwn er gwaethaf y gwrthwynebiad chwyrn iddo gan rai ar sail amgylcheddol, a rhai o'r beirniad mwyaf croch yn fy mhlaid fy hun. Defnyddiwyd awyren *jetstream* fechan ar gyfer y gwasanaeth yn y lle cyntaf gan gwmni Highland Airways. Cyfyngwyd nifer y teithwyr i un deg naw, a rhoddwyd cymhorthdal rhwymedigaeth sector gyhoeddus fel gwasanaeth hanfodol. Cyfyngir y cymhorthdal hwn i ardaloedd gwledig lle roedd cysylltiadau trafnidiaeth yn fregus, megis rhwng ynysoedd yr Alban. Er fy mod yn deall safbwynt y rhai a wrthwynebai ar sail amgylcheddol, teimlwn nad oedd unrhyw wlad yn y byd heb ryw fath o wasanaeth awyr. Gan mai awyren fechan oedd hon nad oedd yn ychwanegu'n sylweddol at allyriadau carbon, a'i bod yn cynnig gwasanaeth pwysig yn cysylltu pobl Cymru teimlwn y dylid ei chefnogi. Gan mai cwmnïau bach oedd yn rhedeg y gwasanaeth, aeth rhai ohonynt i drafferthion ariannol, a bu'n rhaid newid y gweithredwyr fwy nag unwaith. Ond er hynny, credaf ei fod yn wasanaeth cenedlaethol gwerthfawr. Pe caem wasanaeth trenau cyflym iawn, dyweder taith o dair awr a hanner o Fangor i Gaerdydd, yna gallwn dderbyn na ellid cyfiawnhau'r cymhorthdal, ond nid yw hynny'n debygol am rai blynyddoedd.

Gan fod cymaint o waith i adrefnu'r Adran Drafnidiaeth,

yn bennaf am mai peirianwyr ffyrdd oedd y penaethiaid a heb fawr o ddiddordeb mewn trafnidiaeth gyhoeddus, treuliais ddeunaw mis cyntaf fy nghyfnod fel gweinidog yn delio â hynny. Ceisiais gael gwell cydbwysedd yn yr adran, a phennaeth a fyddai'n fodlon gweld gofynion ehangach y portffolio.

Yn dilyn hynny gallwn droi fy ngolygon at Adran yr Economi. Un o'r problemau mawr a'm hwynebai oedd canlyniadau'r penderfyniad i ddiddymu Awdurdod Datblygu Cymru. Cytunwn fod yr Awdurdod wedi colli ffocws ac wedi gorddibynnu ar ddenu miloedd o swyddi yn seiliedig ar dechnoleg y gorffennol. Gwelwyd Cymru fel economi cost isel, gyda chyflogau yn is na'r cyfartaledd Prydeinig a chwmnïau o dramor wedi eu denu i fuddsoddi yng Nghymru ar sail hynny. Ond unwaith y syrthiodd Wal Berlin a Dwyrain Ewrop yn taflu ymaith hualau'r hen drefn Sofietaidd, ni allai Cymru gystadlu mwyach ar sail economi cost isel a gwelwyd cyfran helaeth o'r swyddi yn diflannu. Gwelem enghreifftiau o gwmnïau rhyngwladol yn cynnig swyddi am gyfnod o dyweder pum mlynedd pan fyddid yn cynhyrchu injan ceir neu offer electroneg, ond unwaith fyddai'r dechnoleg yn newid nid oedd sicrwydd y byddai buddsoddiad yn y cynhyrchion newydd yn dilyn. Yn ychwanegol roedd staff yr awdurdod wedi cynyddu i bron wyth gant a bu nifer o sgandalau ariannol yn benodol ynglŷn â chostau teithio dosbarth cyntaf ar draws y byd. Fodd bynnag pan ddiddymwyd yr Awdurdod yn 2006 cyn f'amser i fel gweinidog, ni wnaed digon o waith paratoi ymlaen llaw i gymhathu staff yr Awdurdod gyda staff y llywodraeth. Pan ddaethpwyd â'r ddwy garfan at ei gilydd i rannu'r un swyddfeydd, cododd drwgdeimlad rhyngddynt wrth i'r staff sylweddoli fod eu hamodau gwaith, eu lefel cyflogau a'u hawliau pensiwn yn dra gwahanol. Golygai hyn fod morâl yn isel ymhlith canran o'r staff a sugnwyd egni nifer o'r rheolwyr wrth iddynt dreulio amser yn ceisio ateb i broblem hynod o ddyrys.

Hyd heddiw bu dadlau ffyrnig ynglŷn â'r penderfyniad i ddiddymu'r Awdurdod. Gwelwyd hynny gan rai fel dinistrio'r 'brand' gorau a feddai Cymru ar y llwyfan rhyngwladol, tra dadleuai eraill fod y corff wedi mynd yn llawer rhy fawr, yn chwyddedig yn wir, wedi colli ffocws a heb symud ymlaen i ddelio â heriau'r ganrif newydd. Gellid dadlau fod yr Awdurdod wedi ceisio symud seiliau'r economi tuag at arloesedd a mentergarwch wrth sefydlu rhwydwaith Techniumau rhwng 2001 a 2005. Adeiladwyd canolfannau deori ar draws Cymru ar gost o £100m ar batrwm helics triphlyg drwy ddod â'r llywodraeth, y prifysgolion a'r byd busnes at ei gilydd. Yn anffodus bu'r pwyslais ar adeiladau yn hytrach nag ar gefnogi busnes mewn modd ystyrlon, a chan mai swyddogion y llywodraeth oedd yn eu rhedeg, nid oedd y drefn yn ddigon ystwyth a hyblyg i ymateb i anghenion busnesau newydd neu'r rhai a ddymunai dyfu. Bu'r arbrawf yn fethiant, a chaewyd chwech o'r canolfannau yn 2010. Caf sôn eto am sefydlu Parc Gwyddoniaeth ym Môn wedi i mi ymddeol o'r Cynulliad yn 2013 gan ddysgu rhai o wersi'r cynllun Technium.

Gan nad oedd swyddogion yr Awdurdod Datblygu yn atebol fel unigolion i'r llywodraeth, na swyddogion yr hen Awdurdod Tir a unwyd efo'r Awdurdod Datblygu yn 1999, roedd ymyrraeth gan weinidogion yn eu penderfyniadau yn rhywbeth nad oeddent yn gyfarwydd ag o, ac yn wir roedd yn wrthun i rai ohonynt. Cofiaf i mi gael papur yn gofyn i mi gymeradwyo cynllun i ddatblygu tir ym meddiant y llywodraeth. Nid oeddwn yn hapus â'r cynnwys felly fe'i hanfonais yn ôl gan ofyn am fwy o wybodaeth. Y diwrnod canlynol bu galwadau ffôn i'm swyddfa breifat yn pledio arnaf i arwyddo'r papur a hynny ar frys mawr. Gwrthodais wneud hynny ac fe anfonwyd uchel swyddog i'm gweld. Bu'n rhaid iddi gyfaddef fod hysbyseb eisoes wedi mynd i'r papurau newydd yn cyhoeddi bwriad y llywodraeth i ddatblygu'r tir gan gymryd mai ffurfioldeb syml oedd cydsyniad y gweinidog! Ni ddigwyddodd hynny'r eilwaith. Dro arall, bu cytundeb ymhlith gweinidogion y llywodraeth y gellid trosglwyddo tir nad oedd defnydd iddo bellach ar gyfer adeiladu tai cymdeithasol a hynny mewn ymateb i'r galw mawr am dai fforddiadwy ledled Cymru. Dynodwyd saith darn o dir fel safleoedd addas, ond gwrthododd swyddogion yn yr adran eiddo weithredu ar y penderfyniad. Yn naturiol, yr oedd Jocelyn fel gweinidog tai yn hynod o rwystredig ynglŷn ag agweddau'r swyddogion hyn, a chefais gyfarfod ar y cyd efo hi a nhw i geisio'u darbwyllo. Ond er inni ei gwneud hi'n glir mai polisi'r llywodraeth oedd hyn, gwnaed popeth ganddynt mewn ymgais i lesteirio'r cynllun.

Yn gynnar yn fy ngyrfa fel Gweinidog, deuthum i'r casgliad fod gormod o bwyslais ar gynnig grantiau fel ffordd i ddenu swyddi i Gymru. Nid nad oedd lle i grantiau mewn rhai achosion, yn enwedig ym mlynyddoedd cynnar unrhyw fusnes, ond mewn gwirionedd mae ffactorau eraill yn bwysicach wrth ddenu buddsoddiad, sef isadeiledd da, gweithlu gyda sgiliau addas, cyfundrefn gynllunio ymatebol a phwyslais ar ymchwil a datblygu. Bûm wrthi yn trafod cynlluniau amgen i gryfhau'r economi gyda'm swyddogion yn yr adran, a sylweddolais fod yna barodrwydd i symud oddi wrth y diwylliant grantiau tuag at ddiwylliant o fuddsoddi. Ond cyn i ni fedru dechrau ar y gwaith, fe'n trawyd yn galed gan yr argyfwng ariannol o fis Medi 2008 ymlaen. Roeddem yn ymwybodol o broblemau mawr yn y sector ariannol yn sgil trafferthion Northern Rock a sefydliadau eraill yn 2007 ond fe ddwysaodd pethau'n sylweddol yn chwarter olaf 2008.

Teithiais i'r Unol Daleithiau y mis Medi hwnnw a threulio ychydig o ddyddiau yn Washington cyn mynd i gynrychioli Cymru yn seremoni agoriadol Cwpan Ryder yn Valhalla. Y bwriad oedd cyfarfod nifer o fusnesau yn y brifddinas. Gwthiwyd y *Washington Post* drwy ddrws f'ystafell yn y gwesty yr arhoswn ynddo a'r pennawd yn cyfeirio at y ffaith fod sefydliad ariannol y Brodyr Lehman wedi mynd i'r wal gan arwain at y methdaliad mwyaf yn hanes y wlad. Mi roedd hi'n amlwg fod y marchnadoedd ariannol mewn trybestod a hynny'n sicr o effeithio ar economi pob gwlad gan gynnwys Cymru.

Yn ystod f'ymweliad â Valhalla, cefais y fraint fawr o gyfarfod Muhammad Ali a'i wraig Lonnie cyn mynd i dderbyniad yn eu cwmni yn Kentucky. Yr oedd yn hapus iawn i gwrdd ag 'ymwelydd o Gymru' a chefais dipyn o amser yn ei gwmni er ei fod yn dioddef o gyflwr Parkinson's. Dywedais wrtho fod fy nhad wedi codi fy mrawd a finnau yn oriau mân y bore yn yr 1960au i weld ei ornestau bocsio, am na welem ni neb tebyg iddo eto. Ymatebodd yn gynnes iawn i'r neges honno, a'i wên lydan, agored yn dweud y cyfan.

Yr oedd maint y broblem a'n hwynebai yn aruthrol, ond cyfyng oedd ein pwerau i ymateb yn effeithiol gan fod y lifrau macro-economaidd i gyd yn Llundain. Er bod hyn yn hynod rwystredig, yr oeddem fel llywodraeth yn benderfynol o ddefnyddio'r arfau oedd gennym hyd yr eithaf. Yr hunllef pennaf oedd dychwelyd i'r hyn ddigwyddodd yn ystod dirwasgiad yr 1980au a'i effaith ddinistriol ar deuluoedd a chymunedau ledled Cymru. Collwyd miloedd o swyddi bryd hynny a chafwyd fawr ddim o fuddsoddiad i ailadeiladu'r economi mewn rhannau helaeth o'r wlad. Arweiniodd hynny at 'genhedlaeth goll' efo llawer yn ddi-waith yn ddi-dor ers degawdau.

Wedi colli cymaint o swyddi bryd hynny, ni allai llawer o'r cwmnïau a oroesodd y dirwasgiad recriwtio gweithwyr gan fod cymaint o sgiliau wedi eu colli. Awgrymais y dylem gynnal Uwchgynhadledd Economaidd er mwyn cynnig arweiniad gan ddod â chymaint o bartneriaid ynghyd gan gynnwys cynrychiolwyr y cwmnïau, megis y CBI a'r FSB, yr undebau, banciau a sefydliadau masnach. Yr oedd parodrwydd gwirioneddol i gydweithio, ac yn y cyfarfod cyntaf cafwyd papur ar y cyd yn llawn syniadau gan y CBI a TUC Cymru, rhywbeth a oedd yn ddigynsail bryd hynny! Galwyd ar y llywodraeth i weithredu ar nifer o bynciau, megis polisi caffael, gwella isadeiledd, tai, hyfforddiant sgiliau a chynyddu adnoddau Cyllid Cymru. Gan fod cymaint o barodrwydd i gydweithio cynhaliwyd yr Uwchgynadleddau yn rheolaidd am yn agos i ddwy flynedd.

Yn ogystal â chynnig rhai atebion pwrpasol, yr oedd y cyfarfodydd yn gyfle i ddeall effaith yr argyfwng ariannol ar wahanol sectorau o'r economi, yn arbennig y sector adeiladu ac effaith diffyg benthyciadau ar delerau derbyniol i fusnesau bach. Yr oedd y banciau mawr wedi llosgi eu bysedd yn go arw ac yn amharod i gynnig benthyciadau hyd yn oed pan fyddai llywodraeth yn barod i warantu cyfran ohono. Cawsom adroddiadau o gwmnïau bach bron â mynd i'r wal, a'r banciau yn gwrthod ymateb. Un mater a'n siomodd yn ddirfawr oedd amharodrwydd Llywodraeth Llundain i ganiatáu i ni a'r llywodraethau yn yr Alban a Gogledd Iwerddon dynnu ymlaen gwariant cyfalaf i'n galluogi i fuddsoddi mewn isadeiledd. Byddai'r tair gweinyddiaeth ddatganoledig yn trafod yn rheolaidd ac yn cyflwyno ceisiadau ar y cyd. Byddwn innau yn trafod efo Arlene Foster oedd yn gyfrifol am yr economi yng Ngogledd

Iwerddon a John Swinney oedd yn gyfrifol am faterion cyllid yn yr Alban.

Ein llwyfan i wneud ceisiadau am gyllid cyfalaf oedd y Cydgyngor Gweinidogol (JMC) fyddai'n cyfarfod yn San Steffan o bryd i'w gilydd. Pan sefydlwyd hwnnw'n wreiddiol yn sgil datganoli yn 1999, roedd o'n gweithredu bron fel clwb mewnol i'r Blaid Lafur pan nad oedd llywodraeth ddatganoledig yng Ngogledd Iwerddon. Felly prin iawn oedd yr angen iddo gyfarfod yn rheolaidd. Ond erbyn 2007, gyda chenedlaetholwyr yn llywodraethu yn yr Alban, ac yn rhannu grym yng Nghymru a Gogledd Iwerddon yr oedd yn gorff tra gwahanol a rhaid oedd ei gymryd o ddifri. Cyfarfyddem fel cynrychiolwyr y llywodraethau datganoledig cyn y sesiynau ffurfiol a chytuno lein i'w chyflwyno. Rhoddwyd pwysau ar Lundain i gytuno ar wariant cyfalaf ond yr oedd y gweinidogion yno yn gyndyn iawn o wneud. Cadeirydd y rhan fwyaf o'r sesiynau oedd Jack Straw ac yntau'n Ysgrifennydd Gwladol dros Gyfiawnder. Gwyddwn amdano fel un o arweinwyr Undeb Cenedlaethol y Myfyrwyr yn yr 1960au a chofiaf ymweliad ganddo i Lerpwl pan oeddwn yn fyfyriwr yno yn ystod rhyw brotest neu'i gilydd. Ond yr oedd yn eithaf gelyniaethus i'r broses ddatganoli a daethai hynny i'r amlwg bob hyn a hyn. Pan fyddai'r drafodaeth yn poethi, hoffai ein hatgoffa mai safbwynt Llundain fyddai'n cario'r dydd! Unwaith yn unig ddaeth Gordon Brown i'n trafodaethau, a hynny am ychydig funudau gan wrando'n foneddigaidd ond heb addo dim. Teimlai dan fygythiad gan yr SNP yn yr Alban a hynny a liwiai ei agwedd tuag at y gwledydd datganoledig. Yr oedd gweld Alex Salmond yn y cyfarfod fel Prif Weinidog yr Alban yn dân ar ei groen.

Er y cyndynrwydd i symud, yr oedd gennym achos cryf ac yn y diwedd cafwyd cyfaddawd oedd yn caniatáu i ni dynnu ymlaen gwariant cyfalaf am ddwy flynedd.

Gwnaethom ddefnydd da o arian Ewrop yn ystod yr argyfwng. Er mai prif fwriad yr arian oedd creu swyddi a thyfu'r economi, llwyddwyd i argyhoeddi'r awdurdodau ym Mrwsel mai arbed cymaint o swyddi ag oedd yn bosib oedd y flaenoriaeth. Cyflwynais gynllun Pro-Act a ddefnyddiwyd gan gwmnïau i helpu i dalu cyflog eu gweithwyr, a chynllun Re-Act i ddatblygu sgiliau rhai oedd wedi colli eu swyddi. Llwyddwyd i arbed miloedd o swyddi o'r herwydd ac osgoi'r lefelau o ddiweithdra a welwyd yn yr 1980au. Denodd y cynlluniau edmygedd tu hwnt i Gymru a nifer o lywodraethau eraill yn eu gweld fel rhai arloesol a blaengar. Dyna un o lwyddiannau'r drefn ddatganoledig gan ddefnyddio'r pwerau oedd gennym i'r eithaf.

Erbyn 2009, yr oeddwn yn barod i ailgydio yn y gwaith o newid y ffordd y byddem yn cefnogi datblygiad yr economi. Soniais eisoes am y bwriad i leihau'r ddibyniaeth ar grantiau, ac i roi pwyslais ar fuddsoddi mewn sectorau twf. Cefais sawl cyfarfod dwys gyda'm swyddogion yn trafod fframwaith y cynllun newydd. Sefydlwyd grŵp bychan dan arweiniad Tracey Burke a oedd wedi treulio peth amser yn uned strategol rhif 10 Stryd Downing. Yr oedd hi'n swyddog polisi hynod brofiadol ac yn gwbl ymroddedig i'r gwaith. Casglodd dîm dawnus o'i chwmpas a buan y daeth i'r amlwg fod y cynllun yn hollol ymarferol er ei fod yn uchelgeisiol ac yn arloesol. Fodd bynnag, yr oedd llawer yn y gymuned fusnes yn hynod amheus o 'ymgynghoriadau llywodraeth' gan eu bod yn eu hystyried yn wastraff o'u hamser ac yn ddim mwy nag ymarfer ticio blychau! Nid oeddwn am i hynny ddigwydd yn yr achos hwn, felly awgrymais ddull hollol wahanol o ymgynghori â'r sector. Byddai angen paratoi rhyw fath o bapur cefndirol ond yn hytrach na'i anfon i bawb, penderfynais wahodd grwpiau o bobl fusnes i ddod at ei gilydd er mwyn trafod y syniadau'n agored.

Cafodd y dull hwn o ymgynghori groeso brwd. Penodais dri a oedd yn brofiadol yn y maes i arwain sesiynau trafod. Y tri oedd Gerald Davies, y cyn-chwaraewr rygbi rhyngwladol a chadeirydd Clwb Busnes Caerdydd, Dyfrig John, uchel swyddog wedi ymddeol o fanc HSBC a Liz Davies oedd yn un o sylfaenwyr cadwyn siopau Next. Gwnaeth y tri waith ardderchog wrth arwain y trafodaethau gan ddod ag adborth gwirioneddol adeiladol i'r broses.

Fe'm rhybuddiwyd gan fy swyddogion y byddwn yn debyg o wynebu gwrthwynebiad chwyrn gan nifer o fewn f'adran a hyd yn oed gan adrannau eraill o'r llywodraeth gan fod y newidiadau yn radical a bod yr ymlyniad wrth y diwylliant grantiau yn parhau'n gryf. Fel y digwyddodd hi, ni fu'r gwrthwynebiad gymaint ag yr ofnwn a bu'r adborth yn hynod o gefnogol. Yr oedd rhai o'r sylwadau yn rhai y gellid eu rhagweld, megis biwrocratiaeth y drefn grantiau, arafwch y broses a natur gwrth-risg y gwasanaeth sifil. Ond yr hyn a'm plesiodd oedd y pwyslais a roddwyd ar yr angen i wella sgiliau, buddsoddi mwy mewn ymchwil a datblygu a symleiddio'r broses gynllunio. Bwydwyd sylwadau eraill i'r broses gan gyrff megis CBI Cymru, Sefydliad y Cyfarwyddwyr, y Ffederasiwn Busnesau Bach a'r undebau. Cynhaliwyd arolwg o fil o fusnesau nad oeddent erioed wedi dod ar ofyn y llywodraeth a bu hynny'n agoriad llygad i lawer o'm swyddogion!

Wedi'r cyfnod hwn o ymgynghori, daeth y themâu eang yn amlwg ac mai rôl y llywodraeth oedd creu fframwaith cadarnhaol i ddatblygu'r economi yn hytrach na chynnig grantiau a chymorthdaliadau'n unig. Golygai hyn fod yn rhaid i mi ymgynghori'n eang efo aelodau eraill y Cabinet, megis Jane Davidson ar gynllunio, Leighton Andrews a Lesley Griffiths ar sgiliau ac Edwina Hart y Gweinidog Iechyd. Wedi'r cwbl gan Edwina oedd y gyllideb ymchwil fwyaf o ddigon. Yr oedd fy nghyd-weinidogion yn gefnogol iawn i'r cynlluniau a sefydlwyd nifer o grwpiau rhyngadrannol i'w datblygu. Dechreuodd y ddogfen bolisi *Adnewyddu'r Economi: cyfeiriad newydd* ar ei thaith gan ystyried sawl drafft ac iteriad cyn ei chyhoeddi yn 2010. Canolbwyntiwyd ar bum prif thema, sef buddsoddi mewn isadeiledd, gwneud Cymru yn lle da i sefydlu busnes, gwella sgiliau, hybu arloesedd a thargedu cefnogaeth i fusnes. Fodd bynnag, bu peth dadlau mewnol ar y manylion, yn arbennig dod i benderfyniad ar sectorau twf a'r graddau y dylid hepgor grantiau yn llwyr.

Trafodais y sectorau twf efo Richard Parry Jones, brodor o Fangor a oedd wedi ymddeol yn dilyn gyrfa ddisglair efo cwmni Ford. Fo oedd Is-lywydd Datblygiad Cynnyrch Rhyngwladol y cwmni ac yn gyfrifol am ddylunio rhai o'r ceir mwyaf llwyddiannus megis y Focus a'r Fiesta. Fe'i penodwyd yn Gadeirydd Grŵp Cynghori Gweinidogol ar fusnes cyn fy nghyfnod i fel gweinidog. Cofiaf ei gyfarfod am y tro cyntaf dros goffi yng ngwesty'r Bulkeley ym Miwmares. Yn 'swyddogol' dyna ei gyfle cyntaf i amlinellu ei weledigaeth ar gyfer y Grŵp Cynghori, ond tybiais mai ei fwriad oedd gweld a allem gydweithio! Roedd hynny yn beth call i'w wneud o'i safbwynt o, gan nad oedd modd i'r grŵp weithio'n effeithiol heb gefnogaeth y gweinidog. Wedi'r cwbl gwyddwn fod amheuaeth ymhlith nifer o swyddogion yr adran ynglŷn â bodolaeth y grŵp gan ei fod yn sugno adnoddau'r adran o safbwynt arian ac amser. Ond yn fwy na hynny, roeddent yn amheus o unrhyw gorff a fyddai'n ymyrryd yn eu priod faes nhw. Yn wir cefais fwy nag un awgrym o'm dyddiau cynnar yn yr adran y byddent yn dymuno i mi ddiddymu'r grŵp, ond credwn fod 'na werth gwirioneddol mewn corff fyddai'n rhoi cyngor gonest oddi allan i'r gweithdrefnau arferol. Cefais adroddiadau gwirioneddol werthfawr ar drafnidiaeth ac ynni.

Wedi'r drafodaeth efo Richard, cytunwyd ar chwe sector twf, sef technoleg gwybodaeth, ynni a'r amgylchedd, deunyddiau uwch a gweithgynhyrchu, gwyddorau byw a gwasanaethau ariannol a phroffesiynol. Gan nad oedd sector ariannol gennym yn 2010, roedd cynnwys hynny yn hynod o uchelgeisiol neu broffwydol, ond credaf i ni wneud y dewis iawn o gofio fod gennym egin Trysorlys erbyn hyn yn dilyn y pwerau trethu a ddaeth yn ddiweddarach. Yn sgil y drafodaeth ar y sector, buom yn trafod yr angen i sefydlu rhanbarthau dinesig, gan nad ystyrid Caerdydd yn ddinas o ddigon o faint ar ei phen ei hun ar gyfer denu sector ariannol credadwy. Buom yn trafod y posibilrwydd o annog cydweithio rhwng Caerdydd, Casnewydd ac Abertawe i greu un rhanbarth dinesig, ond buan y daethpwyd i'r casgliad na fyddai hynny'n gweithio'n llwyddiannus. Bydd angen sector ariannol ar Gymru annibynnol, a bydd y drafodaeth ar faint Caerdydd yn sicr o rygnu ymlaen. Gwn fod y bwriad i adeiladu mwy o dai yng Nghaerdydd yn destun dadleuol iawn yn lleol, ond rhaid mynd i'r afael â hynny cyn bo hir. Wedi'r cwbl rhaid symud Caerdydd o fod yn brifddinas 'ranbarthol' fel y'i gwelir gan nifer ar hyn o bryd i fod yn brifddinas genedlaethol go iawn.

Er mwyn ceisio sicrhau consensws trawsbleidiol, gwahoddais David Melding a Jenny Randerson i'm cyfarfod yn breifat, y naill yn llefarydd y Ceidwadwyr ar yr economi a'r llall yn llefarydd y Democratiaid Rhyddfrydol. Yr oedd y ddau ohonynt yn gefnogol i'n cynlluniau, er yn cadw'r hawl i'n beirniadu ar rai o'r manylion! Ond roedd eu cefnogaeth mewn egwyddor yn hwb mawr i mi, ac yn eironig ddigon dyna'r ddau fu'n flaenllaw yn y trafodaethau ar yr enfys dair blynedd ynghynt. Pan gyhoeddwyd y ddogfen derfynol ym mis Gorffennaf 2010, fe dderbyniodd groeso gwresog gan y wasg a'r gymuned fusnes a hynny yn rhannol o ganlyniad i waith caled tu ôl i'r llenni i sicrhau cefnogaeth.

Ond yr oedd brwydr arall yn fy wynebu, sef y byddai angen ailstrwythuro'r adran i weithredu'r cynllun newydd. Gwyddwn gymaint o gleisiau oedd yna yn sgil diddymu'r Awdurdod Datblygu a hynny yn arwain at ddrwgdeimlad. Byddai'n rhaid troedio'n ofalus iawn y tro hwn. Ymwelais â phob un o'r swyddfeydd rhanbarthol i egluro'r drefn newydd. Cefais lu o gwestiynau a chael nifer o awgrymiadau gwerthfawr. Yr ofn mwyaf wrth gwrs oedd y byddai angen llai o swyddogion o dan y drefn newydd, a gan fod nifer y staff yn yr adran yn fawr gallai hynny fod yn bosibilrwydd real. Arweiniwyd y broses o newid sefydliadol gan James Price oedd newydd ei benodi i arwain yr adran. Daethpwyd â'r timau oedd yn gyfrifol am y newidiadau polisi a'r rhai oedd yn gyfrifol am weithredu at ei gilydd i sicrhau fod y strwythurau newydd yn adlewyrchu'r amcanion polisi. Yr oeddwn yn awyddus i leoli'r timau sector yn y swyddfeydd rhanbarthol ledled Cymru, a hynny er mwyn sicrhau fod pob rhan o'r wlad yn teimlo'n rhan o'r broses. Cyfrannodd Richard Parry Jones i'r broses o reoli newid ymhlith y staff ac elwais yn fawr o'i brofiad o ailstrwythuro yng nghwmni Ford. Ei gyngor pennaf oedd gwneud i ni sylweddoli y gall newid fod yn boenus a bod staff yn medru ymateb yn wahanol i'w gilydd a bod rhai angen mwy o gefnogaeth nag eraill.

Yr oedd Richard wedi fy rhybuddio y cymerai hi o leiaf ddeunaw mis neu ddwy flynedd i newidiadau fel hyn ddwyn ffrwyth. Yn anffodus, dim ond rhyw naw mis oedd gennyf cyn etholiad, ac ni chefais gyfle i weld diwedd y broses. Gall democratiaeth ymyrryd mewn ffordd anffodus ar brydiau. Gan fod nifer o brif swyddogion yr adran un ai'n ymddeol neu'n symud i adrannau eraill, daeth cyfle i benodi swyddogion newydd a rhoi siawns i rai oedd wedi dangos sgiliau arweinyddol i sicrhau dyrchafiad. Ond gall proses recriwtio'r gwasanaeth sifil fod yn anhyblyg sy'n golygu nad yw bob amser yn cydnabod rhagoriaeth. Gwnaeth y tîm waith rhagorol o dan amgylchiadau anodd i sicrhau fod gennym brif swyddogion gyda'r sgiliau cywir i arwain y gwaith. Gan fy mod wedi cydweithio'n agos efo Richard yn ystod fy nghyfnod fel gweinidog, cedwais gysylltiad ag o wedi i mi adael y byd gwleidyddol, a chefais gryn sioc o glywed ei fod wedi colli ei fywyd yn dilyn damwain ym mis Ebrill 2021 ac yntau ond yn chwe deg a naw oed. Bydd colled ar ei ôl.

PENNOD 12

Cymru a'r Byd

ER NAD OEDD gan Lywodraeth Cymru bwerau ar faterion tramor, yr oedd gennym nifer o swyddogion mewn gwledydd ledled y byd yn gweithio ar gynlluniau mewnfuddsoddi. Agorwyd swyddfa newydd yn yr India ychydig cyn fy mhenodiad ac roedd fy swyddogion yn awyddus i mi fynd yno i godi ein proffil ac i gyfarfod nifer o gwmnïau oedd wedi dangos diddordeb mewn buddsoddi yng Nghymru. Trefnwyd taith ar gyfer mis Tachwedd 2007, gan ymweld â Delhi Newydd a Mumbai. Ar daith awyren yno roeddwn yn darllen *Yng Ngolau'r Lleuad*, sef llyfr Menna Baines ar Caradog Prichard. Gan mai Caradog oedd un o'm hoff feirdd yn y Gymraeg, braf oedd deall ei fod wedi treulio amser yn Delhi yn ystod yr Ail Ryfel Byd a minnau o bosib ar fin troedio'r un llwybrau!

Rhaid oedd ymweld â rhai o'r swyddogion yn llysgenhadaeth Prydain yn Delhi. Nid oeddent yn hapus ein bod ni wedi llogi swyddfeydd ein hunain yn y ddinas yn hytrach na lleoli'n staff yn y llysgenhadaeth. Fodd bynnag mynnais ein bod yn cadw at y trefniant gan na fyddai ein buddiannau yn cydredeg o angenrheidrwydd. Gan mai bychan oedd ein staff ninnau mewn cymhariaeth roedd elfen o gydweithio yn angenrheidiol, ond roedd cadw hyd braich hefyd yn bwysig. Cyfres o ymweliadau efo cwmnïau,

216

ciniawau, cyfleon i gyfarfod cynrychiolwyr y llywodraeth a chynnal cyfweliadau gyda'r wasg leol sy'n britho ymweliadau o'r fath a dyna beth ddigwyddodd yn yr India. Trefnwyd i ymweld â chwmnïau megis Tata, Wockhardt a Bilcare, a chwmnïau eraill oedd yn bwriadu ehangu eu gweithrediadau yn Ewrop. Yn y cyfnod hwn, ehangai economi'r India yn gyflym, ond roedd y frwydr i sicrhau buddsoddiad oddi yno yn danbaid o gystadleuol. Yn ystod fy ymweliad yr oedd Ken Livingstone, Maer Llundain, yno ar yr un perwyl. Sylweddolais fod codi proffil Cymru yn y wlad yn allweddol bwysig a byddai'n rhaid gweithio'n galed i hyrwyddo ein buddiannau yno. Braf oedd gweld cwmni Wockhardt yn cynhyrchu brechlyn AstraZeneca yn eu ffatri yn Wrecsam yn ystod pandemig Covid-19. Ar lefel bersonol, roedd yr ymweliad â'r India yn wefreiddiol. Mi roedd yr holl brofiad yn gyfareddol a mwynheais y lliw a'r amrywiaeth, er bod y tlodi a welais mewn nifer o ardaloedd yn dorcalonnus.

Bûm yn yr Unol Daleithiau ar ddau achlysur, y cyntaf yn ystod dathliadau Gŵyl Ddewi yn 2008 a'r ail yn ystod Cwpan Ryder mis Hydref y flwyddyn honno ac fe gyfeiriais at hynny eisoes. Yr oedd dathliadau Gŵyl Ddewi Efrog Newydd yn ddigwyddiad blynyddol, ac yn cynnwys nifer o ddigwyddiadau ledled y ddinas. Cofiaf yr achlysur hwnnw yn Wall Street pan benodwyd Terry Matthews yn un o Bencampwyr Cymru, sef pobl ddylanwadol oedd yn cynrychioli Cymru ar y llwyfan rhyngwladol. Fe'i cyflwynwyd gan Howard Stringer, un arall o'n pencampwyr, ac ymatebodd Terry yn hynod emosiynol a llawn hiwmor. Gwnaethpwyd cysylltiadau pwysig yn y byd busnes a'r marchnadoedd ariannol. Gwelais nifer o Gymry ifanc Efrog Newydd yn ystod rhai o'r digwyddiadau a sawl un yn siarad Cymraeg. Yno i ddilyn eu breuddwydion yr oeddent, a chofiaf siarad efo merch ifanc o Fethesda a obeithiai ddilyn gyrfa ar lwyfannau Broadway. Ni wn beth a ddaeth ohoni, ond gobeithio'n fawr na chafodd ei siomi.

Daeth Terry Matthews i nifer o'r digwyddiadau ac yntau yn ôl ei arfer yn ddiflewyn-ar-dafod. Fel llawer o bobl fusnes lwyddiannus yr oedd yn ddiamynedd gyda'r hyn a welai fel arafwch y broses o wneud penderfyniadau gan lywodraeth. Byddai yn fy lobïo i a'm swyddogion ar nifer o faterion ac yn cyflwyno ei sylwadau yn blwmp ac yn blaen. Er y gallai hynny fod yn anghysurus ar brydiau, gwerthfawrogwn ei fewnbwn yn amlach na pheidio. Yn ystod ymweliad â llyfrgell y ddinas, cefais un foment hynod o emosiynol nad anghofiaf. Yn amlwg yr oedd y prif lyfrgellydd am i ymwelydd o Gymru deimlo'n gartrefol, ac aeth drwy ei gasgliad i weld os oedd rhywbeth ynddo yn gysylltiedig â'r wlad. O'm blaen yr oedd llyfr mawr agored a sylweddolais mai Beibl Cymraeg oedd y llyfr hwnnw, ac yn fwy na hynny argraffiad 1588 o Feibl William Morgan. Nid oeddwn wedi gweld copi gwreiddiol o'r blaen, a rhaid cyfaddef i ddeigryn syrthio ar fy ngruddiau wrth anwesu tudalennau'r llyfr a wnaeth gymaint i sicrhau parhad y Gymraeg. Bu'n rhaid mynd i Efrog Newydd i'w weld am y tro cyntaf yn f'hanes, ond fe welais gopi wedyn yn Eglwys Gadeiriol Llanelwy. Tra roeddwn yn y llyfrgell yn Efrog Newydd cefais sgwrs efo Owen Shears oedd yno am rai misoedd fel Cymrawd Cullman ac yn amlwg yn mwynhau'r profiad.

Y daith fawr olaf i mi oedd honno i Siapan ddiwedd 2008. Gan fod nifer fawr o gwmnïau o Siapan wedi buddsoddi yng Nghymru ers yr 1960au, roedd perthynas dda rhwng y ddwy wlad. Cefais fod ein swyddogion yn y brifddinas Tokyo yn hynod o brofiadol ac yn cysylltu'n gyson efo rhai o'r cwmnïau blaenllaw. Yn ogystal â Tokyo, ymwelais â Nagoya ac Osaka gan gyfarfod penaethiaid cwmnïau megis

Toyota, Sharp, Panasonic a Sony. Y bwriad oedd sicrhau fod y cwmnïau hyn yn parhau i fuddsoddi yng Nghymru pan fyddai cynhyrchion newydd yn dod i'r farchnad. Ond yr oedd ceisio buddsoddiad gan gwmnïau eraill yn bwysig yn enwedig yn y diwydiant ceir a'r diwydiant opthalmig a gwnaed sawl cysylltiad pwysig yn y maes hwnnw. Gan fod cymaint o gysylltiad rhwng Cymru a Siapan, cefais nifer o sgyrsiau diddorol efo'r rhai fu'n gweithio yng Nghymru dros y blynyddoedd ond bellach wedi dychwelyd i'w mamwlad. Yr oedd ganddynt atgofion melys am eu cyfnod yma, a chynghorion pwysig ar sut y gallai llywodraeth gynorthwyo cwmnïau i sefydlu. Pan ymwelais ag un o brif ffatrïoedd Toyota, cefais fy syfrdanu nid yn unig gan ei maint ond lefel yr awtomeiddio yn y broses o gynhyrchu moduron.

Yn dilyn fy ymweliadau tramor, deuthum i sylweddoli fod Cymru'n brwydro mewn maes cystadleuol iawn wrth geisio denu buddsoddiad o dramor ac y byddai'n rhaid cael gwell cydbwysedd rhwng mewnfuddsoddiad a hyrwyddo cwmnïau cynhenid. Yn naturiol, rhaid cymryd bob cyfle i ddenu buddsoddiad newydd, yn arbennig mewn meysydd lle nad oes gennym ni gwmnïau brodorol. Ond ni allwn fforddio rhoi ein hwyau i gyd mewn un fasged.

PENNOD 13

Byw'r Freuddwyd

EGLURAIS MEWN PENNOD flaenorol fy mwriad i gyflwyno mesurau i gryfhau statws cyfreithiol y Gymraeg a hawliau siaradwyr Cymraeg. Gwneuthum addewid yng nghynhadledd Cymdeithas yr Iaith yn 2006 ac yn ein maniffesto ar gyfer 2007 y byddai llywodraeth Plaid Cymru yn cyflwyno deddfwriaeth. Cafwyd cytundeb efo Llafur y byddai'r glymblaid yn gweithredu ar yr addewid hwn ac mae dogfen *Cymru'n Un* yn cyfeirio at gyflwyno deddfwriaeth fyddai'n sicrhau statws swyddogol i'r Gymraeg, hawliau ieithyddol yn narpariaeth gwasanaethau a sefydlu swydd Comisiynydd Iaith. Nid oedd pwerau deddfu cynradd gennym felly byddai angen gofyn i San Steffan am yr hawl i ddeddfu drwy gyflwyno Gorchymyn Cymhwysedd Deddfwriaethol (GCD). Dyma'r drefn yn dilyn Deddf Cymru 2006, sef rhyw gyfaddawd digon blêr a fyddai'n sicrhau deddfwriaeth drwy ganiatâd fel y cam cyntaf tuag at ennill pwerau llawn maes o law yn dilyn refferendwm.

Bu'r broses o sicrhau caniatâd ar gyfer pob mesur rhwng 2007 a 2011 yn llafurus, yn glogyrnaidd, yn fiwrocrataidd ac yn gyfan gwbl anfoddhaol. Y syniad gwreiddiol oedd y byddai Llywodraeth Llundain yn ystyried ein cais ar sail yr egwyddor o ddeddfu mewn maes arbennig, ac yn ystyried a oedd ein cais yn gymwys oddi mewn i'n pwerau ac yn rhesymol i'w ganiatáu. Yn y lle cyntaf, byddai'r cais yn mynd i Swyddfa Cymru a hwythau yn ymgynghori efo pob adran yn Whitehall fyddai efo unrhyw fath o ddiddordeb yn y cynnwys. Golygai hyn fisoedd lawer o drafod, gyda gwahanol adrannau yn mynnu newidiadau a Swyddfa Cymru yn gweithredu fel reffarî aneffeithiol rhyngom ni a nhw. Cawsom drafferthion difrifol efo dau fesur sef un ar yr amgylchedd a'r llall ar dai. Un o amcanion y mesur tai oedd atal yr hawl i brynu tai awdurdodau lleol mewn ardaloedd lle'r oedd pwysau ar dai a phrinder tai ar rent. Yn y ddau achos, cafwyd gwrthwynebiadau gan adrannau yn Whitehall, a'r holl negodi a thrafod dros gyfnod maith yn sugno adnoddau a hynny cyn i ni fedru cyflwyno mesur ein hunain. Yn hytrach nag ystyried egwyddor yr hawl i ddeddfu, byddai'r adrannau yn mynnu cael gwybod manylion y mesurau y byddem yn eu cyflwyno a ninnau, yn ddigon naturiol yn gwrthod dweud. O ildio i geisiadau felly, byddem yn creu cynsail a hynny yn ei dro yn agor y drws i geisiadau am fwy a mwy o wybodaeth. Byddai agwedd y gweinidogion yn Swyddfa Cymru yn amrywio gyda rhai yn fwy parod i frwydro ar ein rhan, tra byddai eraill yn fwy cyndyn o wneud hynny.

Er bod 'na gytundeb clir rhwng y Blaid Lafur a ninnau ynglŷn â deddfu ar yr iaith, bu'r broses o gytuno ar gynnwys y GCD yn hynod o lafurus, gyda Rhodri Morgan a Peter Hain yn cymryd cryn ddiddordeb ynddo. Eu hofn mwyaf oedd bod ein mesur ni yn mynd yn rhy bell i rai o ddinosoriaid Llafur ac yn debyg o droi'r drol efo rhai o'u cyfeillion ym myd busnes. Yr oeddem ni'n sylweddoli na fyddai cynnwys y sector breifat yn debyg o lwyddo, ond yr oeddem yn awyddus i gynnwys rhai o'r cyfleustodau a breifateiddiwyd a chyrff oedd yn derbyn arian sylweddol o'r pwrs cyhoeddus. Cefais agwedd Rhodri at y pwnc yn ddiddorol. Ar y naill law byddai'n dangos cefnogaeth i'r egwyddor o ddeddfu, ond yn dangos nerfusrwydd mawr wrth drafod rhai o'r manylion. Efallai bod hyn yn nodweddiadol ohono, a bod rhyw ddeuoliaeth yn perthyn iddo o safbwynt ei agweddau at newidiadau cyfansoddiadol a'i agwedd at y Gymraeg. Cofiaf fynd i gyfarfod ymgynghori ar y mesur efo cynrychiolwyr rhai o'r prif sefydliadau a chyfleustodau yng Nghymru a chael fod rhai o arweinwyr y frwydr dros hawliau ieithyddol yn yr 1960au a'r 1970au yn dadlau'n frwd yn erbyn deddfu pellach ar yr iaith, a Rhodri ei hun yn sefyll yn gadarn o'i blaid. Rhyfedd o fyd! Ond pan fyddai pethau yn dod i'r pen, byddai ei nerfusrwydd yn ailymddangos a gallai din-droi ar air fan hyn a'r fan arall. Yn y diwedd fodd bynnag credaf, yn dawel fach, ei fod yn hapus gyda'r canlyniad.

Yn wreiddiol Rhodri Glyn Thomas oedd yn gyfrifol am lywio llwybr y ddeddfwriaeth ar y Gymraeg ac yn arwain y trafodaethau gyda gweinidogion Swyddfa Cymru. Gwaetha'r modd bu'n rhaid iddo ymddiswyddo fis Gorffennaf 2008 yn dilyn rhai digwyddiadau anffodus. Yn ystod ei flwyddyn yn y swydd gwnaeth waith canmoladwy ac ennill parch ei swyddogion. Cododd storm o ganlyniad i benderfyniad y llywodraeth i neilltuo £200,000 y flwyddyn i gefnogi cyhoeddi papur dyddiol yn y Gymraeg yn hytrach na'r £600,000 yr oedd sefydlwyr *Y Byd* yn ei ddisgwyl. Yr oedd Rhodri wedi comisiynu arolwg o'r wasg Gymraeg gan y Dr Tony Bianchi a ddisgrifiodd y bwriad i sefydlu papur dyddiol fel *Y Byd* yn uchelgeisiol. Gan mai arian cyhoeddus a glustnodwyd ar gyfer cefnogi cyhoeddiadau Cymraeg, rhaid oedd i gwmnïau a mentrau gystadlu am yr arian. Nid oedd sefydlwyr *Y Byd* yn credu fod y swm a neilltuwyd yn ddigonol a daeth y cyfan i ben. Yn y diwedd enillodd Golwg 360 gytundeb i ddarparu gwasanaeth dyddiol ar-lein, rhywbeth sydd yn hynod gyffredin yn y maes newyddiadurol erbyn hyn. Llywiodd Rhodri'r cyfan yn ddigon celfydd er y cytunem y gallem fod wedi trin y ffordd y daethpwyd i'r penderfyniad yn well.

Wedi penodi Alun Ffred Jones yn Weinidog Diwylliant, y fo fu'n gyfrifol am barhau'r drafodaeth efo gweinidogion Swyddfa Cymru. Bu'r trafod efo'r is-weinidog Huw Irranca Davies yn ddigon adeiladol ar y dechrau, ond digon llugoer oedd ymateb ei olynydd Wayne David. Bu'r drafodaeth fwyaf ar y cyrff fyddai'n dod o dan orfodaeth i ddarparu gwasanaethau dwyieithog yng Nghymru, yn arbennig y rhai a fyddai'n darparu gwasanaethau i'r cyhoedd. Yn y diwedd cytunwyd ar restr weddol faith, ynghyd â'r hawl i sicrhau statws swyddogol a sefydlu swydd Comisiynydd Iaith. Cyhoeddwyd y drafft orchymyn ddiwedd 2009 ac yna aeth drwy broses scriwtini yn y Senedd yn Llundain a'r Cynulliad. Yna, wedi i'r gorchymyn dderbyn sêl bendith y ddau gorff, aethpwyd ati i ddrafftio'r mesur ei hun.

Er bod y Cynulliad wedi scriwtineiddio'r gorchymyn oedd yn rhoi'r hawl i ddeddfu, aeth y mesur ei hun drwy broses o scriwtini drwy bwyllgor a dadleuon ar lawr y siambr cyn dod yn ddeddf yn 2011. Cael a chael oedd hi i'r mesur ddod yn gyfraith gwlad cyn etholiad 2011 a hynny dros dair blynedd ers cyflwyno'r cynlluniau gwreiddiol. Credai llawer o garedigion yr iaith nad oedd y mesur fel y'i drafftiwyd yn wreiddiol yn cyflwyno statws swyddogol i'r Gymraeg fel yr addawyd yn ein maniffesto ac yn nogfen *Cymru'n Un*. Wedi trafod mewnol, a lobïo caled gan nifer, diwygiwyd y mesur gan osod datganiad diamwys fod 'statws swyddogol i'r Gymraeg yng Nghymru'. Ochr yn ochr â'r angen i gyrff a oedd yn darparu gwasanaethau yng Nghymru i gytuno safonau ar y defnydd o'r Gymraeg a sefydlu swydd y Comisiynydd Iaith gan roi pwerau llawer cryfach na Deddf 1993 i orfodi darpariaeth ddwyieithog, yr oedd y mesur ei hun yn cryfhau hawliau ieithyddol. Yn naturiol roeddem yn sylweddoli nad yw deddfwriaeth ohoni'i hun yn achub yr iaith, ond yr oedd yn gam pwysig yn y broses bwysig o normaleiddio'r defnydd o'r Gymraeg ym mywyd cyhoeddus Cymru. Ac ar lefel bersonol, roeddwn yn cyflawni addewid a wneuthum ar ôl pleidleisio yn erbyn Deddf 1993.

Ymrwymiad arall a wnaed yn *Cymru'n Un* oedd sefydlu Coleg Ffederal i sicrhau cynnydd yn y ddarpariaeth cyfrwng Cymraeg yn ein colegau. Nid sefydlu coleg ar wahân oedd y bwriad ond edrych am ffyrdd arloesol a deinamig i ymateb i'r galw am gyrsiau cyfrwng Cymraeg yn ein prifysgolion. Byddai hynny yn golygu sicrhau cyllid digonol i ymateb i'r galw yn ogystal â sicrhau fod digon o staff ar gael efo'r sgiliau angenrheidiol i ddysgu drwy gyfrwng y Gymraeg. Yn 1998 galwodd Dafydd Glyn Jones am sefydlu Coleg Ffederal a byth ers hynny, bu brwydro cyson gan nifer o fudiadau i'w sefydlu a chynhaliwyd nifer o brotestiadau, cynadleddau a digwyddiadau i hyrwyddo'r alwad.

Siom fawr i'r ymgyrchwyr oedd penderfyniad grŵp a sefydlwyd gan y Corff Cyllido Addysg Uwch yng Nghymru yn 2006 i wrthod y syniad am nad oedd colegau Prifysgol Cymru o'i blaid. Fodd bynnag, wedi'r ymrwymiad i symud ymlaen yn *Cymru'n Un*, aeth adran Addysg y Llywodraeth ati i ddarparu cynlluniau ar gyfer sefydlu corff a fyddai'n arwain y broses o gynyddu'r cyrsiau cyfrwng Cymraeg ym mhob coleg yng Nghymru a neilltuo cyllid i'w cynorthwyo. Cofiaf gael cyfarfod yn y Cynulliad efo swyddogion yr ymgyrch dros Goleg Ffederal sef Ieuan Wyn, Dr Delyth Morris ac Elfed Roberts a hwythau yn hynod o falch o weld fod ymrwymiad bellach i wireddu eu hamcanion. Penodwyd panel dan gadeiryddiaeth yr Athro Robin Williams ym mis Tachwedd 2008 a'i gylch gorchwyl ymhlith pethau eraill oedd archwilio modelau posib ar gyfer datblygu'r Coleg

Ffederal. Yr oedd aelodau'r panel yn hynod o gynrychioladol o'r gwahanol sefydliadau â diddordeb yn y maes, gan gynnwys holl golegau Prifysgol Cymru, Cymdeithas yr Iaith, Ymgyrch y Coleg Ffederal a Chanolfan Bedwyr, Bangor. Cyflwynodd y panel ei argymhellion i Jane Hutt y Gweinidog Addysg yn haf 2009 a sefydlwyd y Coleg Cymraeg Cenedlaethol efo cyllideb gychwynnol o dros bedair miliwn o bunnau yn 2011. Ers hynny, cynyddodd nifer y cyrsiau drwy gyfrwng y Gymraeg ac erbyn 2019 roedd nifer y myfyrwyr yn astudio pynciau drwy gyfrwng y Gymraeg wedi cynyddu o 4,500 i 6,500. Braf gweld fod Ieuan Wyn, un o'r ymgyrchwyr cynnar o blaid y Coleg, bellach wedi'i urddo yn Gymrawd er Anrhydedd.

Dim ond drwy bresenoldeb Plaid Cymru mewn llywodraeth y sicrhawyd mesur iaith newydd a Choleg Cymraeg Cenedlaethol. Mae'r rheini yn llwyddiannau i ymfalchïo ynddynt. Ac mae'r un nesaf hefyd yr un mor wir, sef sicrhau pwerau deddfu i'r Cynulliad a'i sefydlu fel Senedd go iawn. Yr oeddem wedi ymrwymo i sefydlu Confensiwn Cymru gyfan o fewn chwe mis er mwyn sicrhau fod gennym ddigon o gefnogaeth ymhlith y cyhoedd i fod yn hyderus y byddai refferendwm yn debyg o lwyddo. Sefydlwyd y Confensiwn dan gadeiryddiaeth y cyn-ddiplomydd Syr Emyr Jones-Parry, a phenodwyd un ar bymtheg o bobl i weithredu ar y comisiwn gan gynnwys un aelod o'r pedair plaid yn y Cynulliad, a chynrychiolwyr o fyd busnes, yr undebau, mudiadau pobl ifanc a'r sector wirfoddol. Neilltuwyd pedwar lle i bobl a wnaeth gais yn dilyn hysbyseb. Sicrhawyd croesdoraid o ran oedran, rhyw a chefndir ac fe lwyddwyd i gael aelodau a weithiodd yn effeithiol gyda'i gilydd. Trefnwyd nifer o ddigwyddiadau cyhoeddus i ganfod barn pobl ym mhob rhan o'r wlad, a bu'r wybodaeth a gasglwyd yn hynod ddefnyddiol. Comisiynwyd arolwg barn a bwydo'r canlyniadau i'r gwaith o baratoi adroddiad a gyflwynwyd i'r llywodraeth ym mis Tachwedd 2009. Prif argymhelliad yr adroddiad oedd y dylid cynnal refferendwm ar bwerau deddfu llawn gan fod y drefn bresennol yn gymysglyd ac yn araf. Fodd bynnag yr oedd un rhybudd, sef er bod arolygon barn yn dangos cefnogaeth glir o blaid pwerau deddfu, nad oedd hynny ynddo'i hun am sicrhau llwyddiant. Gwyddem hynny, er fy mod innau wedi fy nghalonogi gan yr unfrydedd barn ymhlith aelodau'r Confensiwn ac yn barod am yr her.

Un broblem fawr oedd agwedd Peter Hain a oedd yn Ysgrifennydd Cymru pan gyhoeddwyd adroddiad y Confensiwn. Fo oedd awdur Mesur Cymru 2006 a oedd yn cynnwys cymal yn caniatáu cynnal refferendwm ar bwerau deddfu. Ond yr oedd wedi rhoi addewid i aelodau Llafur yng Nghymru na fyddai hynny yn digwydd yn fuan ac o ganlyniad wedi sicrhau eu cefnogaeth i'r mesur. I'r rhai a wrthwynebai fwy o ddatganoli grym o Lundain i Gaerdydd, aelodau megis Don Touhig a Kim Howells, yr oedd y syniad o roi pwerau deddfu i'r Cynulliad yn anathema. Soniais eisoes am ymdrech Peter i wanio'r addewid i gynnal refferendwm drwy gynnig geiriau amgen i ddogfen *Cymru'n Un* yn 2007, a gwnaeth sawl ymdrech wedi hynny i geisio rhwystro'r refferendwm rhag digwydd. Yn gyhoeddus ei safbwynt oedd na fyddai refferendwm yn llwyddo, ond yn breifat tybiaf mai ei safle ymhlith yr aelodau seneddol o Gymru oedd ei bryder. Er bod Rhodri Morgan hefyd yn ymwybodol o'r gwrthwynebiad ymhlith aelodau seneddol ei blaid, nid aeth mor bell â cheisio rhwystro'r bleidlais. Yr oeddwn yn ymwybodol o nerfusrwydd Rhodri, ond gwn na fyddai yn troi ei gefn ar ein hymrwymiad. Droeon sylweddolwn fod Peter yn rhoi pwysau trwm arno, ac weithiau cytunai i wneud datganiad ar y cyd efo Peter yn awgrymu nad oedd ei ymrwymiad yn gadarn. Ffrwydrais unwaith yn dilyn un o'r rhain, ond cefais addewid yn breifat gan Rhodri y byddai yn sefyll yn gadarn o blaid cynnal refferendwm ar waethaf y pwysau a roid arno o Lundain.

Cyhoeddodd Rhodri Morgan ei ymddeoliad o'i swydd fel Prif Weinidog ar gyrraedd ei ben-blwydd yn saith deg oed ym mis Hydref 2009. Byddai'n gadael y llwyfan yn derfynol ym mis Rhagfyr y flwyddyn honno, gan ganiatáu amser i ethol olynydd. Daeth tri i'r ras i'w olynu, sef Carwyn Jones, Edwina Hart a Huw Lewis. Carwyn oedd y ffefryn o'r dechrau, ac fe'i hetholwyd yn Arweinydd y Blaid Lafur yng Nghymru efo mwyafrif clir iawn. Daeth yn Brif Weinidog ym mis Rhagfyr a minnau'n awyddus i'w gyfarfod er mwyn sicrhau y byddai'n cadw at yr addewid o gynnal refferendwm. Nid oedd angen i mi bryderu, a chan fod Carwyn yn un o blant tymor cyntaf y Cynulliad a heb fod yn Aelod Seneddol, nid oedd ganddo'r un pryderon am agwedd yr aelodau Llafur yn Llundain. Er bod angen iddo gadw'r ddysgl yn wastad ar brydiau, safodd yn gadarn ar y pwnc.

Teimlai Peter Hain y byddai'n rhaid iddo wneud un ymdrech arall i geisio gohiriad. Cefais wahoddiad i'w swyddfa ym Mae Caerdydd cyn i'r Cynulliad bleidleisio ar gynnig i danio'r cais am refferendwm. Ceisiodd unwaith yn rhagor fy mherswadio i ohirio, gan ddadlau nad oedd unrhyw sicrwydd y byddem yn ennill, ac yn ei farn o, byddem yn debyg o golli. Ond rhywsut teimlwn ei fod yn disgwyl i mi wrthod ei gais y tro hwn ac unwaith iddo sylweddoli nad oedd troi arnaf, derbyniodd hynny. Yr oedd sibrydion mai ei ymgais olaf i geisio ein rhwystro fyddai gwrthod caniatâd i refferendwm hyd yn oed pe byddai dwy ran o dair o aelodau'r Cynulliad yn cefnogi pleidlais tanio, sef y bleidlais fyddai'n dechrau'r broses. Yr hyn a danseiliai unrhyw fwriad felly oedd datganiad clir gan

David Cameron, arweinydd y Ceidwadwyr, y byddai'n gweithredu'n gadarnhaol ar unrhyw gais gan y Cynulliad pe byddai'n brif weinidog wedi etholiad 2010. O ganlyniad roedd yn rhaid i Peter Hain, er mor anfoddog, gytuno i'r cais. Wedi'r cwbl fe'i hystyrid yn gefnogwr brwd i ddatganoli a'r hyn a'i daliai yn ôl ar yr achlysur hwn oedd yr addewid a wnaeth i'w aelodau seneddol.

Cynhaliwyd y ddadl ar danio'r cais am refferendwm ym mis Chwefror 2010. Siaradodd deunaw o aelodau a phob un, gan gynnwys Nick Bourne a chwech o'i gyd-aelodau Ceidwadol o blaid y cynnig. Yr oedd yr unoliaeth barn yn rhyfeddol a braf oedd gweld ein sefydliad cenedlaethol yn siarad efo un llais ar bwnc mor allweddol. Fe siaredais ar ddiwedd y ddadl gan gyfeirio at yr angen i ni symud ymlaen fel cenedl. Pan gyhoeddwyd y bleidlais, yr oedd hanner cant a thri o aelodau o blaid a neb yn erbyn. Yr oedd hynny'n golygu fod y trothwy o ddwy ran o dair wedi ei gyrraedd yn ddidrafferth. Ond yn fwy na hynny, roedd pethau'n argoeli'n dda ar gyfer ymgyrch y refferendwm ei hun. Teimlwn fod ein penderfyniad i fynnu refferendwm fel rhan o gytundeb y glymblaid wedi'i gyfiawnhau'n llwyr. Anfonwyd ein cais ymlaen i swyddfa Peter Hain a'i gyfrifoldeb o oedd gosod y gorchymyn a fyddai'n caniatáu cynnal y refferendwm. Geiriad y cwestiwn a ofynnid oedd 'A ydych yn dymuno i'r Cynulliad allu llunio deddfau ar bob mater yn yr 20 maes pwnc y mae ganddo bwerau ynddynt?'

Cynhaliwyd etholiad cyffredinol San Steffan ym mis Mai'r flwyddyn honno, gan arwain at glymblaid rhwng y Ceidwadwyr a'r Democratiaid Rhyddfrydol. Er bod unrhyw ddylanwad a oedd gan Lafur Cymru ar y llywodraeth yn Llundain wedi dod i ben, rhaid cyfaddef fod cysylltiad Nick Bourne efo'r Ceidwadwyr a Kirsty Williams efo'r Democratiaid Rhyddfrydol wedi bod yn ddigon defnyddiol.

Er bod Carwyn a minnau yn ffafrio cynnal y refferendwm ym mis Hydref fel bod digon o fwlch rhyngddi a'r etholiad ym mis Mai'r flwyddyn ganlynol, daeth neges yn ôl na fyddai hynny'n bosibl gan nad oedd y Llywodraeth Lafur wedi gwneud digon o baratoadau ar ei chyfer. Penodwyd Cheryl Gillan yn Ysgrifennydd Cymru a hi oedd ein cyswllt pennaf. Er ei bod yn wreiddiol o Gaerdydd, hi oedd Aelod Seneddol Chesham ac Amersham yn ne Lloegr ac o ganlyniad fe'i beirniadwyd yn llym am nad oedd yn cynrychioli etholaeth yng Nghymru. Ni fu'r etholiad yn llwyddiant mawr i'r Blaid, er i ni gadw'n tair sedd a chynnal ein canran o'r bleidlais.

Yn amlwg nid oedd y Blaid Lafur yng Nghymru yn awyddus i roi llwyfan i'r Ceidwadwyr ac yr oedd eu perthynas efo Cheryl Gillan yn oeraidd ar y gorau ac yn bigog ar brydiau. Gair mawr y glymblaid yn Llundain mewn perthynas â'r gwledydd datganoledig oedd 'parch' neu 'respect'. Er i Cheryl geisio meithrin perthynas, yr oedd ei diffyg gwybodaeth am y sefyllfa wleidyddol yng Nghymru yn faen tramgwydd difrifol. Yn aml byddai'n camddarllen pethau, er ar lefel bersonol fe'i cefais yn ddigon cyfeillgar a chynnes. Fel rhan o'r agenda parch, daeth David Cameron a Nick Clegg i Gymru yn weddol fuan a chawsom gyfarfod yn swyddfa Carwyn. Cyfarfod i ddod i adnabod ein gilydd oedd hwnnw yn fwy na dim, ac fe drefnwyd y byddai cyfarfodydd pellach yn dilyn. Wedi'r cyfarfod, gofynnais am sgwrs breifat efo Cameron. Yr oeddem wedi ceisio perswadio Gordon Brown i ganiatáu lle i enwebeion y Blaid yn Nhŷ'r Arglwyddi, sef Dafydd Wigley, Eurfyl ap Gwilym a Janet Davies. Ond bu'n hynod o ystyfnig a gwrthododd bob cais. Eglurais y cefndir i Cameron a chefais addewid y byddai'n edrych ar y cais ar ein rhan gan roi enw un o'i swyddogion fel person cyswllt. Erbyn mis Tachwedd y flwyddyn honno, yr oedd enwebiad Dafydd Wigley wedi ei ganiatáu. Yn wir, aeth cyfnod o dair blynedd heibio rhwng i Dafydd gael ei ddewis gan y Blaid a'r enwebiad yn 2010. Bu'n gyfnod ansicr iawn iddo a ninnau fel Plaid wedi colli'r cyfle i gael llais yn yr ail siambr ar adeg bwysig yn y broses o gynyddu pwerau'r Cynulliad.

Bu perthynas Gordon Brown â'r gwledydd datganoledig yn un ryfedd a dweud y lleiaf. Mynychodd un cyfarfod o Gyngor Prydain ac Iwerddon a hynny ar ôl pwysau trwm gan Ian Paisley a bu mewn un cyfarfod o'r Cydgyngor Gweinidogol am ychydig funudau. Ond y digwyddiad rhyfeddaf o'r cyfan oedd hwnnw pan fu iddo gynnal cyfarfod o'i Gabinet yng Nghaerdydd ym mis Gorffennaf 2009. Y bwriad gwreiddiol oedd i'w gyfarfod yng ngorsaf rheilffordd Caerdydd, a minnau a Rhodri yno i'w gyfarch. Heb yn wybod i mi, roedd staff Gordon Brown wedi gofyn i Rhodri fynd i Gasnewydd i'w gyfarfod a dal y trên yno i Gaerdydd. Pan gyrhaeddwyd Caerdydd, neidiodd Peter Hain oddi ar y trên a cheisio fy nhywys oddi ar lwybr Gordon Brown gan ddatgan eu bod wedi trefnu i mi gyfarfod Andrew Adonis. Y cyfan a welais oedd Gordon Brown, efo Rhodri'r naill ochr iddo a Peter Hain yr ochr arall yn cerdded yn syth ymlaen heb symud ei ben na'i lygaid a rhuthro i gar oedd yn disgwyl amdano. Yr oedd ei awydd i osgoi ysgwyd llaw efo 'cenedlaetholwr' yn drech nag unrhyw beth arall, yn wir roedd yn ffars. Gwelai wleidyddiaeth genedlaetholgar drwy brism yr Alban fel rhywbeth yn amlwg oedd yn atgas ganddo.

Fel arall oedd ymddygiad Andrew Adonis ac yntau'n Weinidog Trafnidiaeth. Y pwnc mawr oedd y bwriad i drydaneiddio'r rheiffordd rhwng Llundain a de Cymru. Gan nad oedd pwerau gennym yn y maes hwn, yr oeddem yn dibynnu ar yr Adran Drafnidiaeth, ac yn bwysicach efallai'r Trysorlys, i weithredu. Bu fy swyddogion i a swyddogion

Andrew Adonis yn trafod ers peth amser a chefais wybod mai'r bwriad gwreiddiol oedd trydaneiddio rhwng Llundain a Bryste. Er bod fy swyddogion yn teimlo nad oedd fawr o bwrpas i mi wthio am symud y gwaith hyd at Abertawe, penderfynais fod hwn yn gyfle rhy dda i'w golli. Mynnais gyfarfod efo Andrew ac fe'i cefais yn barod i wrando ac yn awyddus i helpu. Gofynnodd i'w swyddogion baratoi achos busnes ar gyfer trydaneiddio hyd at Abertawe, ac fe wnaed hynny. Trefnais fod rhai o'm swyddogion mwyaf blaengar yn cymryd rhan yn y broses o baratoi'r achos busnes ac yn rhoi pob gwybodaeth bosib i'r ymgynghorwyr a benodwyd i wneud y gwaith. Pan gyfarfu'r Cabinet yng Nghaerdydd y cyhoeddiad mawr oedd y penderfyniad i drydaneiddio'r rheilffordd yr holl ffordd i Abertawe, a chefais gyfle i ddiolch i Andrew Adonis am ei waith, ac yntau'r un mor ddiolchgar am y cydweithrediad a gafodd gan fy adran. Yn ddiweddarach, newidiwyd y penderfyniad gan Philip Hammond gan ddatgan y byddai'r gwaith o drydaneiddio yn cyrraedd Caerdydd yn unig.

Wedi cael gwybod na fyddai'r glymblaid yn fodlon i ni gynnal y refferendwm yn yr hydref, aethpwyd ati i drafod dyddiadau yn 2011. Gwrthwynebai Nick Bourne unrhyw fwriad i gynnal y refferendwm ar yr un diwrnod ag etholiad y Cynulliad ym mis Mai. Yr oeddwn i'n bersonol o blaid mis Mawrth gan y byddai'r tywydd ychydig yn well erbyn hynny. Cytunwyd ar y trydydd o Fawrth wedi trafodaeth rhwng arweinwyr y pedair plaid yn y Cynulliad. Cawsom addewid y byddai Llundain yn cytuno i hynny. Rhaid oedd bod yn ofalus na ddefnyddiem beirianwaith y llywodraeth ar gyfer ymgyrchu gan mai mater i'r pleidiau fyddai hynny. Cytunodd Carwyn a minnau y byddai cael ffigwr o'r tu allan i'r byd gwleidyddol i fod yn wyneb yr ymgyrch yn fanteisiol ac i ddangos nad pwnc i wleidyddion yn unig oedd dan sylw.

Yr oedd sawl enw dan ystyriaeth, ac fe benodwyd Roger Lewis a oedd bryd hynny yn Brif Weithredwr Undeb Rygbi Cymru i gadeirio'r ymgyrch aml-bleidiol Ie dros Gymru. Yr oedd ganddo gredinedd yn y byd busnes yn ogystal â bod yn gyfathrebwr rhagorol.

Corff arall a sefydlwyd i hyrwyddo'r ymgyrch o blaid cynyddu pwerau'r Cynulliad oedd Cymru Yfory. Bu Cynog Dafis a minnau yn trafod sefydlu grŵp a allai arwain y drafodaeth ar bwerau flynyddoedd ynghynt ond heb o angenrheidrwydd fod ynghlwm ag unrhyw blaid wleidyddol. Yr oedd aelodaeth y grŵp yn cynnwys pobl o bob plaid a rhai nad oeddent yn perthyn i unrhyw blaid. Buont yn ddigon ffodus i sicrhau gwasanaeth Archesgob Cymru yn gadeirydd. Gan fod parch mawr iddo ar hyd a lled Cymru, roedd ei barodrwydd i uniaethu ei hun â'r ymgyrch yn gryn gaffaeliad. Cymru Yfory oedd un o'r grwpiau a gofrestrwyd fel cyfranogwyr drwy ganiatâd gan y Comisiwn Etholiadol, ac a oedd yn ôl y *Western Mail* yn cynnig sail ddeallusol i'r ymgyrch.

Lansiwyd yr ymgyrch mewn digwyddiad a gynhaliwyd yn un o adeiladau Prifysgol De Cymru yng nghanol Caerdydd ar y pedwerydd o Ionawr 2011. Braf oedd cael pedwar arweinydd y pleidiau yn y Cynulliad i siarad gan ddangos yn glir unoliaeth yr ymgyrch. Yr araith fwyaf arwyddocaol oedd honno o eiddo Nick Bourne ac yntau'n egluro'r daith y bu arni o fod wedi pleidleisio NA yn 1997 i fod bellach o blaid pwerau deddfu. Roedd gennyf barch mawr iddo, gan nad oedd yn hawdd i rywun oedd yn perthyn i blaid nad oedd y fwyaf brwd o blaid datganoli wneud datganiad mor glir a diamwys. Yr oedd Nick wedi ceisio symud ei blaid i fod yn fwy cyffordddus efo'i Chymreictod yn sgil sefydlu'r Cynulliad. Er ei fod wedi llwyddo i raddau, mae lle i gredu fod ei blaid wedi camu'n ôl yn y blynyddoedd diwethaf ond yn bendifaddau yr oedd cefnogaeth y Ceidwadwyr, er yn niwtral yn swyddogol, yn hynod o bwysig wrth geisio sicrhau mwyafrif clir.

Sefydlwyd tri deg o grwpiau ymgyrchu ar draws Cymru, dosbarthwyd dros filiwn o daflenni, ac fe dreuliais innau ddyddiau yn canfasio ar hyd a lled Cymru gan gynnwys fy etholaeth f'hun. Roedd y croeso yn gynnes bron ym mhobman, gyda llawer wedi'u hargyhoeddi fod angen pwerau llawn yn sgil y trafferthion a gafwyd yn ceisio gweithredu'r drefn o orchmynion cymhwysedd deddfwriaethol. Yn ogystal â hynny, roedd stoc clymblaid Cymru'n Un yn uchel, a llawer mwy o hyder ymhlith y Cymry fel cenedl y gallem symud i'r cam nesaf ar y llwybr cyfansoddiadol, gan wireddu geiriau Ron Davies yn 1999 mai proses ac nid digwyddiad ydi datganoli. Er hynny, mynegwyd pryder y gallai'r nifer fyddai'n troi allan i bleidleisio fod mor isel fel y gallai adlewyrchu ar y canlyniad. Yn ychwanegol roedd sibrydion fod actifyddion y Blaid Lafur mewn rhai ardaloedd yn gwrthod ymgyrchu ochr yn ochr â phleidiau eraill. Mewn cyfarfod efo Roger Lewis i drafod hyn, cytunodd Carwyn a minnau y byddai'n rhaid codi stêm o safbwynt yr ymgyrchu a cheisio sicrhau cydweithio ar lawr gwlad.

Yng nghanol hyn oll, fe ddywedodd Rhuanedd wrthyf fod stori yn debyg o ymddangos yn y *Western Mail* fod rhai unigolion anhysbys yn y Blaid Lafur yn beirniadu fy mherfformiad fel gweinidog a hynny yn cael ei weld fel rhan o batrwm i'm pardduo cyn etholiadau'r Cynulliad ym mis Mai. Gan fod hyn wedi digwydd yn ystod ymgyrch y refferendwm, roedd yn anffodus a dweud y lleiaf a bu'n rhaid i mi amddiffyn f'hun yn gadarn mewn ymateb ac mewn cyfweliadau ar y cyfryngau. Gwelai rhai hyn fel ymgais i danseilio Carwyn yn ogystal, ac fe gytunodd i ryddhau datganiad cefnogol. Ond sylweddolwn mai gêm ddigon brwnt yw gwleidyddiaeth ar adegau, a bod ymosodiadau fel hyn yn anorfod. Cefais e-bost cefnogol gan Mike Sullivan, un o gyn-ymgynghorwyr arbennig Llafur ac fe gadarnhaodd nad oedd rhai yn rhengoedd Llafur wedi maddau i Rhodri am gytuno i mi fod yn Weinidog yr Economi! Ymunodd Mike â'r Blaid yn ddiweddarach.

Cynhaliwyd rhaglenni trafod ar yr ymgyrch ar y cyfryngau, a hwythau yn cydnabod eu bod yn ei chael hi'n anodd ar brydiau i gael pobl i siarad yn erbyn! Arweiniwyd yr ymgyrch NA gan Rachel Banner a gynrychiolai grŵp a elwid True Wales. Bychan oedd eu hadnoddau ac nid oedd ganddynt drefn ar eu hymgyrch. Ar ddiwrnod y pleidleisio, teithiais i Fôn i fwrw pleidlais. Fel ym mhob etholiad, cytunais i'r BBC fy ffilmio, er yn naturiol nid oeddent yn gallu dangos sut yr oeddwn wedi pleidleisio. Ymhen ychydig cefais alwad ffôn yn dweud fod cwyn swyddogol wedi ei gwneud i'r Comisiwn Etholiadol fy mod wedi torri'r gyfraith o ganlyniad i'r ffilmio a'u bod nhw'n ymchwilio. Yr oeddwn yn ffyddiog na fyddent yn dwyn achos ond gallwn fod wedi gwneud heb y math hwn o ymyrraeth ar ddiwrnod mor bwysig. Treuliais weddill y diwrnod yn annog pobl i bleidleisio ac mi roedd yr ymateb yn galonogol.

Teithiais i Gaerdydd ben bore ddydd Gwener yn barod ar gyfer cyhoeddi'r canlyniad. Wedi i mi gyrraedd fy swyddfa yr oedd Rhuanedd, Anna a Steve, y tri ymgynghorydd arbennig yn edrych yn hynod hyderus. Clywais fod adroddiadau o'r neuaddau cyfrif yn dangos fod pobl wedi pleidleisio'n drwm o blaid IE. Daeth neges gan Heledd Roberts o Ynys Môn fod y gefnogaeth yn gryf, a chan Gwenllïan Lansdown o'r swyddfa ganol fod yr un stori o bob cwr o'r wlad. Y sir gyntaf i gyhoeddi oedd Blaenau Gwent efo 69% o blaid IE. Gosododd hynny'n batrwm ar gyfer gweddill Cymru. Yr oedd hi mor braf gweld Caerdydd, Abertawe, Casnewydd a Wrecsam i gyd yn pleidleisio o blaid. Hyd yn oed ym Mynwy, yr unig sir i bleidleisio yn erbyn, yr oedd y gefnogaeth yn 49.5%. Yr oedd Cymru wedi siarad ag un llais a hynny'n glir iawn. Aeth fy meddwl yn ôl i'r sgwrs a glywais yn y neuadd gyfrif yn dilyn canlyniad refferendwm 1979, pan gyfeiriodd un o'r ymgyrchwyr NA at y cenedlaetholwyr fel 'types that never give up'. Cofiwn am yr addewid a wneuthum wrth eistedd ar gerrig yr orsedd yng Nghorwen yn 1965 yn llefnyn un ar bymtheg oed y byddwn am frwydro i sicrhau Senedd i Gymru. Sylweddolwn fod holl frwydrau'r blynyddoedd, yn llwyddiannau ac yn siomedigaethau wedi f'arwain i'r fan hon. Dyma nodyn a ysgrifennais yn fy nyddiadur ar ddiwedd y diwrnod hwnnw:

... bellach wedi cyflawni prif nod fy ngyrfa, sef Senedd efo'r hawl i ddeddfu! Bydd cyfle i eraill fynd â'r genedl yn ei blaen, ond dyma fy nghyfraniad i wedi'i gyflawni.

Annibyniaeth yw nod y Blaid, a gwyddwn yn fy nghalon mai'r patrwm y byddem yn ei ddilyn fyddai cymryd camau ar hyd y llwybr. Bellach cawsom bwerau trethu cyfyngedig yn sgil adroddiadau Comisiwn Holtham a Chomisiwn Silk, a chyflawni hynny heb refferendwm. Bydd camau eraill ar y ffordd bid siŵr, ond bellach mae'n cenedl yn magu hyder bob tro y cymerwn gam ymlaen. Y cwestiwn a ofynnid i mi amlaf oedd 'Pam nad ydych chi fel plaid wedi llwyddo i'r un graddau â'r SNP yn yr Alban?' Yn anffodus, mae 'na wahaniaethau go fawr rhyngom. Collodd Cymru ei hannibyniaeth ganrifoedd maith ynghynt, tra mai rhyw ychydig dros dair canrif yn ôl ddigwyddodd hynny yn yr Alban. Caniatawyd i'r Albanwyr gadw eu sefydliadau cenedlaethol a'u trefn gyfreithiol, a dim ond ar diwedd y bedwaredd ganrif ar bymtheg a dechrau'r ugeinfed ganrif y gwelwyd sefydlu Sefydliadau Cenedlaethol yng Nghymru. Mae rhesymau eraill bid siŵr, ond nid yw llwybrau cenhedloedd at ryddid yn dilyn yr un llwybr gan fod eu hanes, eu traddodiadau a'u diwylliant yn gwahaniaethu. Magu hyder yw'r prif nod ddywedwn i, ac mae gennym le i ymfalchïo ein bod wedi cyrraedd fan hyn wedi dyddiau du 1979.

A dod yn ôl at ganlyniadau 2011, aeth Eirian a minnau i'r Senedd wrth i'r canlyniadau olaf gyrraedd. Unwaith cyhoeddwyd y cyfanswm, gyda dros 63% o blaid, dechreuodd y dathliadau. Cawsom gyfraniadau byr gan Roger Lewis a'r pedwar arweinydd ac yna aethom i wneud cyfweliadau. Bu dathlu yn y swyddfa breifat hefyd, gyda photel o siampên a'r noson honno aeth Eirian a minnau i ddathlu ymhellach dros bryd o fwyd.

Bu'r wythnosau a'r misoedd canlynol braidd yn fflat mewn cymhariaeth i uchelfannau dechrau Mawrth. Aeth y paratoadau ar gyfer etholiad y Cynulliad yn eu blaenau, gyda thrafodaethau ar gynnwys y maniffesto, dewis ymgeiswyr munud olaf a chytuno ar brif themâu'r ymgyrch. Traddodais nifer o areithiau allweddol ar wahanol bynciau, megis yr economi, gwasanaethau cyhoeddus a'r amgylchedd. Nid oedd yr arolygon barn yn edrych yn addawol, gyda nifer ohonynt yn awgrymu cynnydd yn y gefnogaeth i'r Blaid Lafur, a ninnau yn debyg o aros yn ein hunfan neu hyd oed golli seddau. Disgwylid i'r Ceidwadwyr gynyddu eu cefnogaeth gan fod y Glymblaid yn Llundain yn parhau'n eithaf poblogaidd. Gan ein bod fel plaid wedi rhoi cymaint o ynni ac adnoddau i ymgyrch y refferendwm yr oedd hi gymaint â hynny'n fwy anodd i fagu momentwm. Ein gobaith oedd y byddai etholwyr yn rhoi rhywfaint o gredyd i ni yn sgil ein perfformiad yn y llywodraeth. Wedi'r cwbl y farn gyhoeddus oedd i Lywodraeth Cymru'n Un fod yn llwyddiant a nifer yn dadlau mai hi oedd y llywodraeth orau yn y cyfnod wedi datganoli. Clywaf y gri honno hyd heddiw, hyd yn oed gan gefnogwyr y Blaid Lafur!

Fodd bynnag, nid felly y bu. Er i mi gynyddu fy nghefnogaeth yn Ynys Môn, a hynny mi gredaf oherwydd fy ngwaith fel Dirprwy Brif Weinidog, collwyd pedair sedd gan gynnwys Llanelli ac Aberconwy a dwy sedd ar y rhestr. Gan fod y Blaid Lafur wedi cyrraedd deg ar hugain o seddi, gallent lywodraethu heb glymblaid na threfniant. Mewn cyfarfod preifat a gefais efo Carwyn yn fuan wedi'r etholiad, cadarnhaodd mai dyna oedd ei fwriad ac yn ddisymwth daeth fy nghyfnod mewn llywodraeth i ben.

PENNOD 14

Diwedd Cyfnod

FY MHENDERFYNIAD GWREIDDIOL oedd ymddiswyddo fel Arweinydd yn syth wedi canlyniadau etholiad 2011, ond fe'm perswadiwyd yn daer i barhau am gyfnod er mwyn cael trefn ar beirianwaith y Blaid a chaniatáu i'm holynydd ddechrau heb orfod poeni am hynny. Addewais i wneud hynny, er nad oedd yn benderfyniad poblogaidd gan bawb. Wythnos wedi'r etholiad cyhoeddais y byddwn yn sefyll i lawr fel arweinydd yn ystod hanner cyntaf tymor y Cynulliad, gan ddweud y byddai hynny yn rhoi cyfle i'r blaid adolygu ei strwythurau a'i dulliau ymgyrchu.

Erbyn hyn, credaf mai prif wendid ein cyfnod mewn llywodraeth oedd nad oeddem wedi talu digon o sylw i'n peirianwaith etholiadol, ac wedi bodloni gormod ar fod yn weinidogion da ac effeithiol. Credais mai'r fantais fwyaf o fod mewn llywodraeth oedd y gallem ddangos i'r cyhoedd y gellid ymddiried yn y Blaid fel plaid lywodraethol. Er y credaf fod hynny'n parhau'n wir, rhaid wrth beirianwaith etholiadol cryf yn ogystal. Yr oeddem wedi syrthio'n ôl wedi'r gwelliannau arloesol a wnaed gennym yn 1997 a 1999. Mae'n fater o bryder i mi fod yr un ffaeleddau yn rhannol gyfrifol am ein perfformiad yn etholiadau 2016 a 2021. Yn ddiau, Plaid Lafur Cymru yw un o'r peiriannau etholiadol mwyaf llwyddiannus yng ngwledydd Prydain, ac mae yna wers i ni yn y fan hon yn rhywle.

Ar lefel bersonol, roedd y ddwy flynedd yn y Cynulliad rhwng 2011 a 2013 yn rhai digon diflas. Cefais fwynhad fel aelod o'r Pwyllgor Cyllid, ond ar wahân i hynny, roeddwn mewn rhigol ac yn methu dod ohoni. Yn naturiol ddigon, symudodd y byd gwleidyddol yn ei flaen a'r drafodaeth ar olynydd i mi yn codi ei ben bob hyn a hyn. Penderfynais y byddai'n rhaid cymryd gwyliau, ac aeth Eirian a minnau i Ffrainc ddechrau Mehefin 2011. Yr oeddwn wedi holi pryd fyddai seremoni agor y sesiwn newydd i'w chynnal a chefais awgrym na fyddai yn ystod y cyfnod hwn. Fodd bynnag, fe newidiwyd y dyddiad, a chan fy mod wedi gwneud trefniadau gwyliau cedwais at hynny ac addawodd Jocelyn gymryd fy lle yn y seremoni. Cefais fy meirniadu'n llym am beidio bod yn bresennol a dangos amarch at y Frenhines. Ond yr oedd llawer yn cydymdeimlo â mi a chefais sawl neges breifat hynod garedig.

Fis Awst y flwyddyn honno cefais fwy o gyfle i fyfyrio ychydig ar fy stad. Hyd y cyfnod hwn, credwn i mi fod yn bositifydd rhesymegol, ond yr oeddwn bellach yn gweld f'emosiymau'n siglo'r naill ffordd a'r llall mewn ffordd hollol amrwd a hynny'n brofiad anghyfforddus iawn. Ni wyddwn i ba gyfeiriad y gallai hyn arwain, a synhwyrwn fod yna gwestiynau yn nwfn yr isymwybod ynglŷn â gwerth cyfraniad rhywun. Er bod llawer ar faes yr Eisteddfod, yn garedig ddigon, wedi cyfeirio at yr hyn a gyflawnais, nid oedd hynny yn fawr o gysur y dyddiau rheini. Nid oeddwn am i'r cyfnod arwain at byliau o hunandosturi, ond mewn gwirionedd nid oeddwn yn deall y cyflwr yn iawn. Yr oedd ambell un wedi synhwyro fod 'na ryw brudd-der yn fy wyneb, ac wedi holi yn eithaf caredig a oeddwn yn iawn, ond wfftiwn at unrhyw awgrym fod rhywbeth o'i le. Yr unig un i mi drafod y cyflwr hwn gyda hi oedd Eirian, a hithau fel arfer yn ei ffordd dawel a synhwyrol yn f'atgoffa nad oeddwn yn rhywun fedrai siarad am ei deimladau'n agored. Ni wn mewn gwirionedd a oeddwn mewn cyflwr o iselder, ond gwn i mi fynd i le anodd am gyfnod, a byddai'n dda gennyf pe byddwn wedi derbyn cyngor i weld rhywun.

Erbyn dechrau 2012, yr oeddem fel plaid wedi cwblhau'r broses o adolygu ein strwythurau a theimlais ei bod yn amser addas i roi'r gorau iddi. Cynhaliwyd yr etholiad am arweinyddiaeth y Blaid. Yr oedd Dafydd Elis wedi dweud ers tro y byddai yn y ras, a gwyddwn y byddai gan Elin Jones ddiddordeb, ond yr oedd ymgeisyddiaeth Leanne Wood yn annisgwyl. Teimlid mai Elin fyddai'r ffefryn ar ddechrau'r ornest ac fe sicrhaodd gefnogaeth y rhan fwyaf o'r aelodau etholedig. Fodd bynnag, wrth i'r ymgyrch ddatblygu, cynyddodd y teimlad fod aelodau'r blaid am fynd i gyfeiriad gwahanol, a chefnogi Leanne am ei bod yn rhywun allai apelio tu allan i'n cadarnleoedd. Yn ychwanegol, yr oedd hi yn uchel ei pharch gan yr ymgyrchwyr iaith gan iddi ymgyrchu'n galed o blaid cynnwys cymal ar statws swyddogol i'r Gymraeg yn ein mesur iaith. Pan ddaeth y canlyniad ym mis Mawrth, cafodd Leanne fwyafrif clir ar y bleidlais gyntaf, er na chyrhaeddodd y trothwy angenrheidiol. Yn yr ail bleidlais, rhyngddi hi ac Elin, sicrhaodd 57% o'r bleidlais a'i hethol yn Arweinydd.

Euthum yn ôl i'r meinciau cefn am y tro cyntaf ers ymron i bedair blynedd ar ddeg. Gallwn yn hawdd fod wedi mwynhau'r rhyddid fyddai hynny yn ei roi, ond nid oeddwn yn ei gweld hi felly. Fel cyn-arweinydd, byddai'n rhaid bod yn ofalus na fyddwn yn cael fy ngweld fel gyrrwr sêt gefn, fel Margaret Thatcher gynt, neu fel surbwch braidd yn flin fel y gallai Ted Heath fod ar brydiau. Penderfynais na fyddwn yn ymyrryd mewn unrhyw ffordd y gellid ei ddehongli fel beirniadaeth ar Leanne, tra byddwn bob amser yn barod i gynnig cyngor pe gofynnid amdano.

Teimlwn fod diffyg trafodaeth ystyrlon ar bolisi yng Nghymru a bod angen mwy o sefydliadau polisi i fwydo syniadau i'r pleidiau gwleidyddol. Gwyddwn fod y Sefydliad Materion Cymreig yn gwneud gwaith canmoladwy yn y maes, ond credwn fod angen mwy nag un corff i hybu trafodaeth. Bûm yn trafod y syniad efo John Wynne Owen ddiwedd yr 1990au ac yntau'n Brif Weithredwr Ymddiriedolaeth Nuffield yn Llundain. Ar un adeg John oedd Cyfarwyddwr y Gwasanaeth Iechyd yng Nghymru cyn iddo dreulio cyfnod yn Awstralia yn gweithio fel cyfarwyddwr yn y gwasanaeth iechyd yn nhalaith New South Wales. Yr oedd yn arbenigwr ym maes iechyd cyhoeddus gan ddarlithio ar y pwnc mewn nifer o gynadleddau rhyngwladol. Wedi rhoi'r gorau i'r arweinyddiaeth euthum ati i atgyfodi'r syniad efo John ac fe gytunodd i gynorthwyo. Sefydlwyd grŵp i ddatblygu'r prosiect, efo John, Noel Lloyd, cyn Is-Ganghellor Prifysgol Aberystwyth, Carol Bell oedd â chefndir yn y sector breifat a'r byd ariannol a Vanessa Griffiths, cyn-was sifil yn Adran yr Economi a phryd hynny'n gweithio yn y drydedd sector. Buom wrthi yn cyfarfod yn rheolaidd gan drafod y meysydd polisi y gallem ganolbwyntio arnynt a dulliau codi arian er mwyn comisiynu gwaith ymchwil. Yn anffodus, yr oedd hi'n anodd iawn yn y cyfnod hwnnw i ddenu digon o gyllid, ac nid oeddwn yn fodlon mentro heb wneud y gwaith i safon uchel.

Yr oedd maes arall yr oedd gennyf gryn ddiddordeb ynddo, sef cryfhau'r berthynas rhwng prifysgolion a'r byd busnes fel ffordd o gryfhau'r economi. Trefnais gyfarfodydd efo rhai o swyddogion y Comisiwn Ewropeaidd ym Mrwsel er mwyn canfod pa fath o gefnogaeth oedd yn bosibl. Yr oeddwn wedi arfer trefnu teithiau i Frwsel yn weddol reolaidd flynyddoedd ynghynt ac wedi meithrin cysylltiadau da yno. Wrth drafod syniadau, awgrymodd un swyddog wrthyf y dylem ystyried sefydlu parc gwyddoniaeth yng Nghymru. Nododd fod y Comisiwn wedi cefnogi Canolfannau Arloesedd ledled yr Undeb, ac yr oedd yn sicr y byddai modd sicrhau buddsoddiad drwy'r Cronfeydd Strwythurol yng Nghymru o gael y prosiect iawn. Wedi gwneud peth gwaith ymchwil canfyddais nad oedd yr un parc gwyddoniaeth yng Nghymru, er bod rhwydwaith eang ohonynt yn Lloegr ac yn yr Alban. Cyhoeddwyd adroddiad gan Brifysgol Warwick yn cadarnhau fod cyfraniad parciau gwyddoniaeth i economïau lleol yn sylweddol, a'u bod yn dueddol o greu swyddi lle roedd cyfartaledd cyflog yn uwch na'r hyn a geid yn arferol.

Wedi trafod y mater efo Llywodraeth Cymru, cytunwyd i neilltuo deg miliwn o bunnau fel rhan o'r cyllid a fyddai angen i sefydlu parc gwyddoniaeth. Sefydlodd y Brifysgol ym Mangor weithgor dan arweiniad yr Athro Sian Hope i ddatblygu'r prosiect. Yr oeddwn yn hynod o awyddus i sicrhau llwyddiant y prosiect a phenderfynais y gallwn wneud mwy o gyfraniad yn ei hyrwyddo na threulio cyfnod pellach yn y Cynulliad. Pan hysbysebwyd y swydd o Gyfarwyddwr Gweithredol, ymgeisiais amdani gan wybod fod 'na risg na fyddwn yn llwyddiannus ac y gallai methiant fod yn ergyd i'm hunanhyder. Ond felly y bûm erioed, yn fodlon cymryd risg gan wireddu'r wireb 'heb fentro ni ellir llwyddo'. Bu'r broses apwyntio yn hynod o drylwyr, ac wedi cyrraedd y rhestr fer ymddangosais o flaen panel penodi am y tro cyntaf ers dros ddeugain mlynedd. Yr oedd yn brofiad dirdynnol er i mi baratoi'n drylwyr. Teimlais ryw ryddhad rhyfeddol pan glywais fod y Brifysgol yn barod i gynnig y swydd i mi.

Ganol Mehefin 2013 galwyd cyfarfod o Bwyllgor

Etholaeth Môn a chyflwynais fy mhenderfyniad i sefyll i lawr fel Aelod Cynulliad. Yr oeddwn wedi crybwyll y posibilrwydd wrth swyddogion y pwyllgor ynghynt, ond yr oedd yn sioc i'r mwyafrif. Chwarae teg iddynt, safodd pawb ar eu traed i'm cymeradwyo a minnau dan gryn deimlad. Bûm yn cydweithio gyda rhai ohonynt ers dros ddeg mlynedd ar hugain a'm dyled yn fawr iddynt. Ond rhaid oedd symud ymlaen a minnau'n dawel hyderus y byddem yn cadw'r sedd. Gwyddwn y byddai gennym ymgeiswyr cryf yn ymgiprys am yr enwebiad. Cyflwynais fy ymddiswyddiad swyddogol i Lywydd y Cynulliad ychydig ddyddiau'n ddiweddarach ac fe drefnwyd i gynnal yr isetholiad ar y cyntaf o Awst. Dewiswyd Rhun ap Iorwerth yn ymgeisydd mewn cyfarfod hystingau, a gwyddwn y gwnâi ymgeisydd campus yn sgil ei broffil uchel a'i sgiliau cyfathrebu rhagorol. Yn wir enillodd yr isetholiad gyda mwyafrif o 9,166 a minnau'n gwybod fod y sedd mewn dwylo diogel.

Dechreuais fy swydd newydd ar yr wythfed o Orffennaf a chael swyddfa yng Nghanolfan Reolaeth y Brifysgol. Treuliais y misoedd cyntaf yn sefydlu tîm i'm cynorthwyo yn y broses o lunio cynllun busnes, ceisio cyllid ychwanegol a chytuno ar safle ar gyfer y Parc Gwyddoniaeth. Wedi cynnal arolwg o safleoedd posib – dros ugain ohonynt – penderfynwyd ar safle yn eiddo i'r Cyngor Sir yn y Gaerwen ar Ynys Môn. Aed ati i benodi staff i'm cynorthwyo. Penodwyd Emily Roberts fel cynorthwyydd a Pryderi ap Rhisiart fel rheolwr prosiect. Bu'r penodiadau yn ysbrydoledig gan fod y ddau ohonynt yn parhau i weithio i'r Parc, y naill fel Swyddog Marchnata a'r llall fel Prif Weithredwr.

Er y cyffro a deimlwn wrth wynebu sialens newydd, torrwyd ar y cyffro hwnnw mewn ychydig fisoedd pan glywodd Eirian ei bod yn dioddef o gancr oedd wedi ymledu i'w phrif organau. Yr oedd wedi teimlo poen yn ei hochr wedi dychwelyd o'n gwyliau yn Ffrainc ddiwedd Medi ac wedi cynnal nifer o brofion a biopsi cadarnhawyd y diagnosis o gancr ym mis Rhagfyr. Nid anghofiaf y diwrnod hwnnw a'n teimladau nad oes modd eu disgrifio mewn geiriau. Yr oeddem ill dau yn barod i geisio'r driniaeth orau posibl i ymestyn bywyd Eirian, ond ein pryder mwyaf oedd na wyddai'r arbenigwyr yn lle'n union y dechreuodd y cancr. Nid oedd modd setlo ar driniaeth heb wybod hynny. Yn anffodus dirywiodd ei chyflwr yn hynod o gyflym, ac erbyn dod i benderfyniad ynglŷn â'r driniaeth, yr oedd ei gwendid yn golygu na allai ei gwrthsefyll. Erbyn canol mis Ionawr yr oedd y boen gynddrwg fel y bu'n rhaid iddi fynd i'r ysbyty, ac yn Ward Alaw Ysbyty Gwynedd y bu hi nes inni ei cholli ddiwedd y mis.

Dyna'r ffeithiau moel. Fel nyrs, gwyddai Eirian beth a'i hwynebai ac nid anghofiaf ei dewrder wrth wynebu ei hwythnosau olaf. Heb i mi sylweddoli ar y pryd, ac yn ei ffordd dawel a chariadus yr oedd hi yn fy mharatoi innau at y cyfnod wedi iddi hi ein gadael. Trafododd hynny yn gwbl agored a'i ffydd Gristnogol yn ei chynnal. Deuthum i ddeall dyfnder a chryfder ei ffydd wrth inni gynnal gwasanaethau byr o ddarlleniadau a gweddïau, weithiau yng nghartref fy mam a thro arall yn ein cartref ni. Parhaodd y gwasanaethau yn ystod ei chyfnod yn yr ysbyty, a phawb yn rhyfeddu at y ffordd y paratoai ei hun ar gyfer ei marwolaeth heb unrhyw arwydd o chwerwder. Yr oedd am inni gofio mai emynau Edward Jones Maes y Plwm a Thomas Jones o Ddinbych a genid yn y gwasanaeth o fawl i ddathlu ei bywyd. Wedi'r cwbl ganwyd Edward Jones mewn bwthyn ar y fferm lle magwyd Eirian, sef Tan y Waen, Prion. Mae ei brawd John yn parhau i ffarmio yno.

Er mai fel nyrs y cymhwysodd Eirian, ni wyddai pa lwybr i'w gymryd wedi i'r plant gyrraedd oedran lle teimlai'n gyfforddus i ailafael yn ei gyrfa. Gwyddwn fod arlunio yn faes yr ymddiddorai ynddo, a chreodd luniau dyfrlliw hynod o gelfydd. Er hynny roedd yr alwad i wasanaethu yn parhau'n gryf, a chwblhaodd radd i gymhwyso fel ymwelydd iechyd. Bu'n gweithio yn y maes hwnnw am rai blynyddoedd, ond yr oedd yr ysfa i arlunio yn parhau, ac wedi dilyn cwrs sylfaen ymunodd â chwrs gradd yn Athrofa Caerdydd gan arbenigo mewn printiadau gwreiddiol. Gan ymroi yn llwyr i'w chrefft, gweithiodd yn ddiarbed i greu nifer o brintiadau, yn bennaf yn seiliedig ar dirwedd a hen hanes Ynys Môn. Disgrifid ei gwaith fel creadigaethau atmosfferig ac ysbrydol, ac fe gafodd arddangosfeydd llwyddiannus ledled Cymru. Yr oedd hi'n awyddus i unioni'r camargraff a gâi nifer o bobl ynglŷn â natur printiadau, nad atgynhyrchiadau o waith gwreiddiol oeddent, ond printiadau gwreiddiol gan ddefnyddio dulliau megis torluniau pren, lithograffeg ac yn y blaen. Sefydlodd gwmni i hyrwyddo'r grefft, ac fe'i cofiaf yn disgrifio gydag arddeliad sut yr âi ati i greu printiadau pan fyddai unrhyw un yn dangos diddordeb yn galw heibio ei stondin yn yr Eisteddfod Genedlaethol.

Ni adawodd y natur ymgyrchydd ynddi chwaith. Bu'n ymgyrchu efo Cymdeithas yr Iaith, gan dreulio noson mewn carchar yn Lerpwl wedi protest yno. Dywedodd wrthyf mai'r rheswm y'i rhyddhawyd o'r carchar heb gyhuddiad oedd bod yr heddwas yno wedi sylweddoli mai nyrs oedd hi, a chan fod cymaint o barch at nyrsys yn Lerpwl bryd hynny, teimlai y byddai'n well iddi fod yn gofalu am gleifion na wynebu cyhuddiad am darfu ar yr heddwch! Yn y Rhyl sefydlodd loches i ferched a ddioddefai drais yn y cartref yn nyddiau cynnar Cymorth i Ferched yng Nghymru.

Ni allwn fod wedi cael gwell cymar nag Eirian wrth imi fentro i'r byd gwleidyddol. Bu'n gefn imi drwy bob storm a wynebais, a chydlawenhâi ym mhob buddugoliaeth.

Yr oedd hithau'r un mor danbaid dros achos Cymru a'r Gymraeg. Cymerodd hi'r baich trymaf o fagu ein plant ar ôl etholiad 1987 ac fe gafodd bleser rhyfeddol yn gofalu am ein hwyrion a'n hwyresau. Wedi colli Eirian, euthum drwy gyfnod poenus o alaru. Er bod nifer o arbenigwyr yn cyfeirio at wahanol gyfnodau yn y broses o alaru, canfyddais nad oedd profiad pawb yn dilyn yr un llwybr. Ond yr oedd trafod fy mhrofiadau gydag eraill oedd wedi bod trwy gyfnodau tebyg yn help mawr, a minnau'n llawer parotach i drafod yn agored yn y cyfnod hwn. Gwn erbyn hyn nad yw'r boen o golled yn ein gadael yn llwyr, er bod poen ingol y misoedd cynnar wedi lleihau.

Un gwaddol pwysig o'r berthynas efo Eirian yw fy hoffter o gelfyddyd gain. Cyfeiriais eisoes at waith Chagall a Monet, ond mae artistiaid eraill rwy'n hoff iawn o'u gwaith. Cofiaf ymweld â'r Musée D'Orsay ym Mharis a'm cyfareddu gan waith yr Argraffiadwyr megis Cezanne a Degas, a Sisley a ddaeth i Gymru. Mae casgliad gwych o waith yr Argraffiadwyr yn yr Amgueddfa Genedlaethol yng Nghaerdydd. Un o'r orielau gorau i mi ymweld â hi yw'r Thyssen-Bornemisza ym Madrid ac yno mae modd gweld datblygiad y grefft dros y canrifoedd. Mae'n debyg mai'r gwaith unigol a greodd fwyaf o argraff arnaf oedd *Guernica* gan Picasso ac ni all unrhyw atgynhyrchiad ohono wneud cyfiawnder â'r effaith o weld y gwreiddiol. Cefais wefr anghyffredin o weld gwaith Rembrandt yn y Rijksmuseum yn Amsterdam, a'r un modd effaith ysbrydol ffenestri lliw Matisse mewn eglwys yn Vence yn Ne Ffrainc.

Dychwelais i'm swydd yn y Brifysgol rai wythnosau wedi colli Eirian. Aethpwyd ati i sicrhau cyllid ychwanegol drwy Gronfeydd Strwythurol Ewrop ac i benodi penseiri a chwmni adeiladu i ymgymryd â'r gwaith o godi'r adeilad cyntaf ar ein safle yn y Gaerwen. Cwblhawyd yr adeilad ar amser ac o fewn y gyllideb ac fe'i hagorwyd yn swyddogol ym mis Mai 2018 gan Carwyn Jones. Enillodd yr adeilad trawiadol nifer o wobrau pensaernïol. Ein targed oedd sicrhau fod yr adeilad 80% yn llawn dair blynedd wedi'r agoriad, ac fe gyrhaeddwyd y targed ynghynt na hynny. Dim ond cwmnïau arloesol sydd un ai newydd eu sefydlu, neu sydd yn bwriadu tyfu ac sydd yn seiliedig ar wyddoniaeth neu dechnoleg sy'n cael eu derbyn fel tenantiaid. Erbyn hyn mae oddeutu cant a hanner o bobl yn gweithio yn yr adeilad cyntaf, ac fe gynhelir cynadleddau, gweithdai a digwyddiadau cyffelyb yn yr atriwm gan ddefnyddio'r dechnoleg ddiweddaraf. Enillodd yr adeilad ei blwyf fel cyrchfan boblogaidd i'r gymuned fusnes, ac un sy'n cynnig swyddi o ansawdd dda. Daw nifer yno i ddefnyddio'r cyfleusterau *hot-desk* neu swyddfa am gyfnodau byr. Erbyn hyn, mae cynlluniau ar y gweill ar gyfer ail, a hyd yn oed trydydd adeilad, er y gallai effeithiau pandemig Covid-19 effeithio ar yr amserlen.

Ymddeolais o'm swydd ar ddiwedd y cyfnod datblygu yn 2018, a pharhaf i weithredu fel Cadeirydd cwmni'r parc gwyddoniaeth. Er gwaethaf sgeptigaeth nifer a fyddai menter o'r fath yn gweithio mewn ardal wledig, mae llwyddiant y parc hyd yma yn golygu fod ardaloedd eraill yng Nghymru yn ystyried mentrau tebyg a dyna'n union oedd y bwriad. Mae angen creu rhwydwaith o Barciau Gwyddoniaeth a Chanolfannau Arloesedd er mwyn ychwanegu gwerth i'n heconomi.

Gwyddwn mai sefydlu'r Parc Gwyddoniaeth fyddai fy sialens fawr olaf. Wedi cyfnod o dros chwarter canrif yn y byd gwleidyddol, teimlaf i mi allu rhoi rhywbeth yn ôl i'r gymuned y bûm yn ei chynrychioli fel Aelod Seneddol ac Aelod Cynulliad. Cofiaf eiriau Andrew Roth yn fy nisgrifio yn un o'i bortreadau seneddol cynnar ohonof fel 'problem solving politician'. A dyna fel y gwelaf fy hun, gan deimlo mai'r pethau a gyflawnais sy'n bwysig i mi yn y pen draw ac mai chwarae fy rhan yn y broses o sicrhau Senedd Ddeddfwriaethol i Gymru yw'r mwyaf o'r rheini.

Mae'n fater o siom i mi na lwyddwyd i adeiladu ar y gwaith a gyflawnwyd yng nghyfnod Llywodraeth Cymru'n Un, a hyd yma Elin Jones, Jocelyn Davies, Alun Ffred Jones, Rhodri Glyn Thomas a minnau yw'r unig weinidogion a wasanaethodd yn enw Plaid Cymru. O'm profiad i, nid oes dim arall yn y byd gwleidyddol sy'n cymharu â'r cyfnod mewn llywodraeth, a gobeithio'n fawr y daw cyfle i aelodau o Blaid Cymru wasanaethu unwaith yn rhagor, a hynny'n ddelfrydol mewn llywodraeth sy'n cael ei harwain gan y Blaid. Dyna'r ffordd sicraf i gynyddu'r gefnogaeth i Annibyniaeth, sef i bobl Cymru weld y medrwn lywodraethu ein gwlad yn llwyddiannus ac y gellir ymddiried ynom i gymryd y cam nesaf ar y daith. Efallai nad mewn un naid y daw hynny, ond mae cymryd y cam i lywodraethu yn anhepgorol i'n llwyddiant yn y pen draw.

Mae Plaid Cymru, yn ôl ei harfer yn dilyn canlyniadau siomedig, wedi dechrau ar broses o adolygu ei pherfformiad yn etholiad 2021. Gobeithiaf na fyddwn yn ailadrodd rhai o wendidau'r gorffennol drwy fod yn amharod i wynebu rhai gwirioneddau. Gwn y gall adolygiad o'r fath fod yn boenus, gan fod 'na duedd i feio unigolion am fethiannau yn hytrach na chymryd cyfrifoldeb ar y cyd. Gall rhai unigolion uchelgeisiol ei weld fel cyfle i hyrwyddo eu safle eu hunain, a hynny wrth gwrs yn gamgymeriad. Mae'n weddol amlwg i mi fod yn rhaid edrych ar beirianwaith ymgyrchu'r Blaid yn yr etholaethau tu hwnt i'r gorllewin. Fel yr awgymais eisoes, nid ydym wedi adeiladu ar y trefniadau roddwyd yn eu lle yn 1997 a 1999.

Wrth gwrs, mae dulliau ymgyrchu wedi newid yn sylweddol ers 1999, yn bennaf y rôl y gall cyfryngau cymdeithasol ei chwarae yn ein dulliau ymgyrchu. Ond yn ei hanfod, yr un yw'r angen sef dwyn perswâd ar gefnogwyr tebygol i'n cefnogi a chanfod ffyrdd o gael digon o wybodaeth gyfredol i ymateb yn gyflym i dueddiadau yn ystod yr ymgyrch ei hun. Yn naturiol, mae angen negeseuon clir a pholisïau apelgar. Ond yn fy marn i, nid diffyg polisïau ydi gwendid y Blaid – gellir dadlau fod gormod ohonynt – ond methiant trefniadol. Efallai fod yr alwad am refferendwm ar Annibyniaeth yn nhymor cyntaf Llywodraeth Plaid Cymru wedi peri i rai cefnogwyr posib gilio, ond nid dyna oedd y prif reswm o gofio fod ein cefnogaeth lle roedd gennym drefniadaeth dda wedi cynyddu. Dadleuais droeon fod angen sefydlu Uned Ymgyrchu y tu allan i brif beirianwaith y Blaid, a sicrhau digon o adnoddau fel y gall weithredu fel corff ymgyrchu parhaol. Rhaid ystyried hynny unwaith yn rhagor a chynnal deialog barhaus efo'r rhai sy'n gynnes tuag atom, ond nad ydynt eto yn ein cefnogi gyda'u pleidlais. Mae derbyn intel gwleidyddol a gweithredu arno yn hanfodol, hyd yn oes os ydi'r negeseuon a dderbyniwn oddi wrtho yn anghyfforddus ar brydiau.

Bellach rwy'n edrych ymlaen at gyfnod o hamddena, er fod gennyf rai prosiectau ar y gweill megis sefydlu canolfan gymunedol yn Llangefni a mynd ati i ysgrifennu hanes Rhyfel y Degwm yng Nghymru. Daeth Brenda a minnau yn ffrindiau – hithau wedi bod yn hynod o weithgar efo'r Blaid ym Môn a chyda mudiadau sy'n cynnig cymorth i bobl hŷn – a byddwn wrth ein bodd yn treulio amser gyda'r wyrion a'r wyresau a theithio tipyn. Y daith hynotaf hyd yma oedd i Siapan i gefnogi tîm rygbi Cymru yn rownd gyn-derfynol Cwpan y Byd yn 2019. Bydd dilyn hynt a helynt y tîm rygbi rhyngwladol yn sicr o fod yn rhan go bwysig o deithiau'r dyfodol.

Hefyd o'r Lolfa:

£9.99

GWLADGARWR
GWENT
SON OF GWENT
COFIO STEFFAN LEWIS

£9.99

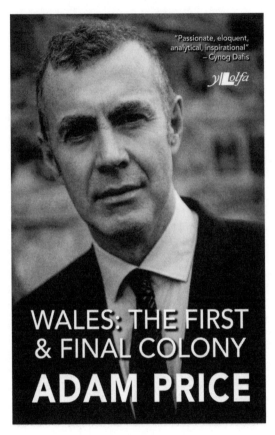

"Passionate, eloquent, analytical, inspirational"
– Cynog Dafis

y Lolfa

WALES: THE FIRST & FINAL COLONY
ADAM PRICE

£9.99

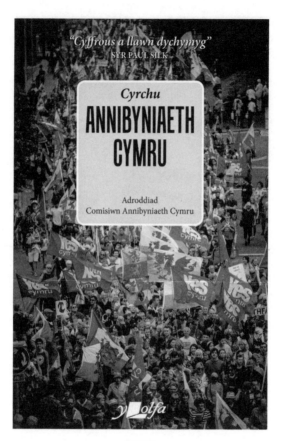

"*Cyffrous a llawn dychymyg*"
SYR PAUL SILK

Cyrchu
ANNIBYNIAETH CYMRU

Adroddiad
Comisiwn Annibyniaeth Cymru

y olfa

£9.99